D1299081

TOME 10

<u>DANS LA MÊME COLLECTION</u>

Déjà parus :

Les héritiers d'Enkidiev, tome 1 – Renaissance
Les héritiers d'Enkidiev, tome 2 – Nouveau monde
Les héritiers d'Enkidiev, tome 3 – Les dieux ailés
Les héritiers d'Enkidiev, tome 4 – Le sanctuaire
Les héritiers d'Enkidiev, tome 5 – Abussos
Les héritiers d'Enkidiev, tome 6 – Nemeroff
Les héritiers d'Enkidiev, tome 7 – Le conquérant
Les héritiers d'Enkidiev, tome 8 – An-Anshar
Les héritiers d'Enkidiev, tome 9 – Mirages

À paraître bientôt :

Les héritiers d'Enkidiev, tome 11 – Double allégeance

* * *

À ce jour, Anne Robillard a publié plus d'une quarantaine de romans, dont la saga à succès des *Chevaliers d'Émeraude*, sa suite, *Les héritiers d'Enkidiev*, la série culte *A.N.G.E.*, *Qui est Terra Wilder ?*, *Capitaine Wilder*, la saga des *Ailes d'Alexanne*, la série des *Cordes de cristal* et la toute nouvelle trilogie *Le retour de l'oiseau-tonnerre* ainsi que plusieurs livres compagnons et BD.

Ses œuvres ont maintenant franchi les frontières du Québec et font la joie de lecteurs partout dans le monde.

Pour obtenir plus de détails sur ces autres parutions, n'hésitez pas à consulter son site officiel et sa boutique en ligne :

www.anne-robillard.com / www.parandar.com

ANNE
ROBILLARD

TOME 10

Catalogage avant publication de Bibliothèque et Archives nationales du Québec et Bibliothèque et Archives Canada

Robillard, Anne

Les héritiers d'Enkidiev
Sommaire : t. 10. Déchéance.

ISBN 978-2-923925-64-6 (v. 10)

I. Titre. II. Titre : Déchéance.

PS8585.O325H47 2009 C843'.6 C2009-942695-1
PS9585.O325H47 2009

WELLAN INC.
C.P. 85059
345, boul. Sir-Wilfrid-Laurier
Mont-St-Hilaire, QC J3H 5W1
Courriel : info@anne-robillard.com

Couverture et illustration : Jean-Pierre Lapointe
Crédit photo : Shutterstock et Minerva Studio
Mise en pages : Claudia Robillard
Révision : Annie Pronovost

Distribution : Prologue
1650, boul. Lionel-Bertrand
Boisbriand, QC J7H 1N7
Téléphone : 450 434-0306 / 1 800 363-2864

© 2014 Wellan Inc. **Tous droits réservés**

Dépôt légal - Bibliothèque et Archives nationales du Québec, 2014
Dépôt légal - Bibliothèque et Archives Canada, 2014

« Le succès n'est pas final, l'échec n'est pas fatal : c'est le courage de continuer qui compte. »

— Winston Churchill

ENKIDIEV

N
SHOLA
ALOMBRIA
SAGE
ELFES
OPALE
FÉES
DIAMANT
RUBIS
ARGENT
JADE
ÉMERAUDE
BÉRYL
CRISTAL
TURQUOISE
PERLE
ZÉNOR
FAL
AN-ANSHAR
ADORADÉA
DÉSERT

ENLILKISAR

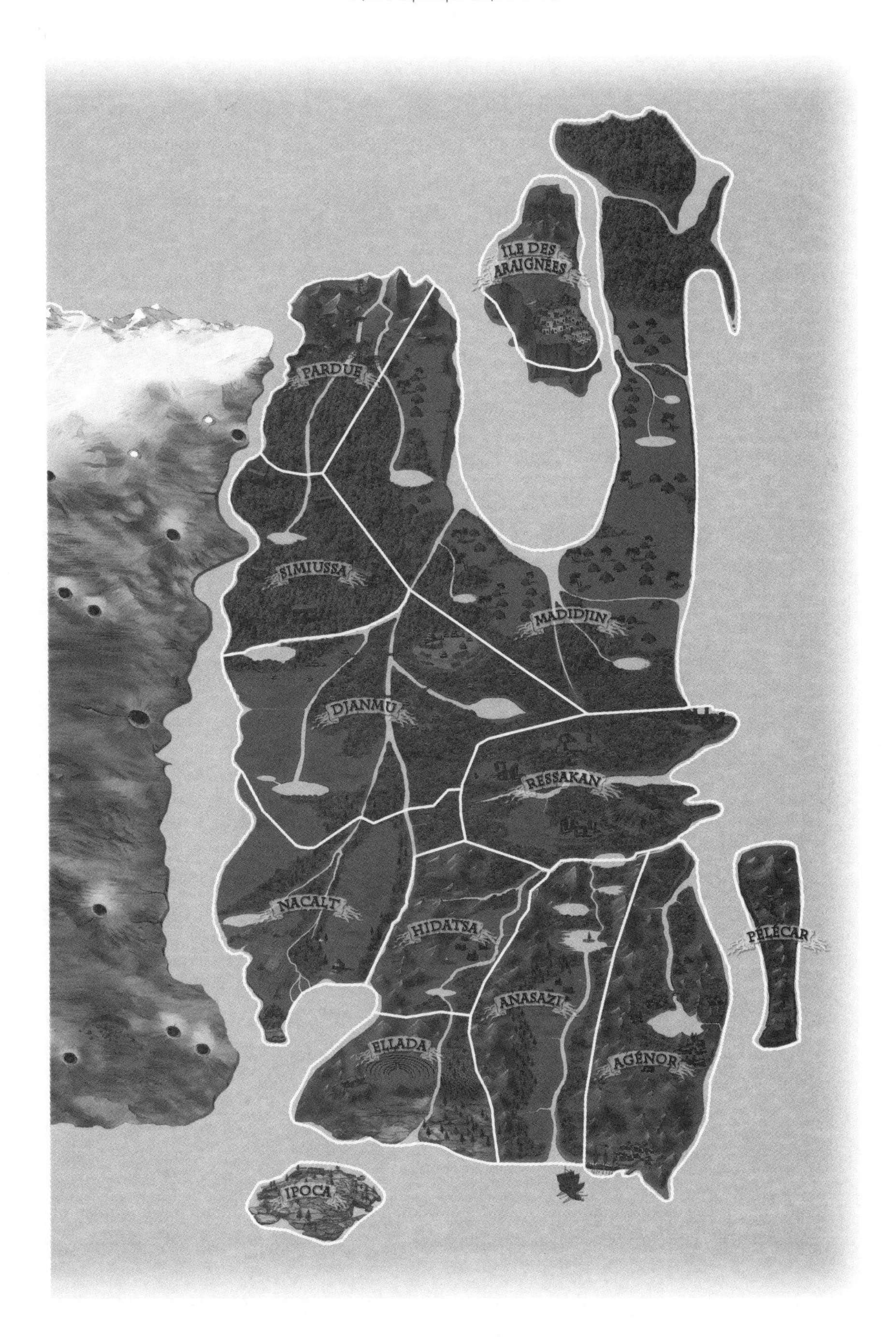

ÎLE DES ARAIGNÉES
PARDUE
SIMIUSSA
MADIDJIN
DJANMU
RESSAKAN
NACALT
HIDATSA
PÉLÉCAR
ANASAZI
ELLADA
AGÉNOR
IPOCA

PANTHÉON D'ABUSSOS

LES DIEUX FONDATEURS

ABUSSOS
dieu-hippocampe

LESSIEN IDRIL
déesse-louve blanche ailée

LES DIEUX CATALYSTES

LAZULI
dieu-phénix
(Kaolin)

NAALNISH
déesse-licorne
(Kaliska)

NAHÉLÉ
dieu-dauphin ailé
(Lassa)

NAPASHNI
déesse-griffon
(Swan/Napalhuaca)

NASHOBA
dieu-loup noir
(Onyx)

NAYATI
dieu-dragon bleu
(Nemeroff)

LES DIEUX CRÉATEURS

AUFANIAE ET AIAPAEC
déesse-dragon et dieu-dragon dorés

OBSIDIA
déesse-fennec ailé

PANTHÉON MIXTE

Dieux et déesses ayant gardé leur divinité suite à la colère d'Abussos grâce à leur appartenance au panthéon d'Achéron

ANYAGUARA
déesse-panthère noire,
fille de feue la déesse-jaguar Étanna
et du dieu-lion Kimaati

LAZULI
dieu (anciennement dieu-gerfaut),
fils de la déesse-théropode Kira
et de l'ex-dieu épervier Sparwari

MYRIALUNA
déesse-eyra,
fille de l'ex-déesse reptilienne Fan
et du dieu-lion Kimaati

CORNÉLIANE
déesse-guépard,
fille de la déesse-griffon Napashni
et du dieu-jaguar Solis

MAÉLYS ET KYLIAN
déesse-pliosaure et dieu-pliosaure,
fille et fils de la déesse-théropode Kira et du
dieu-dauphin ailé Nahélé

SASHA, STANISLAV ET SERGUEÏ
dieux-lions,
fils de la déesse-eyra Myrialuna
et de feu l'Immortel reptilien Abnar

KIRA
déesse-théropode,
fille de l'ex-déesse reptilienne Fan
et de feu le dieu-scarabée Amecareth

MAHITO
dieu-tigre,
fils de la déesse-panthère noire Anyaguara
et de l'ex-Immortel reptilien Danalieth

SOLIS
dieu-jaguar,
fils de feue la déesse-jaguar Étanna
et du dieu-lion Kimaati

LARISSA, LAVRA, LÉIA, LIDIA, LÉONILLA ET LUDMILA
déesses-eyras,
filles de la déesse-eyra Myrialuna
et de feu l'Immortel reptilien Abnar

MAREK
dieu-léopard des neiges,
fils de la déesse-théropode Kira
et du dieu-jaguar Solis

WELLAN
Dieu-ptérodactyle,
fils de la déesse-théropode Kira
et du dieu-phénix Lazuli

PANTHÉON D'ACHÉRON

LES DIEUX FONDATEURS

ACHÉRON
dieu-rhinocéros

VIATLA
déesse-hippopotame

JAVAD
dieu-rhinocéros,
fils de la déesse-hippopotame Viatla
et du dieu-rhinocéros Achéron

KIMAATI
dieu-lion,
fils de la déesse-hippopotame Viatla
et du dieu-rhinocéros Achéron

REWAIN
dieu-zèbre,
fils de la déesse-hippopotame Viatla
et du dieu-rhinocéros Achéron

1

LA SENTENCE

Le monde céleste n'avait jamais été aussi ébranlé depuis sa création. Non seulement la soudaine disparition de la presque totalité des dieux qui régnaient sur la galaxie compromettait l'équilibre même de l'univers, mais elle avait secoué Abussos jusqu'au tréfonds de son âme. En quelques secondes à peine, un terrible événement venait de faire disparaître sa descendance. À genoux près du canot qu'il était en train de sculpter, les bras en croix sur sa large poitrine, il était plié en deux par la douleur. C'est ainsi que Lessien Idril l'avait trouvé, le visage baigné de larmes, après avoir senti de loin son chagrin.

– Ils ont péri, Idril... sanglota le dieu-hippocampe. Un véritable massacre...

– Je t'en prie, laisse-moi t'aider.

Abussos leva un regard suppliant sur elle. Alors elle l'étreignit davantage en laissant jaillir de son âme une douce lumière bleue, qui les enveloppa tous les deux pendant plusieurs minutes. L'énergie de Lessien Idril, complémentaire à celle de son compagnon, parvint à rendre à celui-ci son équilibre émotionnel.

– Maintenant, allons voir ce qui s'est passé, suggéra-t-elle.

La déesse-louve lui tendit la main et le remit sur pied.

– Es-tu en mesure de localiser cette tragédie ?

– La destruction nous encercle, mais semble plus prononcée du côté des Ghariyals.

– Nous commencerons donc par là.

Ils se dématérialisèrent et filèrent dans l'Éther comme deux brillantes comètes, puis réapparurent au milieu de la rotonde du chef des divinités reptiliennes. Leur gorge se noua aussitôt, car une vingtaine de corps criblés d'éclats de verre jonchaient le plancher de marbre blanc.

– Comment est-ce possible ? parvint finalement à articuler Lessien Idril.

Abussos se pencha sur un jeune homme.

– Est-ce le résultat d'une attaque ou un phénomène naturel ? lui demanda sa femme.

Le dieu-hippocampe effleura l'un des morceaux de quartz limpide pour tenter d'en déterminer la provenance.

– On dirait que ces débris ont fait partie d'un tout qui a brusquement éclaté...

– En d'autres mots, tu ne sais pas ce que c'est.

– Ça ne provient pas de notre monde.

Abussos posa la main sur la tête de plusieurs de ses arrière-petits-enfants, mais ne put rien tirer de leur mémoire, car leur âme avait quitté leur corps divin. Il lui faudrait donc se rendre dans le monde des disparus pour les questionner.

Pendant ce temps, Lessien Idril marchait entre les victimes. En examinant leur position sur le sol, elle finit par comprendre que la bombe de cristal avait explosé exactement au centre du pavillon circulaire. Elle leva les yeux vers le plafond et aperçut le trou par lequel elle était certainement tombée.

– Savez-vous qui a commis une telle atrocité ? s'enquit alors une voix masculine derrière elle.

La déesse-louve fit volte-face et vit Parandar, Theandras et Fan qui se hâtaient de grimper les marches immaculées qui menaient à la rotonde.

– Nous l'ignorons, pour l'instant, répondit-elle. Comment avez-vous échappé à l'hécatombe ?

– Après avoir conféré avec tous les membres de notre panthéon, nous nous sommes éloignés pour nous entretenir en privé, expliqua Theandras avec tristesse.

– Les rapaces ou les félidés ont-ils tenté de nous éliminer ? s'enquit Fan.

– Non, affirma Abussos en se redressant. Cette attaque a été menée par des représentants d'un univers parallèle.

– Nous n'avons rien fait pour provoquer leur colère, assura Parandar.

– C'est un mystère pour moi aussi, à moins qu'Achéron et ses enfants aient soudain décidé d'étendre leur domination à d'autres mondes.

– Que pouvons-nous faire ?

– Vous, absolument rien. Idril, ramène-les à l'agora. Je vous y rejoindrai sous peu.

– Y serons-nous en sûreté ? voulut savoir Fan.

Abussos ne les écoutait déjà plus. Afin de leur éviter de subir le même sort que les autres dieux reptiliens, sa femme s'empressa de les transporter magiquement jusqu'à cet endroit du ciel que rien ne pouvait atteindre. Tout comme Lessien Idril, le dieu-hippocampe dirigea son regard sur le plafond du pavillon, se rappelant fort bien qu'à l'origine, il n'était pas ainsi percé d'un trou béant. En un clin d'œil, il se transporta sur le toit et chercha à flairer l'énergie de ceux qui avaient laissé tomber le projectile meurtrier. Ne trouvant rien, il comprit qu'il avait été lâché à partir de l'Éther.

Il prit donc son envol en effectuant une lente spirale ascendante, jusqu'à ce qu'il capte enfin quelque chose. L'assassin s'était donné beaucoup de mal pour masquer son énergie, mais il en restait tout de même une trace presque imperceptible. « C'est impossible... », se désola Abussos en flairant cette odeur familière. « Sûrement, je me trompe... » Toutefois, il n'allait pas accuser qui que ce soit avant d'avoir examiné tous les faits.

Pressé de poursuivre son enquête, il fonça vers le domaine des oiseaux de proie, où il percevait déjà une détresse semblable à celle de la triade reptilienne. Lorsqu'il reprit forme, il trouva Aquilée et Orlare sur le bord d'un énorme trou au milieu du nid d'Étanna.

– Y a-t-il eu une explosion ? demanda-t-il, alarmé.

Les deux sœurs étaient si commotionnées qu'elles paraissaient incapables de prononcer un seul mot. Alors Abussos s'approcha davantage. À première vue, elles n'avaient pas été frappées par les mêmes éclats que les reptiliens.

– Comment est-ce arrivé ?

– Nous n'en savons rien, répondit enfin Orlare. Nous n'étions pas ici.

Le dieu-hippocampe passa la main au-dessus du vide. Ce qui avait causé ce gouffre béant ne semblait pas avoir la même origine que ce qui avait entraîné la perte des Ghariyals.

– Je flaire le concours des félins, mais ils n'ont pas agi seuls, laissa tomber Aquilée.

– Réunissez tous les membres de votre panthéon.

– Il n'y a plus que nous, se désola Orlare. Je crains que les autres aient été aspirés dans cet abîme.

– Allez m'attendre à l'agora, ordonna Abussos.

– La trace des tueurs est fraîche, protesta Aquilée. C'est maintenant qu'il faut la suivre.

– Faites ce que je vous demande.

– Allez viens, ma sœur, fit Orlare d'une voix suppliante. Le vénérable hippocampe est beaucoup plus fort que nous. Il trouvera le coupable et il le fera payer pour son crime.

Voyant que la déesse-aigle ne bronchait pas, elle passa son aile blanche par-dessus son dos et l'emmena contre son gré. Abussos aurait aimé plonger dans le trou et voir où il le mènerait, mais il devait d'abord découvrir le sort du panthéon félin. Il décolla donc comme une étoile filante et se rendit dans leurs grandes forêts percées de nombreux terriers. Il se matérialisa devant l'entrée de celui d'Étanna, mais n'alla pas plus loin. Ses sens aiguisés l'avaient tout de suite averti qu'il n'y avait plus personne. Il poursuivit son enquête avec son esprit et, bizarrement, ne trouva aucune trace de violence où que ce soit. Les chats avaient-ils eu le temps de fuir avant l'arrivée de l'agresseur ? Mais où seraient-ils allés ?

Il entra dans l'antre de la déesse-jaguar et capta un soupçon de magie qui confirma ce qu'il pensait : Étanna avait quitté son domaine avec tous ses sujets. C'était une autre piste qu'il devrait suivre dès qu'il aurait mis les survivants reptiliens et rapaces à l'abri.

Abussos se dirigea donc vers l'agora. Les bras croisés, Lessien Idril observait ses petits-enfants qui, même dans le malheur, refusaient de se parler. Chaque clan sur sa propre terrasse, les reptiliens et les rapaces se tournaient le dos.

– Écoutez-moi ! lâcha le dieu-hippocampe d'une voix forte.

Parandar, Theandras, Fan, Aquilée et Orlare pivotèrent vers leurs grands-parents.

– Où sont les chats ? demanda la déesse-harfang.

– Je n'en sais rien.

– Ils se cachent parce qu'ils sont responsables de la disparition de mes sujets ? fit Aquilée sur un ton accusateur.

– Mes recherches ne sont pas terminées, annonça Abussos.

– Lorsque vous les trouverez, je veux leur arracher la peau moi-même.

– Rien ne prouve qu'ils soient liés à ce qui s'est passé.

– Qui d'autre nous haïssait à ce point ?

– Tous ceux que vous avez agressés, cracha Parandar, dégoûté.

– Ils ont ouvert les hostilités ! hurla Aquilée, hors d'elle.

– Rien n'est jamais de votre faute, n'est-ce pas ? riposta Parandar.

Lessien Idril sentit que son époux était sur le point d'exploser de colère.

– Assez ! tonna Abussos.

Le sol de l'agora trembla, rappelant aussitôt les divinités à l'ordre.

– Je vous avais ordonné de mettre fin à ces incessantes querelles sous peine d'en subir de lourdes conséquences. Un terrible châtiment vous attend désormais.

– Qu'y a-t-il de plus terrible que de voir les cadavres de tous ceux qu'on aimait ? lui fit remarquer Theandras.

– Ne pas savoir où ils sont, répliqua Aquilée.

– Je vous ai demandé de vous taire !

– Avec tout le respect que je vous dois, vénérable Abussos, intervint Parandar, les Ghariyals devraient être soustraits à votre châtiment, car ils n'ont jamais participé aux hostilités entre les panthéons de Lycaon et d'Étanna.

– À partir de cet instant, vos panthéons n'existent plus. Je ne vous donnerai plus jamais l'occasion de vous entredéchirer.

– Mais sans nous, l'univers va cesser d'exister... s'étonna Orlare.

– Pas si c'est le vénérable hippocampe qui prend notre place, l'informa sa sœur.

– Non seulement je viens de supprimer votre accès à vos mondes, mais je vous retire désormais tous vos pouvoirs.

– Mais nous ne sommes rien sans eux, protesta Orlare.

– Seulement à nous ? se révolta Aquilée. Qu'en est-il des chats ?

– Tous les panthéons seront frappés par cette sentence ! rugit Abussos pour que son intention soit bien claire.

– Nous n'avons rien fait, s'obstina Parandar. Nous ne sommes que de pauvres victimes, dans cette affaire.

– Ma patience est à bout !

Lessien Idril savait bien que les divinités reptiliennes, exception faite d'Akuretari, s'étaient toujours occupées de leurs propres affaires, mais elle n'osa pas provoquer davantage l'ire du dieu-hippocampe.

– Où vivrons-nous si nous n'avons plus de monde ? s'effraya Orlare.

– Je vous condamne à vivre sur la terre des humains.

– Sans pouvoirs ?

– Comme la plupart des mortels. Vous passerez le reste de vos jours à réfléchir à votre stupidité.

– Et les traîtres comme Shvara et Albalys ? lui signala Aquilée.

– Ils pâtiront également de votre manque de réflexion.

Abussos leva les bras vers le ciel. Aussitôt, un sombre tourbillon se forma au-dessus de l'agora.

– Je ne veux plus jamais vous voir ! prononça le dieu fondateur tandis que la queue de la trombe descendait inexorablement sur la grande place.

Tandis que les trois Ghariyals observaient l'effroyable siphon céleste avec résignation, les deux rapaces tentèrent d'y échapper, mais ce fut peine perdue, car elles ne possédaient plus la faculté de se transporter ailleurs. Aquilée se résolut donc à utiliser ses jambes et courut jusqu'à l'autre bout de la grande galerie, même en sachant que si elle enjambait la balustrade, elle ne pourrait plus respirer.

La colonne nébuleuse aspira d'abord Parandar, Theandras et Fan, qui ne se débattirent d'aucune façon, puis alla cueillir les oiseaux de proie paniqués, qui tentaient de s'échapper. Elle s'éleva ensuite dans les airs et disparut.

– Autrement dit, tu les condamnes à une mort certaine, déplora Lessien Idril.

– S'ils sont aussi intelligents qu'ils le prétendent, ils survivront.

– Ils n'ont jamais mangé, n'ont jamais eu froid et n'ont jamais souffert.

– Idril, tu ne me feras pas changer d'idée. J'aurais même dû prendre cette décision il y a fort longtemps. Ils ne méritent aucun des privilèges que leur ont accordés leurs parents.

– Qu'arrivera-t-il à nos enfants ?

– Malheureusement, ils ne seront pas touchés par ma colère.

– Malheureusement ?

– Je n'aurais plus besoin de traquer Nayati si ses pouvoirs étaient désamorcés. Mais la puissance de la foudre que nous créons ensemble est inaltérable.

– Nos petits pourraient aussi fonder leur propre panthéon.

– Pas à partir du monde des mortels. L'accès à l'Éther est désormais interdit à nos descendants.

– Abussos...

– J'ai parlé.

Lessien Idril savait qu'il ne reviendrait pas sur sa décision, mais elle ne pouvait pas non plus laisser ses enfants sans défense.

– Je dois procéder à une enquête plus approfondie pour découvrir ce qui s'est passé dans notre univers, l'avertit-il. Je te reverrai plus tard.

Les yeux chargés de tristesse, il la quitta.

2

LA TROMBE

Appuyée à la fenêtre de sa chambre royale, Kaliska regardait tomber la pluie. Elle savait que cette saison était nécessaire aux cultures sur le continent, mais elle aurait préféré qu'elle ne dure pas aussi longtemps. Elle habitait désormais au château de son futur époux à Émeraude en attendant le jour de leur mariage. La vie en plein air des Elfes lui manquait de plus en plus, mais il valait mieux qu'elle ne soit plus en présence de ces créatures sensibles, qui auraient tôt fait de deviner la souffrance de son cœur. Kaliska avait accepté d'épouser Nemeroff, mais c'était Fabian, le frère de ce dernier, qui occupait toutes ses pensées.

– Suis-je responsable de ce chagrin, ma douce ? murmura alors Nemeroff en s'approchant derrière elle.

Il souleva ses cheveux blonds et l'embrassa sur la nuque.

– Je me sens si peu utile, ici, soupira-t-elle.

– Dès que tu seras reine, tu pourras faire tout ce dont tu as envie.

– Tout ?

– À condition que je n'en sois pas exclu, bien sûr.

Ses baisers migrèrent vers la joue de la future souveraine.

– Nemeroff, qu'est-ce que je vois, au loin ?

Le roi regarda dans la même direction qu'elle et aperçut d'énormes nuages noirs très haut dans le ciel, au sud de sa forteresse. Ce qui les rendait étranges, c'est qu'ils tournaient sur eux-mêmes. L'instruction de Nemeroff s'étant arrêtée le jour de sa mort, à l'âge de neuf ans, il était incapable de reconnaître ce phénomène. Il utilisa toutefois ses pouvoirs magiques pour l'analyser.

– Ce n'est pas d'origine terrestre, conclut-il. Je dirais même que c'est une création divine.

– Et à quoi sert-elle ?

– Je perçois un mouvement de succion à l'intérieur. Peut-être les dieux sont-ils venus chercher du blé ?

– Mais tout le monde sait qu'ils ne mangent pas notre nourriture. Ce tourbillon pourrait-il avaler les habitants de la région ?

– Pour l'instant, il se trouve au-dessus des champs et il ne semble pas se déplacer, mais je suggère que nous continuions à le surveiller.

– Je suis d'accord.

* * *

Au même moment, alerté par ses enfants, Bergeau sortait de sa maison pour observer l'étrange formation nuageuse qui émettait un sifflement aigu. Autrefois, sa mission avait été de défendre le continent contre l'envahisseur. Aujourd'hui, c'était sa famille qu'il devait protéger.

– Je n'ai jamais rien vu de pareil, souffla son fils Luca, étonné.

– Moi non plus, avoua Bergeau. Sauf lorsque j'étais jeune et que je m'amusais à créer de petites trombes d'eau à la surface de l'étang dans la cour du Château d'Émeraude avec mes amis Chevaliers.

– Celle-ci se dirige-t-elle vers notre ferme ?

– J'espère bien que non ! J'ai mis des années à bâtir cette maison ! Tant que le tourbillon demeure immobile, nous ne risquons rien. Mais, juste au cas où, va prévenir ta mère qu'il se peut que nous partions d'ici en catastrophe.

Quelques kilomètres plus loin, Jasson faisait les mêmes constatations que son vieux compagnon d'armes. Il venait de se mettre à table avec sa femme et ses fils lorsque Sanya avait aperçu la perturbation atmosphérique par la fenêtre.

– C'est une tornade, déclara Jasson. Il y a fort longtemps, au cours d'un repas dans le hall des Chevaliers, Wellan nous a expliqué que ces furies du ciel se forment lorsque le sol est excessivement chaud et que l'air se refroidit rapidement. Et certains ont eu assez de culot pour m'accuser de ne pas écouter quand le grand chef parlait ! Si je me souviens bien, le mouvement ascendant du vent en spirale crée un entonnoir qui aspire ce qui se trouve sur son passage.

– Même les bâtiments et les maisons ? s'inquiéta Sanya.

– Tout dépend de la taille de la tornade, mais celle-ci est plutôt impressionnante.

– Pourrait-elle ravager tout le pays ?

– J'en doute, car même si elles sont destructrices, les tornades perdent rapidement de leur force.

– Comment pourrons-nous l'empêcher de dévaster notre propriété ?

– En soufflant dessus !

– Possèdes-tu ce type de magie ? s'étonna Carlo.

– Bien sûr que non. C'est une blague, jeune homme. La seule chose que nous pourrons faire, c'est de nous réfugier ailleurs.

Nogait et Amayelle, les voisins immédiats de Jasson, se tenaient sous le porche de leur habitation, à l'abri de la pluie. Tous comme les autres résidents de la région, ils se demandaient s'ils devaient partir ou rester.

– Je trouve étrange que ce tourbillon reste au même endroit sans perdre de sa force, remarqua le Chevalier.

– J'ai donc raison : c'est un phénomène surnaturel, répliqua sa femme.

– Mais qui vise-t-il et qui l'envoie ?

Habitant encore plus près du tourbillon, Bailey et Volpel s'apprêtaient à déserter leur ferme avec leur fils et leurs chevaux. De la même manière, Daiklan et Ellie guettaient la tornade, espérant qu'elle ne viendrait pas de leur côté. Ils n'avaient jamais songé à installer une chambre forte souterraine pour protéger leurs trésors en cas de catastrophe naturelle, alors ils risquaient de tout perdre.

– Que fait-on ? s'inquiéta Ellie.

– Nous ne pourrons pas tout emporter et il ne servirait à rien d'empiler tous nos artefacts dans des coffres, répondit Daiklan. Cette trombe est suffisamment puissante pour arracher la maison de ses fondations. Je suggère plutôt que nous partions si jamais cette horreur se met à avancer vers le nord. Nous ne possédons pas de vortex, mais nous avons des chevaux.

La spirale était si imposante qu'on pouvait l'apercevoir jusque dans le sud. Justement, dans son nouveau pays d'adoption, Liam était en train de travailler un fer à cheval sur son enclume lorsqu'une bourrasque le déséquilibra. Le vent soufflait à Fal comme dans tous les autres royaumes d'Enkidiev, mais jamais avec une telle force et rarement du nord. Il déposa donc le marteau, les pinces et le morceau de fer et sortit de la forge en s'essuyant les mains sur son tablier. Il ne tombait plus qu'une fine pluie, mais elle semblait fuir vers le Désert presque à l'horizontale.

Pour en avoir le cœur net, Liam grimpa sur la passerelle qui courait le long des hautes murailles blanches de la forteresse du Roi Patsko. C'est alors qu'il aperçut au loin ce qui ressemblait à un arbre géant dont les branches étaient recouvertes de nuages noirs.

Compagnons, je pense que vous devriez venir voir ça! lança-t-il par télépathie. En moins de deux, Lassa, Kira, Marek, Santo, Bridgess ainsi que Hawke et Briag, dont la quête avait été retardée, sortirent du palais et se hâtèrent de le rejoindre devant les créneaux, où le vent se faisait de plus en plus violent.

– Mais qu'est-ce que c'est que ça ? s'étonna Briag.

– J'espérais que vous me le diriez, avoua Liam.

– C'est une perturbation atmosphérique, les informa Hawke.

– On dirait qu'elle sévit à Émeraude, s'alarma Bridgess.

– Oh non... murmura Kira, effrayée.

Kaliska, ma chérie, où es-tu ? s'empressa-t-elle de demander. *J'imagine que tu veux savoir si je vois la même chose que toi ?* répondit la future reine. *En fait, je désire surtout m'assurer que cette chose ne te menace pas,* précisa Kira. *Si le tourbillon se mettait à se déplacer vers nous, c'est certain que nous irions tous nous abriter dans la crypte, mais il reste sur place,* la rassura Kaliska. *Nous ne comprenons pas pourquoi.*

– C'est un phénomène fascinant ! lâcha Marek, enthousiaste.

En se tournant vers son fils rebelle, Kira craignit que la tornade ait été formée par Kimaati pour commencer à se débarrasser des humains.

– Deux d'entre nous devraient aller l'analyser de plus près afin de trouver un moyen de le faire disparaître, suggéra Lassa.

– Moi ! s'exclama Marek.

– Non, l'avertirent ses parents en chœur.

– À mon avis, Lassa et Kira sont les mieux indiqués, suggéra Liam, car ils ont étudié ce genre de phénomène atmosphérique dans les cours de géographie de maître Abnar.

– Il a raison, l'appuya Santo, mais tenez-nous informés de ce que vous découvrirez et, surtout, n'hésitez pas une seconde à nous appeler à l'aide.

– Partons maintenant, indiqua Lassa à sa femme.

Elle lui prit la main sans la moindre hésitation. Pour éviter que Marek réussisse à les accompagner en s'accrochant à leurs vêtements, Hawke saisit celui-ci par le bras et le fit reculer sur la passerelle.

Kira laissa Lassa utiliser son vortex, car il arrivait encore que le sien ne débouche pas tout à fait là où elle avait l'intention d'aller. Ils se matérialisèrent donc sur la route de campagne qui menait au Château d'Émeraude vers le nord et vers les fermes et les champs cultivés vers le sud. Ils durent aussitôt s'accroupir pour ne pas être emportés par les violentes rafales de vent et de pluie provoquées par le tourbillon. Lassa s'accrocha à Kira, qui venait de planter ses griffes dans le sol. À moins de trois kilomètres devant eux, une colonne noire aussi grosse qu'une montagne tournait sur elle-même.

– C'est une tornade ! cria Lassa dans la tourmente.

– Les tornades ne sont-elles pas censées tout aspirer sur leur passage ?

– Oui, c'est ce qu'on nous a appris !

– Pourquoi celle-ci reste-t-elle immobile ?

Des éclairs s'échappèrent alors de la trombe.

– Je crois qu'elle vient de se mettre en action ! s'alarma Lassa. Nous ne devrions pas rester ici !

– Attends !

Kira venait de voir passer des taches noires à la surface de l'entonnoir. Puis, soudain, un être humain fut projeté plus loin.

– As-tu vu ça ? s'étonna Lassa.

Quatre autres personnes furent éjectées de la même façon. Comme s'il venait de se débarrasser enfin d'un grand malaise, le tourbillon disparut d'un seul coup. Le vent tomba, mais la pluie ne cessa pas pour autant.

– Des gens qui tombent du ciel... murmura Kira en se redressant. Comme dans les visions de Mali. Lassa, il faut les secourir.

– Je serais étonné qu'ils aient survécu à la violence de la tornade et à leur chute.

– On ne peut pas les laisser là.

Kira prit les devants et courut jusqu'au corps le plus proche. C'était un homme qui portait une longue tunique blanche toute déchirée.

– Il a sans doute été happé de l'autre côté des volcans, parce que personne ne s'habille ainsi à Enkidiev, remarqua-t-elle en s'agenouillant près de lui.

Elle passa une main lumineuse au-dessus de lui.

– Il est vivant ! s'exclama-t-elle.

Lassa fit la même opération pour le confirmer.

– Tu doutes de moi ? se hérissa Kira.

– Pas du tout ! Je vérifie le nombre de ses os cassés !

Il releva alors les sourcils avec surprise.

– Ce n'est pas croyable, il est intact !

– Mais dans le coma.

Ils se hâtèrent auprès des autres victimes et découvrirent qu'il s'agissait de quatre femmes. La première avait une épaisse tignasse rousse toute bouclée, et la seconde, les cheveux plats aussi blancs que la neige. La troisième avait de longs cheveux noirs et la quatrième...

– Mama ? s'étonna Kira en retournant Fan sur le dos. Mais...

– On dirait bien que Kimaati s'en est pris aussi aux dieux.

– S'il est capable de les atteindre aussi facilement, c'en est fait de nous.

– Il faut les ramener à Fal pour les soigner, décida Lassa en repoussant ses mèches trempées. Plaçons-les près de l'homme. S'ils se touchent tous, nous parviendrons à les transporter en un seul voyage.

À l'aide de leurs pouvoirs de lévitation, ils firent voler les blessées près de l'homme inconnu, puis se prirent une main tandis qu'ils posaient l'autre sur les victimes. En quelques secondes, ils apparurent au milieu de la cour du Château de Fal, sous les regards inquiets des gardes du palais.

– Aidez-nous ! les implora Kira.

Les cinq blessés furent installés dans la chambre d'amis des appartements de Santo, où les serviteurs s'empressèrent d'apporter des lits. Ce dernier ne perdit pas une minute et évalua la condition de ses nouveaux patients, tandis que Jenifael et Mahito se précipitaient dans la pièce.

– Qui sont ces gens ? demanda Santo en passant la main au-dessus de Fan.

– Celle-ci, c'est ma mère, répondit Kira.

– Et celle-là, c'est la mienne ! s'exclama Jenifael en reconnaissant Theandras.

– Vous nous avez ramené des dieux ? s'étonna Bridgess.

Tandis que le guérisseur continuait d'établir ses diagnostics, Kira leur raconta ce que son mari et elle avaient vu à Émeraude. En retrait, Hawke et Briag écoutèrent son récit avec attention, soulagés que ce ne soit pas le vénérable Abussos qui avait été rejeté par la tornade.

– Celui-ci pourrait-il être Parandar ? demanda Santo en posa la main sur le front de l'homme.

– C'est difficile de l'affirmer, puisque personne ne l'a jamais vu, répliqua Bridgess. Mais si Theandras et Fan sont ici, c'est fort possible.

– Et les deux autres ? se demanda Kira, perplexe.

– Nous ne connaissons les divinités que par leur nom, lui rappela Lassa.

– Dès que l'un d'eux aura repris connaissance, nous serons fixés, trancha Santo. Maintenant, si vous ne voulez pas me donner un coup de main, je vous demanderais de bien vouloir sortir.

Les moines sholiens furent les premiers à partir, mais Bridgess, Kira et Lassa se placèrent chacun à la tête d'un blessé.

– Tu n'as qu'à nous dire quoi faire, répliqua Lassa.

– Je crains que leur séjour dans cette baratte à nuages leur ait fait perdre une bonne partie de leur force vitale, indiqua

Santo. Si vous pouviez leur transmettre une petite partie de la vôtre, cela allégerait considérablement mon travail.

Les trois Chevaliers n'eurent pas le temps de s'exécuter qu'un terrible cri résonna dans le palais.

– Qu'est-ce que c'est encore ? s'alarma Kira.

Marek fit irruption dans la pièce.

– Papa, maman, c'est Mali ! Venez vite !

Les parents suivirent leur fils jusqu'au petit salon, où Mali, allongée sur le sol, était en pleine crise d'hystérie, à deux pas de son bébé. La petite Kyomi, assise sur une couverture, observait sa mère avec étonnement.

– Qu'est-ce que tu lui as fait ? grommela Kira en se penchant sur la prêtresse.

– Moi ? Mais rien ! se défendit Marek.

La Sholienne fit jaillir de ses mains des rayons anesthésiants destinés à apaiser Mali sans lui faire perdre connaissance. La jeune femme se calma aussitôt.

– Mali, dis-moi ce qui se passe. Est-ce une autre vision ?

– Ils sont ici...

– Qui ça ?

– Ils sont tombés du ciel...

– C'est exact et pardonne-moi d'avoir douté de toi. Tu avais parfaitement raison. Sais-tu qui ils sont ?

– Non, mais ils se sont attiré la défaveur du ciel...

– Sont-ils dangereux ?

– Ils seront les premières cibles du lion... Vous ne pouvez pas les garder à Fal...

– J'en prends bonne note. Nous allons te conduire dans ton lit et confier la petite aux servantes, d'accord ? Tu as besoin de te reposer.

Lassa souleva Kyomi dans ses bras et partit à la recherche de sa gouvernante, pendant que sa femme installait confortablement la prêtresse dans sa chambre. Les époux arrivèrent presque en même temps dans le couloir.

– Le lion, c'est Kimaati, selon toi ? demanda Lassa à voix basse.

– Ça ne peut être que lui, confirma Kira. D'un point de vue stratégique, il aurait intérêt à frapper nos panthéons tandis qu'ils sont affaiblis.

– Mais comment pourrions-nous l'en empêcher ?

– En mettant les victimes de la tornade en lieu sûr... comme dans le sanctuaire de Shola, par exemple. La magie des moines est suffisamment puissante pour masquer cet endroit au reste du monde.

– Et si Kimaati s'en prend à eux ? s'inquiéta Lassa.

– Cessons de nous perdre en conjectures et allons d'abord aider Santo.

Suivant à la lettre les directives du guérisseur, ils parvinrent à insuffler aux dieux inanimés suffisamment d'énergie pour qu'ils ne périssent pas dès leur première journée dans le monde des mortels. Le reste de la journée, les Chevaliers se partagèrent des tours de garde dans cette chambre. Ce fut pendant celui de Kira qu'Orlare ouvrit enfin les yeux.

– Où suis-je ? demanda-t-elle d'une voix faible.

La Sholienne, qui était en train de lire un traité d'histoire, déposa vivement son livre et s'approcha.

– Au Royaume de Fal, l'informa-t-elle. Mais ce n'est pas là que le tourbillon vous a rejetée à l'origine.

Le souvenir de la trombe au-dessus de l'agora fit frissonner la déesse-harfang.

– Qui êtes-vous et comment vous êtes-vous retrouvée à l'intérieur du tourbillon ? s'enquit Kira.

– Je suis Orlare, la déesse-harfang des neiges. Abussos était furieux contre nous, mais nous n'avons rien fait.

– Vous avez été punis par le dieu fondateur ?

– Il croit que nous avons tenté de nous entretuer, ce qui n'est pas complètement faux, mais nous ne sommes pas responsables de la disparition des félidés.

Elle raconta à Kira que sa sœur et elle, en revenant des bassins, avaient trouvé un immense trou au centre du nid royal et que c'est à ce moment-là qu'Abussos était apparu. Il les avait promptement expédiées à l'agora, où il avait finalement prononcé leur sentence.

– Il a anéanti nos mondes respectifs et il nous a enlevé nos pouvoirs, termina-t-elle.

– Vous n'êtes plus des divinités ?

– Non... Où est ma sœur ?

– Juste ici, mais elle semble avoir subi de plus graves blessures que les autres.

– Sous les crocs de Nashoba, lorsqu'il est venu en aide aux félins sur les grandes plaines d'Enlilkisar.

« Onyx s'en est pris aux dieux ? » s'étonna Kira.

– Si vous êtes devenues mortelles, alors il sera plus facile de soigner vos plaies, la rassura-t-elle. Nous vous avons ramenées là où vit notre meilleur guérisseur.

– Qu'allons-nous devenir ?

– Ça dépendra de vous, j'imagine. Pour l'instant, reposez-vous. Nous discuterons de tout cela plus tard.

Kira utilisa ses pouvoirs pour l'endormir. « Si les félins ont disparu, il est normal que nous n'en ayons pas retrouvé, mais il y avait beaucoup plus de dieux rapaces et reptiliens que ces cinq victimes », songea-t-elle. « Où sont les autres ? » Elle décida donc de communiquer avec ses compagnons d'armes par télépathie. *Mes frères et mes sœurs d'armes, Lassa et moi avons retrouvé cinq dieux éjectés à Émeraude par une tornade. Apparemment, Abussos leur a retiré tous leurs pouvoirs et les a condamnés à vivre parmi nous. Si vous avez observé d'autres tourbillons semblables dans vos royaumes, j'ai besoin de le savoir.*

Durant les heures suivantes, un grand nombre des Chevaliers dispersés sur tout Enkidiev lui répondirent qu'ils n'avaient rien vu de semblable. « C'est une bonne nouvelle », se dit la Sholienne. Elle allait quitter le chevet des divinités blessées lorsque Theandras se réveilla à son tour. Elle battit des paupières et se redressa doucement sur ses coudes pour regarder autour d'elle. Éprouvant de la douleur pour la première fois de sa vie, elle grimaça.

– Ne faites aucun effort, l'avertit sa gardienne.

– Kira...

– Vous êtes la déesse du feu que Wellan adore tant, n'est-ce pas ?

– Et ta grand-tante, également.

– Orlare m'a dit que c'est Abussos qui vous a expédiés dans la tornade.

– Il nous avait avertis qu'il ne supporterait plus aucune querelle entre les trois panthéons, mais les Ghariyals n'ont jamais proféré aucune menace contre Lycaon et Étanna. Nous ignorons qui a lâchement assassiné tous les membres de notre famille.

– Assassiné ?

– Il ne reste plus que Parandar, Fan et moi. Je vois que vous les soignez déjà.

– Et aux dires d'Orlare, vous ne pouvez plus rentrer chez vous.

– Si j'en crois ce que je ressens en ce moment, je dirais que même si c'était possible d'y retourner, nous ne survivrions pas dans l'Éther. Il semblerait qu'en plus de nous avoir ôté tous nos pouvoirs, Abussos nous ait également retiré notre immortalité.

– Temporairement ?

– J'ai bien peur que non.

Kira força Theandras à se recoucher et, tout comme à Orlare, elle lui recommanda de dormir au moins jusqu'au matin.

3

KAOLIN ET OBSIDIA

Dans ses appartements du Château d'Émeraude, Swan s'isolait de plus en plus, avec son énorme ventre. Elle ne pouvait plus marcher, alors elle restait assise dans son fauteuil préféré et laissait les servantes prendre soin d'elle. Une seule avait eu l'audace de lui faire remarquer que le bébé aurait déjà dû naître depuis longtemps et que son retard mettait sa vie en danger. Elle convoqua donc ses enfants et leur fit part de ses craintes. Puisque Nemeroff était paralysé par son ignorance, Kaliska, qui en savait un peu plus que lui sur les accouchements, proposa de l'aider.

– À mon avis, le mieux est de provoquer la naissance, déclara-t-elle.

Elle ordonna à tout le monde de partir et demanda à son futur mari de faire quérir Armène, qui avait beaucoup d'expérience en la matière. Elle aida ensuite Swan à marcher jusqu'à son lit et la fit coucher sur le dos.

– Y a-t-il un sort qui incite les bébés à venir au monde ? haleta la reine après cet effort.

– Sans doute, mais je préférerais que nous procédions de la manière usuelle.

Armène arriva quelques minutes plus tard en enlevant sa cape ruisselante d'eau.

– Je me demandais justement pourquoi personne ne nous avait annoncé la naissance de votre petit dernier, fit la gouvernante.

Elle examina Swan et fronça les sourcils.

– S'il n'est pas encore là, c'est peut-être qu'il est incapable de se placer correctement pour naître, conclut-elle. Mademoiselle Kaliska, j'ai besoin de tes mains magiques.

– Dis-moi ce que je dois faire, Mène.

– Commence par me dire comment se porte le bébé.

La guérisseuse fit ce qu'elle lui demandait.

– Son cœur ralentit... s'alarma-t-elle.

– Dans ce cas, nous allons le persuader de sortir de là. Si tu veux bien t'occuper des douleurs de Sa Majesté, je vais me mettre au travail.

Pendant qu'à Émeraude, Kaliska engourdissait les sens de Swan, à l'autre bout du monde, assise devant le feu dans la longue maison que les Anasazis avaient mis à la disposition de leurs visiteurs d'Enkidiev, Napashni ressentit une première contraction. Elle mit la main sur son ventre en espérant que ce ne soit qu'une crampe d'estomac, mais elle fut suivie d'une deuxième.

– Qu'y a-t-il ? demanda Onyx, qui avait capté son geste.

– C'est le bébé, mais il est beaucoup trop tôt.

Il l'incita à se coucher dans les fourrures et passa la main au-dessus d'elle.

– C'est curieux, parce qu'il ne bouge pas du tout, constata-t-il.

Napashni décida donc de rester allongée, mais au lieu de disparaître, les spasmes devinrent de plus en plus fréquents. Elle leva un regard paniqué sur Onyx.

– Je t'en prie, fais quelque chose, le supplia-t-elle. S'il naît maintenant, il ne sera pas complet...

– Détends-toi. Je m'en occupe.

Au palais d'Émeraude, Armène avait enfin réussi à provoquer les premières contractions de la reine, qui étaient de moins en moins espacées.

– Je crois bien que nous aurons un joli petit prince dans quelques minutes, fit-elle sur un ton encourageant.

Au moment où Swan rassemblait ses forces pour pousser, elle disparut subitement sous les mains de la gouvernante.

– Kaliska, est-ce toi qui as fait ça ? s'étonna Armène.

– Pas du tout !

Les deux femmes attendirent quelques minutes pour voir si la reine réapparaîtrait.

– Elle s'est peut-être involontairement déplacée dans une autre pièce, suggéra la future reine.

Elles demandèrent aussitôt aux servantes de la chercher partout, mais personne ne la trouva. Alors Kaliska se précipita à la bibliothèque, où Nemeroff s'était isolé pour lire après la disparition de la tornade. En apercevant le visage très pâle de la jeune femme, il craignit le pire.

– C'est ta mère... Elle a disparu alors qu'elle était sur le point d'accoucher.

– Disparu ? Mais elle peut à peine se déplacer.

– Elle s'est volatilisée pendant qu'Armène et moi l'aidions à mettre l'enfant au monde.

Nemeroff prit la main de Kaliska et les transporta tous deux dans la chambre de sa mère. Il passa la main au-dessus du lit.

– Est-elle partie de son propre gré ? voulut savoir Kaliska.

– Non. Je ne reconnais pas cette magie.

– En d'autres mots, elle a été enlevée...

– C'est ce qu'il semble, mais je ne saurais dire par qui, sauf...

– Sauf ? le pressa la future reine.

Le roi baissa misérablement la tête et quitta la chambre sans répondre. Kaliska s'empressa de le poursuivre et lui saisit le bras avant qu'il n'atteigne le grand escalier.

– Nemeroff, réponds-moi.

– Abussos n'a pas cessé de me traquer depuis ma résurrection. Il est persuadé que je suis un monstre qui mettra ce continent à feu et à sang.

– Parce que tu te transformes en dragon ?

– C’est plus compliqué encore.

– Je t’en conjure, ne te referme pas comme une huître.

Il prit la main de sa bien-aimée et la transporta dans le grenier, où ils pourraient parler sans qu’on les entende. Kaliska s’assit sur un vieux sofa avec lui.

– Je suis maintenant convaincu que c’est lui qui a causé la séparation de mes parents et qui a monté mes frères contre moi, se confia-t-il. Il essaie de m’isoler pour provoquer ma colère et ainsi pouvoir me localiser facilement dans le monde des mortels. Si j’ai réussi à lui échapper jusqu’à présent, c’est grâce à cette bague.

Il lui montra la pierre enchâssée dans un anneau doré, retenue par de petites pattes de dragon.

– Je ne m’en remettrais jamais s’il s’en prenait à toi, avoua-t-il, les larmes aux yeux.

– Je ne me laisserais pas faire.

Kaliska se faufila dans les bras de Nemeroff et le serra avec tendresse.

– Que te fera Abussos s’il arrive à te capturer ?

– Il me mettra à mort.

– C’est un dieu bien cruel !

– Il est difficile de croire qu’il m’a engendré uniquement pour me faire mourir, mais c’est exactement ce qu’il a fait. Quand j’avais neuf ans, il a laissé les ennemis des Chevaliers m’exécuter ici même.

– Mais pourquoi ?

– Une vieille histoire d'énergies positive et négative. Les dieux fondateurs ont mis au monde autant d'enfants lumineux que d'enfants sombres. Abussos est persuadé que ces derniers ne peuvent que faire du mal et pourtant, il a laissé la vie à Napashni et à Nashoba, qui sont ténébreux comme moi.

– Tu as raison : c'est tout à fait injuste. Mais si c'est lui qui a pris la Reine Swan, qu'en a-t-il fait ?

– Je ne sais pas. Et je ne vais pas rester ici à ne rien faire. J'ai l'intention de partir à sa recherche, même si je ne sais pas de quel côté me diriger.

– Je veux y aller avec toi.

– Malheureusement, je ne pourrai couvrir beaucoup de distance qu'en empruntant cette forme animale qui te déplaît tant.

– Le dragon...

– Je t'en prie, regagne ta chambre et ne m'attends pas. Il se peut que je rentre très tard.

– Sois prudent.

***

Dans la longue maison, les contractions de Napashni étaient de plus en plus rapprochées, malgré toutes les tentatives d'Onyx pour les faire cesser.

– Si elle meurt à sa naissance, alors ne me la montre pas, haleta la guerrière.

– Je ne la laisserai pas mourir.

– Pourquoi est-elle si pressée de sortir ?

– Peut-être sait-elle quelque chose que nous ignorons.

– Je ne comprends pas...

– Il ne faut pas s'attendre à ce que l'enfant de deux dieux se comporte de façon prévisible.

– Est-elle en train d'utiliser sa magie pour la première fois ?

Un vent violent s'éleva à l'extérieur de la maison et arracha les peaux de bêtes cousues qui servaient de porte. Wellan, qui jusque-là était resté à l'écart, se leva avec l'intention de les raccrocher. C'est alors qu'il aperçut un curieux phénomène dans le ciel. Les Anasazis avaient cessé leurs occupations pour lever les yeux sur le firmament.

– Les aurores boréales ne se produisent-elles pas habituellement la nuit ? s'étonna Wellan.

– Toujours, répondit Onyx, qui en avait vu plus d'une lorsqu'il vivait à Espérita. Pourquoi le demandes-tu ?

– Parce que je suis en train d'assister à un fabuleux spectacle céleste.

Napashni émit un gémissement rauque. Au même instant, une cascade de petites étoiles dorées tombèrent du ciel et forcèrent Wellan à s'écarter pour les laisser passer. Elles s'engouffrèrent dans la longue maison et foncèrent sur Onyx. Celui-ci se leva et forma son bouclier pour les arrêter, mais elles le contournèrent sans difficulté et se rassemblèrent au-dessus de Napashni. Furieux, l'empereur tenta de les disperser à mains nues, mais elles reprenaient obstinément leur place. Lorsqu'elles adoptèrent graduellement la forme d'une femme enceinte couchée sur le dos, Onyx la reconnut.

– Swan ?

– Que se passe-t-il ? s'enquit Wellan.

– Je n'en ai pas la moindre idée.

– Peut-être essaie-t-elle de t'annoncer qu'elle accouche, elle aussi.

– C'est possible, mais je la connais suffisamment bien pour affirmer qu'elle l'aurait fait avec son esprit. Ce n'est pas son genre d'élaborer une telle mise en scène.

L'image éthérée de la reine se mit alors à descendre lentement vers sa rivale. Onyx voulut encore une fois chasser les étoiles, en vain.

Les deux femmes se fusionnèrent sous ses yeux. Un ruban lumineux se matérialisa alors autour des chevilles de Napashni et exécuta une spirale autour de son corps pour finalement s'arrêter sur sa tête.

– On dirait qu'elles se fondent l'une dans l'autre, remarqua Wellan.

– Je le vois bien, mais pourquoi ?

Dès que les petites étoiles eurent pénétré dans la peau de Napashni, elle commença à pousser de façon instinctive.

– Je ne suis pas un expert en la matière, fit Wellan, mais je pense que ça y est.

N'ayant plus le choix, Onyx s'accroupit et attendit que l'enfant se présente, espérant qu'il n'aurait pas à annoncer à sa compagne que leur fille n'avait pas survécu. Dès que la petite tête hérissée de cheveux noirs apparut, son père l'aida à sortir du corps de sa mère, puis il coupa le cordon ombilical. Transporté de joie, il donna des chiquenaudes sur la plante du pied miniature du bébé jusqu'à ce qu'elle se mette à pleurer.

– Elle te ressemble, dit-il à Napashni.

« Elle est minuscule en comparaison de mes fils à leur naissance », songea-t-il. Trois femmes Anasazis arrivèrent dans la longue maison, attirées par les pleurs. L'une d'elles tendit les bras à Onyx, qui lui remit sa fille. Sans perdre une seconde, ses hôtesses lavèrent la petite et l'emmaillotèrent dans une couverture aux couleurs d'un coucher de soleil. Elles allaient présenter l'enfant à sa mère lorsqu'elles se rendirent compte que celle-ci continuait de pousser.

– Deux ? fit l'aînée des Anasazis.

– Pas à ma connaissance, affirma Onyx.

Pourtant, quelques secondes plus tard, un autre bébé sortit du ventre de Napashni. Stupéfait, Onyx examina le visage du petit garçon, deux fois plus gros que sa sœur.

– Pourquoi n'ai-je jamais senti sa présence ? murmura-t-il.

– Onyx... l'appela sa compagne, épuisée.

L'empereur remit son fils aux Anasazis et se rapprocha de sa femme.

– Tout va bien, la rassura-t-il, mais tu ne vas pas me croire.

– Tu es revenu ?

– Mais je ne suis jamais parti.

– Je savais que tu serais là pour voir naître notre fils...

Onyx crut alors discerner les traits de Swan sur le visage de Napashni. « Suis-je en train d'halluciner ? »

– Nous l'appellerons Kaolin... ajouta-t-elle.

Au bout de ses forces, Napashni sombra dans le sommeil. Onyx passa une main lumineuse au-dessus d'elle pour s'assurer qu'elle n'avait subi aucun dommage interne après avoir donné naissance à deux enfants. Libéré de ses craintes, il s'appuya sur les lits superposés derrière lui.

– C'était Swan, lui fit alors remarquer Wellan.

– Ce n'était donc pas mon imagination qui me jouait des tours ?

– J'ai combattu longtemps avec elle. Je sais reconnaître sa voix.

– Alors, je ne comprends pas du tout ce qui vient de se passer.

– C'est comme si tes deux femmes étaient devenues une seule. Je ne savais pas que c'était possible.

– Ne saute pas aux conclusions, Wellan. Il y a peut-être une autre explication.

Les Anasazis déposèrent deux berceaux près de lui.

– Quand elle aura repris des forces, il faudra qu'elle les présente au peuple, déclara l'aînée. C'est la tradition. Comment les appellerez-vous ?

– Obsidia et Kaolin.

– Ce sont de très beaux noms. Napashni sera-t-elle capable de les allaiter tous les deux ?

– Je ne saurais le dire, mais dans l'éventualité où elle n'aurait pas suffisamment de lait, avez-vous des chèvres ?

– Certainement, et nous avons aussi de petits roseaux dans lesquels nous faisons couler le lait.

– Moi, j'ai mieux que ça.

Onyx lança son esprit en direction de ses anciens appartements d'Émeraude et retrouva facilement ce qu'il cherchait dans la grande armoire de son ancienne chambre. Aussitôt, deux biberons d'argent apparurent dans ses mains.

– Il me faudra toutefois trouver de nouvelles tétines, mais ce ne sera pas difficile.

– Bien sûr, puisque vous êtes un dieu. Si vous avez besoin de nous, faites-nous appeler.

– Merci mille fois.

Dès qu'elles eurent quitté la longue maison, Wellan revint à la charge :

– Le vœu de Swan, c'était que tu voies naître ton fils, alors elle a trouvé la façon de se projeter jusqu'ici.

– Premièrement, elle ignorait où j'étais et, deuxièmement, elle ne possède pas cette magie.

– Alors, comment expliques-tu que Napashni ait donné naissance aux deux enfants ?

– Une illusion ?

Onyx toucha le corps des deux poupons. Ils étaient pourtant bien réels.

4

NEUTRALISÉS

Puisque Theandras et Orlare étaient les seules à s'être réveillées, Bridgess et Jenifael les emmenèrent aux bains sous le château, afin de les aider à se détendre avant de tenter leur première aventure culinaire. La déesse-harfang y sauta sans la moindre hésitation, car elle était habituée de barboter dans les bassins magiques de son monde.

Quant à elle, la déesse du feu n'avait jamais eu de contact avec l'eau. Elle accepta de se défaire de sa belle robe rouge maintenant toute déchirée et trempa un orteil dans la piscine.

– C'est une curieuse sensation, nota-t-elle.

– Il faut y plonger en entier, lui rappela Jenifael.

– Il est peut-être un peu trop tôt pour me soumettre à cette expérience.

Sans plus de préambule, Jenifael poussa sa mère dans l'eau. Theandras poussa un cri de surprise, mais elle cessa de paniquer lorsque ses pieds touchèrent le fond et qu'elle se rendit compte qu'elle n'avait de l'eau que jusqu'au cou.

– Nous purifions notre énergie de cette façon, au moins une fois par jour, expliqua Bridgess.

– C'est de plus en plus agréable, admit Theandras, en souriant.

Les deux femmes Chevaliers expliquèrent aux déesses le cycle quotidien de la plupart des humains : se lever le matin, se purifier dans les bains, prendre le premier repas de la journée, vaquer à leurs occupations selon la position qu'ils occupaient dans la vie, prendre un goûter le midi, poursuivre leurs activités, puis prendre le dernier repas de la journée au coucher du soleil et se mettre au lit.

– Évidemment, quand nous étions en service actif, il y avait quelques variantes, ajouta Jenifael.

– Et l'amour ? s'enquit Theandras.

– Certains d'entre nous le trouvent, d'autres non, l'informa Bridgess. En général, il se manifeste au moment où nous nous y attendons le moins.

Après la baignade, les deux nouvelles mortelles furent conduites dans des chambres séparées de celle où Santo continuait de veiller sur les divinités qui n'avaient pas repris connaissance.

Bridgess et Jenifael leur présentèrent des vêtements qui devaient être portés à des moments précis du jour.

– Puisque nous nous apprêtons à manger, il est recommandé de porter une robe confortable, fit la fille de la déesse du feu.

Orlare et Theandras adorèrent toutes deux le contact de la soie, mais ne purent en dire autant des sandales.

– Une chose à la fois, concéda Jenifael. Vous mangerez pieds nus, puisque le repas sera servi dans les appartements de mes parents, cette fois-ci.

Theandras ressentit un pincement en l'entendant parler de Santo et Bridgess comme de ses parents, mais ne fit aucun commentaire. Pour ne pas les effrayer, les servantes n'avaient préparé que des plats simples et versé de l'eau dans leur gobelet. Avec bravoure, les déesses goûtèrent à tout. Bridgess s'assura qu'elles ne mangent pas trop et leur servit le thé au salon après le repas pour surveiller la réaction de leur estomac. Tout se passa très bien.

Au moment de se mettre au lit, les deux femmes allèrent jeter un œil aux blessés toujours inconscients, mais Santo les rassura en affirmant qu'ils se réveilleraient bientôt. Le guérisseur fit le tour de ses patients, puis se retira pour la nuit. Petit à petit, les lampes s'éteignirent dans toutes les pièces et le palais fut plongé dans l'obscurité. Seules les sentinelles veillaient encore, debout sur les passerelles de la forteresse. Mais elles n'empêchèrent d'aucune façon un sombre personnage de pénétrer dans le château. Il se posa sur un des balcons en fer forgé et referma ses ailes.

Le sorcier chauve-souris Réanouh servait Achéron depuis des lustres. Non seulement il possédait une puissante magie, mais il pouvait passer inaperçu presque partout. Les ordres du dieu-rhinocéros étaient très clairs : lui ramener Kimaati pour qu'il soit jugé et condamné.

Réanouh avait prudemment suivi la trace du dieu-lion pendant des centaines d'années. Connaissant sa nature cruelle et sa force physique, il n'avait aucune intention de le capturer lui-même. En attendant l'arrivée des renforts en provenance de son monde, il veillait à ce que le traître ne se fasse pas trop d'ennemis dans le monde des mortels qui auraient privé Achéron de son plaisir. Ayant assisté de loin à l'altercation entre

Kimaati et une bande de magiciens au sommet des volcans, Réanouh les avait tout de suite traqués afin d'effacer de leur mémoire la présence du dieu-lion dans les volcans.

Ne trouvant aucune trace de Danalieth, de Theandras ou d'Anyaguara, il se concentra plutôt sur les autres témoins de la puissance du nouveau seigneur d'An-Anshar, en se promettant de traquer les trois premiers plus tard. Il n'eut aucune difficulté à trouver Lassa, Kira, Mahito et Marek, qui, par un heureux concours de circonstances, vivaient sous le même toit. C'était dans ce palais qu'il venait de pénétrer.

Réanouh se laissa guider par les vibrations qu'il captait et aboutit dans la chambre où dormaient Kira et Lassa. Il souffla dans sa paume, répandant une poussière noire étincelante sur le couple enlacé.

Il trouva ensuite Marek dans une pièce voisine et lui lança le même sort. Aussi discret qu'un fantôme, le sorcier poursuivit sa route et découvrit le félin qui avait fait partie du groupe. Mahito était blotti dans le dos de Jenifael. Se doutant que le compagnon de la jeune femme lui avait raconté ce qu'il avait vu, Réanouh décida de leur retirer à tous les deux le souvenir de ce qui s'était passé à An-Anshar.

Il allait repartir lorsqu'il capta la présence d'une des femmes qu'il cherchait. À sa grande surprise, il aperçut Theandras profondément endormie dans un grand lit à baldaquin. Tout comme ses compagnons, il la couvrit de poudre magique. S'il n'avait pas aussi eu à retrouver rapidement Fabian, Shvara et Cornéliane, il aurait sans doute pris le temps d'enquêter sur le mystère de sa présence chez les humains...

Content d'avoir désamorcé la mémoire de cinq de ses cibles, Réanouh se hâta de reprendre son envol, à la recherche des autres. Le soleil allait bientôt se lever, ce qui l'empêcherait de poursuivre sa mission, car il était une créature nocturne. Lorsqu'il atteignit l'océan, il vit trois points lumineux près de la grève. « C'est donc là que vous vous cachez... » Il plongea vers le sol et atterrit devant une chaumière semblable à toutes les autres dans la cité reconstruite de Zénor. Il passa au travers de la porte et s'immobilisa lorsqu'un grondement s'éleva, suivi d'un deuxième.

– Arrière, brigand ! le menaça une voix aiguë.

La vision nocturne du sorcier lui permit de distinguer les deux petits dragons qui s'avançaient vers lui, toutes dents dehors. Il allait lever l'aile pour les pétrifier lorsque la pièce s'illumina de mille feux. Réanouh poussa un cri perçant en protégeant ses yeux.

– Mais qu'est-ce que c'est que ça ? s'étonna Ramalocé.

– Je n'en sais rien, mais ça ne sent pas bon, répliqua Urulocé. Sortons-le d'ici.

Ils se précipitèrent sur le sorcier pour lui mordre les mollets, mais celui-ci avait déjà commencé à reculer. Comme un mirage, il traversa la porte, sur laquelle les deux dragons se cognèrent le nez.

– Est-ce que nous étions somnambules ? se lamenta Ramalocé en se frottant le museau.

– As-tu vu une grosse chauve-souris très laide ?

– Oui !

– Alors, c'était réel. Nous n'aurions pas rêvé de la même chose en même temps.

– Faut-il réveiller les maîtres ?

– Seulement si ce monstre revient.

Les petits dragons firent donc disparaître la lumière et se collèrent l'un contre l'autre, bien décidés à passer le reste de la nuit debout pour protéger la maison.

⁂

Au matin, à Fal, personne ne flaira le passage du sorcier. D'ailleurs, la poudre noire s'était depuis longtemps évaporée. Le seul mystère qui préoccupait maintenant les habitants du château, c'était le sort qu'Abussos avait réservé à ses petits-enfants.

Tandis qu'il mangeait avec ses parents, Marek se mit à réfléchir aux conséquences de cette décision du dieu fondateur. « Le reste de la famille a-t-il subi le même sort ? » se demanda-t-il. Dès qu'il eut terminé son repas, il s'isola dans sa chambre et tenta de se métamorphoser en léopard des neiges : il y parvint sans la moindre difficulté. En levant le regard vers la porte, il aperçut son père, l'air ébahi. Marek reprit aussitôt sa forme humaine.

– Qu'est-ce que tu faisais, au juste ? demanda Lassa, sur un ton de reproche.

– Je mettais ma théorie à l'épreuve.

– Qu'as-tu encore inventé ?

– Theandras et Orlare prétendent que leur grand-père a enlevé leurs pouvoirs à tous ses descendants. Alors, pourquoi suis-je encore capable de me transformer ?

– Comment le saurais-je ?

– Tu es beaucoup plus haut que moi dans la hiérarchie...

– Ça ne veut pas dire que je possède les réponses à toutes tes questions.

– Alors, poussons l'enquête plus loin. Transforme-toi en dauphin.

– Ici ?

– Si tu préfères que nous allions à la fontaine...

– Même si je le voulais, Marek, je ne sais pas comment enclencher volontairement ce pouvoir. Il se manifeste par lui-même en temps de crise.

– Adressons-nous donc à Jenifael, à Mahito et à maman.

– Oublie Kira. C'est un cas particulier. Et pourquoi m'inclus-tu dans tes recherches ?

– Pour qu'on ne m'accuse pas encore de faire des choses aberrantes et dangereuses.

Lassa l'accompagna donc aux appartements des amoureux, mais laissa son fils leur expliquer ce qu'il tentait de démontrer.

– Tu crois que nous avons tous perdu nos pouvoirs en même temps que nos parents ? s'étonna Jenifael.

– Peut-être pas tous, avança Marek. Essaie de prendre feu.

La jeune femme s'y efforça à plusieurs reprises, sans résultat.

– On dirait que tu as raison...

Marek se tourna vers Mahito, qui se métamorphosa instantanément en tigre.

– Pourquoi y arrive-t-il ? se hérissa Jenifael.

– J'ai bien peur que tout ce que tu auras réussi, aujourd'hui, c'est à provoquer une querelle de couple, murmura Lassa à son fils.

Marek voulut savoir si la jeune femme avait aussi perdu ses facultés de soldat magique, soit la télépathie, la lévitation, la localisation magique des objets et des personnes, et le pouvoir d'allumer ses mains. Jenifael s'empressa de tous les utiliser à tour de rôle.

– J'ai au moins conservé ceux-là, se réjouit-elle.

Lassa accepta de se soumettre à la même évaluation, avec succès. Marek se rendit donc auprès de Liam, Bridgess et Santo. Ce fut pareil.

Lorsqu'il arriva devant sa mère, Lassa l'abandonna. Si son fils rebelle voulait mettre Kira à l'épreuve, ce serait à ses risques et périls.

– Je ne me suis jamais transformée en quoi que ce soit, l'informa la Sholienne.

– Mais qu'en est-il de tes autres facultés ?

Marek se sentit aspiré vers le plafond.

– Maman, dis-moi que c'est bien toi qui fais ça ? s'alarma-t-il, suspendu dans les airs.

Oh oui, c'est moi, affirma Kira en utilisant la télépathie. *Est-ce que ça répond à ta question ?*

– Parfaitement !

Dès qu'il eut remis les pieds sur le sol, Marek fila vers le grand hall du roi, où Orlare observait les femmes en vêtements colorés qui apprenaient à danser. L'adolescent s'approcha de la déesse-harfang.

– Avez-vous réussi à reprendre votre forme de rapace ? lui demanda-t-il sans détour.

– J'ai tout essayé, mais je n'y arrive pas.

– Vous reste-t-il un ou deux pouvoirs ?

– Rien du tout. Je me sens aussi démunie qu'un oisillon.

– Y a-t-il une chance que votre grand-père vous redonne ce qu'il vous a pris ?

– J'en doute. Nous allons devoir nous habituer à ce monde si nous voulons survivre.

– Vous resterez à la cour du Roi Patsko ?

– Il est bien aimable de nous avoir accueillis chez lui, mais je préférerais aller vivre chez les Elfes, qui me ressemblent davantage.

– Donc, vous connaissiez déjà Enkidiev ?

– Je me suis aventurée des deux côtés des volcans, alors j'ai une mesure d'avance sur les dieux reptiliens.

Marek retourna aux appartements de ses parents et trouva Lassa en train de lire près du feu.

– Tu ne peux pas avoir terminé ton enquête, puisque trois des dieux sont toujours inconscients, s'étonna le père.

– C’est certain que je les interrogerai lorsqu’ils auront repris connaissance, mais je peux déjà conclure que les dieux rapaces et les dieux reptiliens semblent avoir perdu tous leurs pouvoirs.

– Je suis ravi de t’entendre utiliser le verbe « semblent ». Habituellement, tu portes des jugements plus sommaires.

– Je mûris, comme tout le monde ! protesta Marek.

– Ça aussi, c’est une bonne nouvelle.

– Je t’en prie, écoute-moi.

Lassa déposa le livre sur ses genoux.

– Seuls les dieux félins ont échappé à la malédiction et je ne comprends pas encore pourquoi.

– Et puisqu’il n’y en a pas parmi nos blessés...

– Il va justement falloir que j’aille me renseigner ailleurs.

– C’est hors de question, Marek.

– Mais c’est très important !

– Tu restes ici.

Désappointé, l’adolescent se traîna les pieds jusque dans le couloir. Lassa le regarda s’éloigner en se promettant de garder l’œil sur lui.

Au même moment, dans la chambre des victimes de la tornade, Aquilée venait de se réveiller. En apercevant le plafond blanc au-dessus d’elle, elle craignit d’avoir été emprisonnée quelque part et se redressa d’un seul coup.

– Du calme, tenta de l'apaiser Santo en s'approchant.

– Qui êtes-vous ? Où suis-je ?

Affolée, Aquilée regarda autour d'elle et aperçut Parandar et Fan allongés sur d'autres lits. « Pourquoi suis-je en compagnie de ces Ghariyals et comment se fait-il que je respire le même air qu'eux ? » Elle tenta aussitôt de reprendre sa forme d'aigle et s'horrifia lorsqu'elle n'y parvint pas.

– Que m'avez-vous fait ?

– Vous n'avez rien à craindre. Je m'appelle Santo et j'ai guéri vos blessures.

– Si vous n'êtes pas un dieu, vous ne pouvez rien pour moi, déclara la déesse.

– J'ai pourtant refermé toutes vos plaies et j'attendais patiemment que vous reveniez à vous.

– C'est impossible.

– Vous avez été emportée dans une tornade qui vous a rejetée au Royaume d'Émeraude.

– Est-ce là que je me trouve ?

– Non. Vous avez ensuite été transportée au Royaume de Fal avec vos compagnons.

– Où est ma sœur ?

– Elle s'est réveillée avant vous et elle apprend déjà les us et coutumes de notre monde.

– Non...

Cet humain semblait bien sincère, mais il était aussi possible qu'il fasse partie du châtiment que leur avait imposé Abussos.

– Je veux voir Orlare.

Santo demanda à un serviteur d'aller chercher l'autre rapace et exigea que sa patiente demeure sagement assise sur son lit. « Tout à fait mon genre », grommela intérieurement Aquilée.

Quelques minutes plus tard, la déesse-harfang franchit la porte. Elle était méconnaissable dans sa robe rose vif à multiples voiles.

– Pourquoi t'es-tu affublée ainsi ? lâcha Aquilée.

– Parce que nos vêtements ont été irréparablement déchirés dans le tourbillon.

– C'est impossible, car ils sont divins.

– Dans ce cas, ils avaient certainement cessé de l'être. Tu aurais dû voir leur état.

C'est à ce moment que la déesse-aigle s'aperçut de sa nudité.

– Ne t'en fais pas, la rassura Orlare. Je vais t'emmener dans leur grand bassin chaud, puis nous te choisirons une robe. Je pense que le vert irait très bien avec tes cheveux roux.

– Est-ce que tu t'entends parler ? Nous n'appartenons pas à ce monde. Nous sommes bien au-dessus de ces créatures primitives.

Santo, qui était retourné s'asseoir près de Parandar, haussa un sourcil.

– Plus maintenant, ma sœur. Tu vas devoir t'habituer à vivre comme elles, sinon, tu mourras. Maintenant, cesse de faire la mauvaise tête. Nous allons discuter de ce qui nous est arrivé, puis je te dirai tout ce que tu dois savoir pour t'acclimater à cette nouvelle existence.

Aquilée la laissa l'envelopper dans un drap et l'aider à mettre les pieds sur les carreaux froids, une sensation qu'elle n'avait jamais éprouvée auparavant.

5

LA CHUTE DES ÉTOILES

Pendant qu'Orlare enseignait à sa farouche sœur les règles fondamentales du comportement qu'elle devait adopter dans cette nouvelle société, Santo n'avait plus que deux patients à surveiller. Puisqu'ils étaient encore dans le coma, il décida d'aller manger avec sa famille et demanda aux serviteurs de venir le prévenir si jamais l'un d'eux se réveillait. C'est précisément à ce moment que Parandar ouvrit les yeux.

Le dieu des étoiles entendit d'abord le martèlement de la pluie sur les auvents à l'extérieur et comprit qu'il n'était pas revenu chez lui. Puis, graduellement, il prit conscience de chaque partie de son corps. Jamais depuis sa naissance il n'avait ressenti autant de douleur. Tous ses muscles le faisaient souffrir. Il tourna doucement la tête sur le côté et aperçut Fan, évanouie à quelques pas de lui. Les murs de la pièce étaient immaculés et les couvertures offraient un contraste frappant, avec leurs couleurs criardes. « Où sommes-nous ? Où est Theandras ? »

Parandar rassembla toutes ses forces et parvint à s'asseoir. Un marteau frappait à coups réguliers dans son crâne et l'air qui pénétrait dans ses poumons le brûlait. Refusant de céder à la panique, il s'efforça de se rappeler ce qui s'était passé. Des images surgirent dans son esprit : sa rotonde, les corps de sa femme et de ses enfants transpercés par des pointes de cristal, l'agora, la colère d'Abussos... et le tourbillon. Il se souvint d'avoir été happé par la terrible force de l'entonnoir, mais il n'avait pas perdu connaissance sur-le-champ. Il s'était senti projeté dans tous les sens jusqu'à ce qu'il soit plongé dans le noir.

En grimaçant, il glissa ses jambes hors du lit et posa les pieds par terre. Il ferma les yeux et désira être ramené chez lui. Rien ne se produisit. « Il nous a enlevé nos pouvoirs », se souvint-il.

Forcément, s'il se trouvait à cet endroit, c'était que la tornade les avait finalement relâchés, mais où ? Il tenta de se mettre debout et sentit pour la première fois la gravité du monde mortel. Pour demeurer en équilibre, Parandar dut s'accrocher à tout ce qui l'entourait. Puis il fit quelques pas mal assurés, non pas en direction de sa nièce, mais vers la fenêtre. Il agrippa l'allège et regarda dehors. Puisque cette chambre se trouvait plusieurs étages au-dessus des murailles du palais, il contempla l'immensité du Désert que les pluies balayaient. « J'ai créé tout ceci pour Clodissia... » se rappela-t-il. Des larmes se mirent à couler sur ses joues, car son épouse faisait partie des nombreuses victimes de l'attentat dans son monde. « Je ne suis plus rien sans toi... »

Ses jambes cédèrent sous lui et il glissa contre le mur jusqu'à ce qu'il se retrouve assis sur le plancher. Il éclata en sanglots et cacha son visage dans ses mains. C'est ainsi que le trouva Theandras, quelques minutes plus tard. Elle s'agenouilla aussitôt devant lui.

– Parandar, que t'arrive-t-il ?

– Où sommes-nous ? hoqueta-t-il.

La déesse du feu aida son frère à se lever et le fit asseoir sur son lit. Elle portait une robe semblable à celle d'Orlare, mais elle l'avait choisie orange clair.

– Le tourbillon nous a laissés tomber au Royaume d'Émeraude, où Kira nous a retrouvés. Son mari et elle nous ont ramenés au Royaume de Fal. Je t'en prie, reprends courage. Tout n'est pas perdu.

– Mais il ne nous reste plus rien...

– Notre monde a été dévasté, c'est vrai, mais nous sommes toujours vivants. Nous allons apprendre à vivre parmi les humains sur ce continent que tu as créé pour eux.

– Leurs mœurs sont bien trop différentes des nôtres...

– Nous nous adapterons et nous nous rendrons utiles. Nous choisirons un métier qui nous attire, dans un royaume dont le climat nous plaît. Nous pourrons même nous marier et avoir des enfants.

– J'avais déjà tout ça, Theandras.

– Je comprends ta peine, mais tu devras la surmonter. Elle fait partie du châtiment que nous a imposé Abussos, même si nous ne le méritions pas. Nous n'avons pas le choix, mon frère.

Elle alla chercher une petite serviette humide et épongea le visage de Parandar.

– Pour ma part, je compte rester ici avec ma fille au moins jusqu'à la naissance de son enfant.

– J'ai failli à mes engagements de chef de panthéon. Je ne mérite rien de tout ceci.

– Il est naturel que tu sois inconsolable après ce qui s'est passé. Nous avons tous besoin de vivre notre deuil, même les rapaces. Dans quelque temps, tu pourras envisager un nouvel avenir.

Theandras se pencha et l'embrassa sur le front. Troublé par cette sensation, Parandar se sentit frémir.

– Je vais aller annoncer à Santo, le guérisseur, que tu es enfin revenu à toi. Essaie de ne pas t'aventurer à l'extérieur tant que tu n'auras pas appris à maîtriser ton nouveau corps. C'est la saison des pluies et tu ne trouverais rien à manger.

– Tu sembles déjà bien t'acclimater.

– Je suis une Ghariyal. Rien n'est trop difficile pour moi. Ça devrait être la même chose pour toi.

La déesse du feu alla prévenir le Chevalier que son frère s'était réveillé. Elle aurait bien aimé emmener elle-même Parandar dans les bains, mais sa fille lui avait expliqué qu'à moins d'être mari et femme, il était plus acceptable que ce soit un autre homme qui l'y accompagne.

– Je m'appelle Santo, se présenta-t-il en arrivant au chevet de son patient. Soyez le bienvenu à Fal.

Le dieu des étoiles examina le visage de l'homme à la peau basanée et aux grands yeux noirs qui étincelaient de bonté.

– Je suis... j'étais Parandar...

– J'ai bien peur que vous le soyez encore, répliqua le guérisseur sur un ton moqueur. J'allais vous dire qu'on ne perd jamais l'identité que nous ont conférée les dieux, mais c'est justement à leur chef que je m'adresse.

– Contrairement à ce que croient les humains, si je leur ai permis d'exister, je n'ai jamais cherché à leur imposer un destin. Je m'attendais cependant à ce qu'ils entretiennent entre eux de bons rapports et qu'ils fassent fructifier ce monde.

– Vous me voyez bien ému de converser avec un personnage aussi important que vous.

– Je ne suis plus un dieu.

– Je m'y habituerai.

Santo passa une main lumineuse au-dessus de Parandar. Avec ses cheveux noirs aux épaules et ses yeux bleu très clair, il lui fit penser à Onyx...

– Il n'y a plus que vos jambes qui nécessitent un peu de soins, annonça-t-il.

– Je n'ai jamais accordé aux hommes le pouvoir de guérir.

– Si ce n'est pas vous, alors nous ignorons qui nous en a fait cadeau. Toutefois, cette faculté nous est bien précieuse.

Santo acheva de soulager son patient et lui demanda de se lever. Parandar remarqua aussitôt la différence : la douleur avait disparu.

– C'est très étonnant... Pourriez-vous aussi faire quelque chose pour ma tête ?

Le guérisseur le débarrassa de sa migraine. Il lui fit enfiler une tunique bleu acier et l'aida à marcher tout doucement jusqu'à l'escalier qui descendait dans les profondeurs du palais. Le contact de l'eau chaude surprit beaucoup Parandar, mais il n'hésita pas à descendre dans le bassin. Voyant qu'il se repliait sur lui-même, Santo se contenta de l'observer et surtout de le surveiller pour qu'il ne se noie pas.

Il le ramena ensuite à sa nouvelle chambre et l'assura que les serviteurs, qui circulaient constamment dans le château, pourraient lui fournir tout ce qu'il voulait. Pour ne pas l'effaroucher davantage, au lieu de l'emmener manger dans le hall, Santo fit monter son repas. Encore une fois, il ne le pressa pas. Parandar tâta chacun des aliments du bout des doigts pour en analyser la texture et commença par y goûter du bout des lèvres. L'expression de son visage indiqua assez rapidement ce qu'il aimait et ce qu'il n'aimait pas. Le guérisseur lui recommanda toutefois de ne pas s'empiffrer. Il pourrait redemander de la nourriture plus tard, s'il avait encore faim.

– Au lieu de vous torturer avec votre avenir, prenez d'abord le temps de vous habituer à votre nouveau corps. Je reviendrai voir comment vous vous débrouillez dans quelques heures.

– Je vous remercie.

Santo se courba respectueusement et quitta la chambre en réprimant un élan de joie. « Le chef des dieux m'a remercié ! » se répéta-t-il plusieurs fois en retournant à ses appartements.

Pendant ce temps, Kira et Lassa, qui avaient fini de manger, se séparaient. Tandis que la Sholienne se dirigeait vers la chambre des patients de Santo, Lassa alla retrouver les moines, qui s'étaient isolés dans la chapelle du palais. Depuis la découverte des cinq dieux à Émeraude, ils s'étaient faits bien discrets.

– Dites-moi ce qui vous ronge ? demanda Lassa en s'installa sur un coussin devant les deux hommes.

– Nous avons beaucoup de difficulté à croire qu'Abussos a pu agir ainsi avec ses descendants, avoua Briag, ébranlé.

– Nous nous sommes retirés ici pour communiquer avec lui par le truchement de la méditation, mais il ne nous répond pas.

– Il peut arriver à n'importe quel père de perdre patience avec ses enfants, affirma Lassa.

– Et de les projeter dans un tourbillon où ils auraient pu mourir ? répliqua Briag sur un ton cinglant.

– J'avoue que c'est excessif, mais je ne peux m'empêcher de croire que si Abussos avait vraiment voulu les tuer, ils seraient morts tous les cinq. Or ils ont survécu. Sans doute ne connaissait-il pas de meilleure façon de les faire pénétrer dans notre monde.

– Tu as raison, concéda Hawke. Dans les circonstances, je pense que nous devrions remettre notre quête de la petite fille à plus tard. Il est possible que les prochains mois soient fort préoccupants pour vous.

– Nous avons en effet des divinités à intégrer dans notre milieu, leur rappela Lassa.

– De notre côté, il serait préférable que nous retournions au sanctuaire demander l'aide de nos compagnons pour apaiser la colère du dieu fondateur.

– J'appuie cette décision, car nous ne voulons certainement pas être ses prochaines victimes.

– Il serait pourtant facile pour ses propres enfants d'influencer son humeur, grommela Briag.

Hawke lui décocha un regard réprobateur.

– Je ferai ce que je peux, promit Lassa.

* * *

De son côté, Kira s'était rendue au chevet de sa mère. Elle observa ses traits, qui n'avaient pas changé depuis que la déesse l'avait confiée au Roi d'Émeraude des années auparavant. Elle comprenait pourquoi Fan n'avait pas pu la garder à ses côtés, mais son amour lui avait tout de même cruellement manqué.

La déesse des bienfaits battit alors des paupières et sourit en apercevant sa fille.

– Comment vous sentez-vous, mama ?

– Comme si un troupeau de dragons des mers m'était passé sur le corps en tentant de regagner l'eau.

Kira alluma ses mains et trouva facilement les muscles endoloris, qu'elle traita sur-le-champ.

– Le Chevalier Santo a réparé vos os cassés et arrêté vos hémorragies internes, mais il ne pouvait pas savoir que vous seriez en proie à ces douleurs supplémentaires.

– Où sont les autres dieux ?

– Parandar, Theandras, Aquilée et Orlare se sont réveillés avant vous.

– Ils doivent être bien désemparés.

– En effet. À mon avis, il vous sera beaucoup plus facile de vous adapter à la vie mortelle, puisque vous avez déjà vécu parmi les humains. Puis-je vous offrir de revenir avec moi à Shola ? Myrialuna serait folle de joie.

– Je veux bien, si mon oncle et ma tante n'ont pas besoin de moi.

– Theandras a décidé de rester ici avec sa fille Jenifael jusqu'à ce qu'elle accouche. Après, elle n'en sait rien. Quant à lui, Parandar n'a aucune idée de ce qu'il fera. La situation le déconcerte.

– Ce n'est certes pas le plus flexible des hommes.

Kira aida sa mère à s'asseoir.

– Nous avons offert à vos pairs de commencer leur vie humaine dans les bassins d'eau chaude du château.

– Et de quel royaume parlons-nous ?

– De Fal.

La déesse fut d'avis que c'était une excellente idée et alla se prélasser dans la piscine avec sa fille.

– Lorsque tu étais bébé, tu détestais l'eau.

– Je ne l'aime toujours pas, mais je m'y suis habituée. La purification fait partie de la routine d'un Chevalier.

– En parlant de Chevaliers, où Wellan se trouve-t-il ?

– Il est allé explorer le nouveau monde. Vous n'ignorez certainement pas que grâce à l'intervention de Theandras, il est devenu mon fils.

– Je sais tout ce qui se passe à Enkidiev.

– J'imagine qu'il finira par revenir.

Kira voulut ensuite entendre de sa bouche le récit de la colère d'Abussos.

– Ce n'est pas son châtiment qui me tracasse, mais le fait qu'un assassin ait réussi à s'introduire dans le monde des Ghariyals sans qu'aucun de nous ait flairé sa présence. Il faut que ce soit une créature divine capable de respirer l'air de tous les mondes célestes, car les rapaces ont également été attaqués. Nous ignorons par contre ce qu'il est advenu des félins.

– Abussos ne les a pas trouvés, à ce qu'on m'a dit.

– En effet, leur univers était désert.

– C'est vraiment étrange.

Enveloppée dans un drap de bain, Fan suivit sa fille jusqu'à sa nouvelle chambre. Plusieurs robes se trouvaient sur son lit. Sans hésitation, elle choisit la bleue. Une fois habillée et coiffée, elle demanda à Kira de la conduire auprès de Theandras et de Parandar.

– Vous ne pouvez plus communiquer par la pensée, n'est-ce pas ?

– Abussos nous a retiré tous nos pouvoirs. Ce châtiment s'est-il étendu jusqu'à mes enfants et mes petits-enfants ?

– Marek a mené une petite enquête et il a découvert que seuls les descendants félins du dieu fondateur semblent avoir conservé leurs pouvoirs. Je suis une exception, sans doute à cause de mon sang d'insecte.

– Ce n'est pas parce qu'Amecareth était un sorcier-scarabée que tu es aussi puissante, mais parce qu'il appartenait au panthéon d'un autre univers. Et je pense aussi savoir pourquoi les dieux félidés n'ont pas été touchés par la malédiction.

– Parce que leur père est Kimaati ?

– Exactement. C'est lui qui a accordé des pouvoirs à sa descendance. Abussos ne peut pas les leur enlever.

Kira mena d'abord sa mère à la chambre de Theandras. Les déesses s'étreignirent longuement, heureuses d'être encore en vie. Les autres membres de leur famille avaient eu moins de chance... La Sholienne prit place sur un tabouret, dans un coin, et les laissa discuter de leurs craintes et de leurs espoirs, puis les accompagna lorsqu'elles exprimèrent le vœu de voir Parandar.

Encore une fois, Kira se fit discrète. Avec beaucoup de patience et de douceur, les deux femmes rassurèrent le chef de leur panthéon de leur mieux, mais il apparaissait évident que son intégration serait beaucoup plus difficile.

Lorsque Theandras eut informé Fan qu'elle resterait auprès de Parandar aussi longtemps que nécessaire, celle-ci se déclara prête à rentrer au royaume où elle avait jadis vu le jour. Kira rassembla donc ses affaires avant d'appeler son mari et son fils.

– Tu veux tenter de nous ramener toi-même? demanda Lassa avec un brin d'inquiétude.

– Si je manque mon coup, alors ce sera à toi de jouer, décida Kira.

Elle forma son vortex et transporta tout le monde sur le sentier qui menait au palais de verre, à quelques pas seulement de l'entrée.

– Moi, j'aurais choisi de nous faire réapparaître ailleurs que dans le froid, commenta Lassa en se précipitant sur le gros anneau qui permettait d'ouvrir la grande porte.

– Un mot de plus et tu le regretteras amèrement, l'avertit Kira.

– Je ne savais pas que sous la neige, le sol était couvert de joyaux, s'étonna Fan.

– Il ne l'était pas, répondit Lassa.

– Nous vous raconterons les exploits de Marek plus tard, trancha Kira.

Marek fut le premier à se précipiter à la chaleur. Étonnée d'entendre la porte se refermer, Lavra était descendue à toute hâte de l'étage des chambres. Elle s'arrêta net en apercevant les visiteurs, puis sauta au cou de son cousin, contente de le revoir en vie.

– Où est Myrialuna ? demanda Kira.

– Avec mes petits frères.

Les adultes montèrent l'escalier avec moins de vigueur que les adolescents. Lassa poursuivit sa route jusqu'à ses appartements, pendant que Lavra tirait Marek dans les quartiers des filles pour entendre parler de ses aventures. Kira fit alors entrer Fan dans la chambre de Myrialuna. Les coquilles volantes s'étaient enfin déposées sur le sol pour se transformer en berceaux et leur couvercle transparent avait disparu. La nouvelle maman pouvait maintenant prendre ses bébés dans ses bras, les nourrir et les bercer à volonté.

– Kira ! s'exclama-t-elle joyeusement. Mama ?

– Elle est de retour parmi nous, expliqua sa sœur. Nous allons tout te raconter.

La Sholienne fit apparaître deux autres fauteuils à bascule. Elle prit un de ses neveux dans ses bras pour le bercer, tandis que Fan prenait le troisième. C'est alors que les jumeaux firent irruption dans la pièce.

– Maman ! s'écrièrent-ils en chœur.

Ils se placèrent de chaque côté de Kira et parsemèrent ses joues de baisers.

– Papa nous a dit que vous étiez revenus pour de bon ! se réjouit Kylian.

– C'est vrai ? voulut s'assurer Maélys.

– Évidemment que c'est vrai, affirma Kira.

– Tu nous berceras, après ? demanda Kylian.

– Oui, mon chéri. Laissez-moi d'abord venir en aide à Myrialuna.

Les jumeaux allèrent donc s'asseoir sur le lit. Kira posa sur eux un regard de fierté. « C'est moi qui ai les plus beaux enfants du monde... » s'émut-elle.

6

CLOUÉS AU SOL

AIrianeth, il avait arrêté de pleuvoir, alors Sparwari avait laissé sortir les oisillons pour qu'ils puissent prendre l'air et l'aider à cueillir des fruits. Lazuli, Cyndelle et Aurélys s'ennuyaient terriblement de leur famille, mais ils savaient que cette séparation les protégeait de leurs ennemis. Ils étaient trop jeunes pour comprendre pourquoi les dieux félins et les dieux rapaces s'entredéchiraient depuis la nuit des temps. Toutefois, ils ne voulaient pas se retrouver coincés entre les deux camps.

Ce continent, où Amecareth avait choisi de s'installer des centaines d'années auparavant, était beaucoup trop éloigné d'Enkidiev pour que la tornade relâchée par Abussos influence son climat, mais la malédiction du dieu-hippocampe, par contre, allait l'atteindre sous peu.

Vigilant, Sparwari ne perdait jamais les adolescents des yeux tandis qu'il veillait à leur confort. Dans le grand verger, les jeunes se poursuivaient entre les arbres plutôt que de mettre les pommes, les poires, les pêches et les abricots dans les paniers qu'ils avaient tressés avec des roseaux. Le dieu-épervier ne s'en inquiétait pas, car il les savait en sûreté.

Une fois qu'il eut cueilli suffisamment de fruits, il commença à remplir lui-même les corbeilles. C'est alors qu'il sentit la terre bouger sous ses pieds, puis une douleur le terrasser au milieu du corps, là où jadis s'était enfoncée l'aiguille de verre qui l'avait tué à la fin de la guerre contre les Tanieths. Il serra les lèvres et se remit au travail. Une seconde crampe, plus prononcée celle-là, le força à se plier en deux.

– Sparwari ? s'inquiéta Lazuli en arrêtant de courir.

– Rentrons tout de suite, haleta le dieu-épervier.

– Mais les fruits ?

– Nous reviendrons les chercher... Transformez-vous et fuyez vers le balcon...

Avant de tenter la métamorphose, Lazuli promena son regard sur le ciel. Il ne voyait pourtant aucune présence ennemie.

– Je n'y arrive pas ! s'effraya Cyndelle.

– Moi non plus ! lança Aurélys.

Lazuli s'y employa à son tour, en vain.

– Pourquoi sommes-nous incapables de nous changer en oiseaux ? s'inquiéta-t-il.

Les bras resserrés sur son ventre, Sparwari n'avait pas non plus adopté son apparence de rapace.

– Que se passe-t-il ? s'effraya Lazuli.

– Je n'en sais rien...

Avec beaucoup de difficulté, il se traîna les pieds en direction du château où il abritait les enfants de Lycaon. Lazuli courut se placer sous son bras droit et lui servit d'appui. Les filles ramassèrent alors chacune un panier et les suivirent.

Au lieu de regagner leur refuge en quelques minutes à tire-d'aile, ils mirent plus d'une demi-heure à se rendre au pont-levis. Puisque Sparwari semblait à bout de souffle, son fils le fit asseoir sur un banc du vestibule.

– Pourquoi souffres-tu autant ? demanda-t-il.

– Je pense que c'est une vieille blessure qui refait surface...

– Elle n'était pas guérie ?

– Je croyais que si... mais apparemment, je m'étais trompé...

Cyndelle et Aurélys allèrent porter les corbeilles dans la chambre pendant que leur ami aidait son père à grimper lentement le grand escalier. Une fois à l'étage, les filles vinrent lui donner un coup de main pour le faire marcher jusqu'à son nid et l'y coucher. Le visage de Sparwari était affreusement pâle lorsqu'il ferma finalement les yeux.

– Peut-être qu'il avait très faim, avança Aurélys.

– Est-ce qu'il est mort ? s'alarma Cyndelle.

Lazuli posa la main sur la joue du dieu-épervier.

– Sa peau est glacée.

– Ce n'est pas bon signe... murmura Aurélys.

– Il a dit qu'une vieille blessure le faisait souffrir, se rappela Lazuli.

Il remonta donc la tunique de son père et étouffa un cri de surprise en apercevant la cicatrice rouge au milieu de son corps.

– Comment est-ce arrivé ? demanda Cyndelle.

– Il ne m'en a jamais parlé, avoua Lazuli. Laissons-le se reposer et gardons-lui des fruits qu'il pourra manger à son réveil.

Les adolescents se regroupèrent sur le plancher et mangèrent en silence. La nuit tomba sans que l'état de Sparwari montre le moindre signe d'amélioration.

– Serons-nous condamnés à rester ici ? s'enquit Cyndelle.

– Pour l'instant, oui, affirma Lazuli. Attendons de voir s'il ira mieux au matin.

Les oisillons dormirent collés les uns contre les autres, incapables de faire taire leur peur. Ils s'attendaient à voir les félins prendre le château d'assaut au beau milieu de la nuit. Mais lorsqu'il ouvrit l'œil, juste avant l'aube, Lazuli constata avec soulagement qu'il était encore vivant ! Il s'approcha de son père, à présent blanc comme du marbre. « Je n'ai plus le choix », décida-t-il. Il appela télépathiquement sa mère.

Kira se redressa d'un seul coup dans son lit. Avait-elle seulement rêvé que Lazuli la réclamait ? Le cœur battant, elle demeura immobile et attentive. *Maman, dis-moi que tu m'entends,* fit la voix angoissée de son cadet. *Je suis là, mon chéri. Où es-tu ?* Lazuli lui décrivit les lieux et la Sholienne sut aussitôt qu'il se trouvait sur le continent des hommes-insectes. *Ne bouge pas de là, nous arrivons !*

Sans ménagement, Kira secoua Lassa qui dormait près d'elle. Il ouvrit les yeux en se demandant si le château était la proie d'un autre tremblement de terre, puis aperçut le regard insistant de sa femme dans la clarté de l'aurore.

– Réveille-toi ! répéta-t-elle.

– Je suis réveillé ! Que se passe-t-il !

– Nous allons chercher Lazuli.

Elle descendit du lit et s'habilla sans perdre de temps.

– Tu viens d'avoir une vision ? s'informa Lassa en mettant les pieds sur le plancher.

– Non. Il a communiqué avec moi.

– Où est-il ?

– Sur Irianeth.

– Dans ce cas, nous utiliserons mon vortex. Je n'ai pas envie de me retrouver dans l'eau.

Les oreilles mauves de Kira se collèrent brusquement sur ses cheveux.

– Tu ne me fais jamais confiance ! lui reprocha-t-elle.

– C'est faux et tu le sais très bien. Seulement, il y a des fois où il faut reconnaître que d'autres sont plus doués que nous.

– Lassa d'Émeraude !

– Es-tu prête ?

Elle saisit sa main avec colère, se promettant de terminer cette conversation plus tard.

Par précaution, Lassa choisit de se transporter sur le long quai en pierre d'où partaient jadis les drakkars de l'empereur. Si le soleil commençait à se lever à Shola, ce n'était pas le cas à Irianeth, qui se trouvait à des milliers de kilomètres à l'ouest. Les parents allumèrent donc leurs paumes pour s'éclairer.

Lazuli, nous sommes arrivés sur le quai, fit la mère. *De quel côté devons-nous nous diriger?* La réponse fut rapide. *Tout droit! Continuez tout droit! Nous sommes dans le château!*

– Quel château? s'étonna Lassa. N'avons-nous pas détruit la ruche de l'empereur à notre dernier passage ici?

S'attendant à se frayer un chemin entre les innombrables pics pointus de leurs souvenirs, les deux Chevaliers ne cachèrent pas leur surprise lorsqu'ils marchèrent sur un sol parsemé de petits galets.

– Mais que s'est-il passé ici? laissa tomber Kira.

Ils furent encore plus stupéfaits d'arriver devant un pont-levis qui enjambait une douve remplie d'eau.

– Es-tu certain de nous avoir emmenés au bon endroit? s'enquit Kira.

– Absolument certain. Assurons-nous d'abord que ce n'est pas une illusion.

Lassa posa doucement le pied sur les planches.

– Il est bien réel, affirma-t-il.

– Mais qui l'a construit?

– Je pense que nous sommes sur le point de l'apprendre.

Ils arrivèrent devant les marches qui menaient à deux grandes portes aussi noires que les pierres dont était construit le château.

– C’est un bien curieux choix de matériau, laissa tomber Kira.

– On frappe ou on entre sans invitation ?

La Sholienne décocha un regard aigu à son mari, qui n’eut pas besoin de plus d’encouragement pour tirer sur l’un des gros anneaux de fer. Tendant les mains en avant, ils éclairèrent le vestibule.

– Cet endroit te semble-t-il familier ? fit soudain Lassa.

– On dirait une réplique du Château d’Émeraude...

– Mais qui aurait pu construire cela, ici ?

– Le seul nom qui me vient à l’esprit, c’est Onyx.

– Maman ? fit la voix de Lazuli, à l’étage.

– Il y a papa, aussi, maugréa Lassa.

– C’est connu que les enfants, et même certains adultes, lorsqu’ils sont effrayés, appellent leur mère, expliqua Kira. Tu ne vas pas t’en formaliser maintenant.

Ils grimpèrent le grand escalier, aussi noir que tout le reste. Kira venait d’arriver sur le palier lorsque son fils se jeta dans ses bras et la serra à lui rompre les os.

– Tu n’as plus rien à craindre, mon chéri. Nous rentrons à la maison.

– Non, attends ! s’exclama-t-il en reculant. Nous ne pouvons pas laisser les autres ici !

– Quels autres ? s’étonna Lassa.

– Aurélys, Cyndelle et Sparwari.

– Sparwari ? répétèrent en chœur les parents, qui allaient de surprise en surprise.

– Il nous a emmenés ici pour nous soustraire aux plans meurtriers des dieux félins. Mais il ne va plus bien du tout.

Lazuli glissa la main dans celle de sa mère et l'entraîna jusqu'à une pièce qui, au Château d'Émeraude, aurait été celle du roi. À la lueur des paumes de Lassa, Kira aperçut alors Cyndelle et Aurélys assises ensemble.

– Merci d'être venus à notre secours, fit la jeune fille à la peau grisâtre et aux longs cheveux noirs.

– Ce sont vos parents qui vont être contents de vous revoir, se réjouit Kira.

Lassa s'approcha du nid où Sparwari était couché. Il n'avait jamais vu quelqu'un d'aussi pâle de toute sa vie. Il passa la main au-dessus de son corps.

– Lazuli a raison : il est très mal en point.

– C'est sans doute relié à ce qui vient de se passer dans les cieux, devina Kira.

– Dans les cieux ? répéta Lazuli. Ça n'a donc rien à voir avec les félins ?

– C'est compliqué, mon chéri.

– Si ça peut sauver la vie de mon père, tu dois nous le dire.

Kira s'avança vers son ancien mari sans cacher sa contrariété. Elle l'examina à son tour.

– Son énergie vitale est très basse et elle n'est pas divine, conclut-elle.

– Il a donc été touché par le sort d'Abussos, murmura Lassa. Que peut-on faire ?

– Ai-je vraiment besoin de te dire ce que je pense ?

– Même si, en théorie, il est mon rival, ce n'est pas dans ma nature de laisser mourir un homme.

La lumière de l'aurore envahissait graduellement la pièce par les fenêtres et les portes ouvertes du balcon.

– Je vous en prie, sauvez-le, les supplia Lazuli.

Sparwari battit alors des paupières et crut reconnaître Kira.

– Je t'en conjure, protège-les... murmura-t-il avant de s'évanouir de nouveau.

– Ramenons tout le monde à Shola, décida Lassa.

– Ce n'est pas parce que j'en ai envie, mais nous serons certainement plus à l'aise chez nous, accepta Kira.

Elle fit avancer les deux filles et leur demanda de se prendre par la main. Lazuli alla aussitôt se placer au bout de la chaîne.

Lassa se pencha alors sur le blessé, couché dans le fond du nid, le toucha puis saisit la main de sa femme. En un instant, ils furent tous transportés dans la chambre d'amis du Château de Shola.

Lazuli poussa un cri de joie, mais ses compagnes, qui ne se trouvaient toujours pas chez elles, ne cachèrent pas leur déception.

– Je m'occupe de lui pendant que tu reconduis les filles chez leurs parents ? demanda Lassa. Ou préférerais-tu le contraire ?

– Tu peux bien rester avec lui, si ça te chante.

Kira reprit donc la main des adolescentes et disparut avec elles.

Au lieu d'aller retrouver le reste de la famille pour montrer qu'il était encore en vie, Lazuli traîna une chaise jusqu'au lit où reposait maintenant le dieu-épervier.

– Regarde son ventre, papa.

Lassa souleva sa tunique et vit l'enflure.

– C'est peut-être ça qui le fait souffrir, ajouta le garçon.

– Je crains que ce ne soit plus profond, Lazuli. Il y a plusieurs années, lorsque nous nous sommes rendus à Irianeth pour anéantir l'empereur, ton père, qui s'appelait Sage à l'époque, a été tué dans l'effondrement de sa ruche. Il a survécu grâce à l'intervention magique d'une déesse-faucon qui, pour le garder en vie, l'a changé en épervier.

– S'il est en train de mourir, ça veut dire qu'elle a changé d'idée ?

– Pas tout à fait. Abussos, le grand chef de tous les dieux, a retiré les pouvoirs à toute sa descendance.

– Donc, c'est sa faute s'il est comme ça ?

– Ce n'est qu'une hypothèse, mais s'il a perdu ses privilèges divins, les rapaces ne peuvent plus le garder en vie.

– Tu es un dieu, toi aussi, sauve-le !

– Je vais tenter quelque chose, Lazuli, mais je ne te promets rien. Pour que cette magie n'ait aucune conséquence sur toi, j'aimerais que tu sortes de la chambre.

– Est-ce que je peux au moins regarder de la porte ?

– Oui, mais tu ne dois pas bouger de là, peu importe ce qui se passera.

L'adolescent fit ce qu'il lui demandait.

– Advienne que pourra, murmura Lassa en plaçant la main sur le plexus solaire de l'ancien dieu-épervier.

Dans un éclair aveuglant, il transmit à Sparwari une partie de sa force vitale. Les joues de ce dernier reprirent aussitôt des couleurs. Lassa examina ensuite la cicatrice violacée et y trouva une importante hémorragie. À l'aide de la lumière dans ses mains, il arrêta rapidement l'effusion de sang et répara les vaisseaux sectionnés.

Ne pouvant rien faire de plus pour le blessé, Lassa recula et vit la pièce tourner autour de lui. Il se sentit basculer vers l'arrière et perdit connaissance.

– Papa !

Lazuli se précipita à son secours, mais il n'avait jamais appris à soigner les gens. Il secoua Lassa, évanoui sur le plancher, sans parvenir à le ramener à lui. Il allait courir chercher de l'aide lorsque Kira réapparut dans la chambre.

– J'ai réussi ! s'exclama-t-elle, triomphante.

– Papa aussi, mais il est tombé par terre !

Kira se hâta auprès de son époux.

– Il a encore exagéré, grommela-t-elle en posant la main sur son front.

Une petite dose de la force vitale de Kira suffit à lui faire reprendre connaissance.

– Est-ce que ça va ? voulut-elle savoir.

– J'ai très chaud, tout à coup, haleta Lassa.

– Lazuli, surveille Sage, ordonna-t-elle en aidant son mari à marcher vers la sortie.

La Sholienne ramena son mari dans leur chambre et le coucha dans le grand lit.

– Tu sais ce que tu as à faire, mon amour.

Lassa ferma les yeux et un cocon de lumière blanche se forma autour de lui.

– Et de un... se dit Kira.

Elle retourna auprès du demi-dieu et s'assit sur le bord de son lit. Il semblait en meilleure forme que lorsqu'ils l'avaient ramené d'Irianeth, quelques minutes plus tôt, mais il était encore bien faible.

« Est-ce que je veux vraiment le garder ici ? » se demanda-t-elle. Mais où pouvait-elle l'envoyer ?

– Je peux lire la question dans tes yeux, murmura-t-il. J'ai toujours su le faire. Ne t'en fais pas, dès que je pourrai marcher, je partirai sans rien demander de plus.

– Pour aller où ? Abussos a rasé tous les royaumes célestes et retiré leurs pouvoirs à tous les dieux.

– J'ai encore un père... Je suis certain qu'il serait heureux de me revoir, malgré toutes mes bévues... Je peux certainement être encore utile à quelque chose.

– Tu n'as plus tes ailes.

– J'ai toujours mes jambes. Qu'importe le temps que ça prendra, je finirai par arriver à Émeraude. Je terminerai mes jours sur la ferme de Sutton et tu seras enfin débarrassée de moi, car je ne pourrai plus jamais revenir ici.

– Nous ne savons pas ce que l'avenir nous réserve, Sage. Parfois, ce sont de belles surprises.

– Tu peux prêcher ça à ceux qui sont nés sous une bonne étoile, mais pas à moi. Ma véritable mère n'a pas eu le droit de me garder auprès d'elle. J'ai grandi dans une ville enclavée dans la glace, où on m'a refusé tous les droits qui étaient accordés aux autres enfants. Quand j'ai réussi à quitter cette prison pour devenir Chevalier, un sorcier m'a volé mon âme. Et lorsque j'ai pensé devenir enfin heureux, un dragon m'a arraché à la femme que j'aimais.

Kira sentit les larmes lui monter aux yeux.

– Je n'aurais jamais dû naître, mais malgré tout, quelque chose en moi refuse d'abandonner. Tout ce que je te demande, c'est de prendre bien soin de notre fils.

Malgré son manque de vigueur, le dieu-épervier tenta de s'asseoir.

– Tu ne peux pas partir dans cet état, l'avertit Kira.

– Je ne peux pas non plus rester ici.

Elle le força à se recoucher, juste à temps d'ailleurs. Un cocon de lumière blanche se forma autour de lui.

– C'est vrai, tout ce qu'il vient de dire ? demanda Lazuli.

Ayant complètement oublié sa présence, Kira sursauta.

– Ton père est un homme qui ne ment jamais... répondit-elle, la gorge serrée.

– Est-ce que je pourrai le conduire là où il veut aller ?

– Nous en reparlerons plus tard, si tu veux bien. C'est presque l'heure du déjeuner. Si tu venais m'aider à le préparer ? Marek, Kylian, Maélys et tes cousines vont être fous de joie quand ils te trouveront ici.

Kira poussa son fils dans le couloir et referma la porte. Elle descendit à la cuisine avec Lazuli et lui recommanda de ne pas faire trop de bruit, jusqu'à ce que tous les autres soient levés.

En sortant du garde-manger, Kira trouva Marek devant elle.

– J'imagine que tu as une autre théorie ?

– Oui. Veux-tu l'entendre ?

Pour qu'il ne réveille pas le reste de la famille, elle l'emmena à la cuisine et fit chauffer du thé.

– Les cinq dieux que vous avez ramenés ont sans doute perdu leurs pouvoirs en même temps, commença Marek. Puisque je n'ai pas eu la présence d'esprit de mettre tout de suite Jenifael à l'épreuve, il est impossible de savoir si les siens sont disparus au moment où Abussos châtiait ses petits-enfants.

– Où veux-tu en venir, jeune homme ?

– Si Lazuli dit vrai, son père n'a perdu ses facultés magiques qu'hier.

– Et ?

– Ça veut dire que la punition du dieu-hippocampe n'a pas atteint tous ses descendants en même temps. Il semble y avoir un petit délai, sans doute selon l'endroit où ils se trouvaient au moment où il l'a prononcée.

– Mais ce n'est qu'une théorie.

– Que je vais me faire un devoir de vérifier, tu le sais bien.

Kira se dit que si cela pouvait l'occuper, elle ne l'en empêcherait pas. Elle versa l'eau chaude dans les tasses, y ajouta le thé et en poussa une vers son fils.

– Merci, maman, ça va m'aider à penser.

« Comment fait-on pour les empêcher de grandir ? » soupira intérieurement la Sholienne.

7

L'ÉCRASEMENT

Après avoir arraché Marek des griffes de Kimaati, au milieu des volcans, Fabian et Cornéliane s'étaient dirigés vers le Royaume de Zénor, où habitait désormais leur frère Atlance. Leur fidèle ami, le dieu-busard Shvara, les avait accompagnés, mais il restait étrangement muet.

Le but de cette visite avait été de confier les dragons Ramalocé et Urulocé à une personne fiable. Qui de mieux que leur ancienne maîtresse Katil pour s'en occuper ?

La jeune femme, maman d'un petit garçon d'un an et enceinte d'un deuxième, avait accueilli ses anciens compagnons à écailles avec joie.

Toutefois, les nouvelles que leur rapportait Fabian avaient beaucoup troublé Atlance et sa femme. Comme s'ils n'avaient pas assez de Nemeroff qui faisait la pluie et le beau temps à Émeraude, un dieu-lion venu d'un autre univers projetait de leur imposer sa domination !

Le couple avait insisté pour que leurs visiteurs demeurent quelque temps à Zénor, mais après avoir passé la nuit dans leur maison, ceux-ci décidèrent qu'il était urgent d'aller prévenir Onyx de ce qui se tramait chez lui.

– Vous habitez à l'autre extrémité du continent, alors, à mon avis, vous n'avez rien à craindre pour l'instant, tenta de les rassurer Fabian en les étreignant.

– De toute façon, nous sommes là pour les protéger, indiqua Ramalocé.

– Nous avons déjà mis la chauve-souris en déroute, alors un lion ne nous effraie pas, ajouta Urulocé.

– Quelle chauve-souris ? s'exclamèrent les humains, en chœur.

– Celle qui s'est introduite dans la maison, la nuit dernière.

– Une affreuse créature, si vous voulez mon avis, fit Ramalocé avec un air de dédain.

– Pourquoi ne pas nous en avoir parlé ce matin ?

– Nous attendions le moment opportun.

– Mais que voulait cette chauve-souris ? demanda Katil, effrayée.

– Nous n'avons pas eu le temps de la questionner, déplora Urulocé, mais ce n'était certainement rien de bon.

– Heureusement que nous vous avons apporté ces redoutables petits gardiens, intervint Fabian pour éviter que son frère panique et le supplie de rester.

Puisque le châtiment d'Abussos ne l'avait pas encore atteint, Fabian se changea en milan suffisamment gros pour que Cornéliane puisse s'asseoir sur son cou, cette fois-ci. Shvara se métamorphosa à son tour et adopta la même taille que lui.

– Soyez prudents, leur recommanda Atlance, découragé de constater que le monde n'était pas plus sûr qu'à l'époque de la guerre contre les hommes-insectes.

– Faites bonne route, leur souhaita Katil en s'efforçant de sourire.

– Et surtout, débarrassez-nous de l'envahisseur ! s'exclama Urulocé, enflammé.

– Exterminez-le ! renchérit Ramalocé.

– Partons vite avant qu'ils ne lèvent une armée, plaisanta Fabian.

Les rapaces s'envolèrent en direction du nord-ouest. Ils se posèrent, quelques heures plus tard, sur une corniche de la montagne de Cristal, pour se reposer sous leur forme humaine.

– Ce n'est pas dans tes habitudes de demeurer aussi silencieux, fit remarquer Fabian à Shvara.

– J'avais besoin de réfléchir, avoua le busard.

– Ma foi, on dirait que tu hésites.

– Tu es très perspicace, Albalys. Partir à la recherche d'Onyx, c'est votre quête, à Cornéliane et toi. Personnellement, je préférerais rester à Émeraude pour veiller sur ma future épouse.

– La fille de Morrison ?

– Qui ne cesse de vieillir, ce qui me rapproche du jour de notre mariage. Je me poserai sur un repli du toit du château, bien au sec, et je garderai l'œil ouvert.

– Tu sais bien que je ne t'obligerai jamais à me suivre, Shvara.

– Je t'en serai éternellement reconnaissant. Je vous souhaite de retrouver votre père, mais essaie de ne pas causer trop de bagarres en chemin.

Il faisait évidemment référence à l'altercation dont il avait été témoin dans une auberge.

– Je l'empêcherai de se battre, le rassura Cornéliane.

Les deux dieux rapaces s'étreignirent avec amitié, puis Shvara donna un baisemain à la princesse. Il se transforma en oiseau de proie et s'élança vers la forteresse.

Le frère et la sœur partirent en direction opposée, quelques minutes plus tard. Fabian prit de l'altitude et franchit le sommet des volcans désormais éteints. Au sud, ils pouvaient apercevoir les contours du Château d'An-Anshar, mais ils n'avaient nulle intention d'y retourner sans Onyx.

Dès qu'ils eurent dépassé le dernier cratère, ils virent la large rivière qui séparait dorénavant Enlilkisar du reste du monde occidental. Fabian la survolait vers le sud lorsqu'il reprit soudain sa forme humaine. Instantanément, les deux jeunes gens tombèrent en chute libre et plongèrent dans le cours d'eau. Battant furieusement des pieds et des mains, Cornéliane fut la première à revenir à la surface, mais le courant l'entraînait déjà vers l'océan.

– Fabian ! l'appela-t-elle, terrorisée.

Elle sentit qu'on l'agrippait par-derrière et poussa un hurlement de terreur. Avec toute la vigueur de ses muscles, son frère la ramena vers la berge en nageant le plus rapidement possible dans l'eau glacée. Il finit par atteindre la terre ferme à plusieurs kilomètres de l'endroit où ils s'étaient écrasés.

À bout de force, Fabian tira Cornéliane jusque sur l'herbe et se coucha sur le dos, haletant.

– Pourquoi as-tu fait ça ? souffla la princesse en tremblant de froid.

– C'est la première fois que ça m'arrive... Es-tu blessée ?

La jeune fille se tâta tous les membres.

– Rien de cassé...

Ils demeurèrent immobiles, se laissant sécher et chauffer par le soleil pendant plusieurs heures, puis Fabian parvint à s'asseoir. Ils avaient perdu leur besace de provisions dans la chute.

– Nous ne devrions pas rester ici, dit-il à sa sœur. Nous sommes à découvert.

– Mais la forêt est encore plus dangereuse que la plaine, rétorqua-t-elle.

Fabian tenta de reprendre sa forme de rapace, mais n'y parvint pas. Au bout d'une dizaine d'essais, il dut s'avouer vaincu.

– On dirait que j'ai perdu mes pouvoirs comme les dieux qu'ont trouvés Kira et Lassa, se désola-t-il.

Pour vérifier s'il s'agissait d'une malédiction qui s'étendait à tous les panthéons, la princesse essaya à son tour et se transforma en guépard sur-le-champ.

– C'est toi qui as un problème, conclut-elle en reprenant son apparence humaine.

– Donc, c'est à mon tour de grimper sur ton dos ?

– Certainement pas !

– Même si nous parvenons à localiser père, nous mettrons des mois à nous rendre jusqu'à lui maintenant que nous sommes à pied.

– Tu n'as vraiment aucune imagination, Fabian. Il n'y a pas qu'une seule façon d'y arriver. Laisse-moi te montrer comment il faut s'y prendre. *Papa ?* appela-t-elle par télépathie.

La réponse d'Onyx fut instantanée. *Qu'y a-t-il, ma puce ?* Cornéliane servit à son grand frère un air de triomphe. *Je suis tombée du ciel près d'un grand fleuve dans le nouveau monde et je ne sais pas de quel côté me tourner pour te rejoindre*. Il y eut un moment de silence, pendant lequel Onyx la cherchait avec son esprit. *Tu es à la frontière ouest du pays des Nacalts. Reste où tu es, j'arrive*.

– Demandez et vous recevrez, dit Cornéliane à Fabian pour le taquiner.

– Je ne suis pas certain que j'aurais obtenu le même résultat que toi.

Quelques minutes plus tard, Onyx apparut à une vingtaine de pas à peine des téméraires aventuriers. La princesse s'élança et lui sauta dans les bras comme lorsqu'elle était une petite fille.

– Mais tu n'arrêtes pas de grandir, toi ! s'exclama joyeusement son père. Comment es-tu tombée du ciel, dis-moi ?

– À cause de lui.

Cornéliane pointa son frère, qui se tenait plus loin. Les traits d'Onyx se durcirent lorsqu'il reconnut son fils.

– Est-ce que vous me cherchiez, tous les deux ?

– Ça va très mal à Enkidiev, papa, alors il fallait t'avertir sans que tes ennemis interceptent nos conversations.

– Mes ennemis ? Allons en parler ailleurs.

La princesse, qui connaissait le fonctionnement du vortex de son père, alla prendre la main de Fabian et le tira vers Onyx avant de s'emparer de la sienne.

En un clin d'œil, ils se retrouvèrent au milieu d'un grand village de longues maisons montées sur pilotis. Des feux brûlaient un peu partout, tandis que ses habitants s'apprêtaient à se retirer pour la nuit.

– Où sommes-nous ? demanda Cornéliane.

– Chez les Anasazis, lui apprit Onyx en marchant vers l'une des habitations.

– Tu as donc commencé ta conquête du nouveau monde.

– Un peuple à la fois. Ne faites surtout pas de bruit. Les bébés se sont enfin endormis.

– Les bébés ?

Onyx grimpa l'échelle de bois qui menait à une ouverture recouverte de peaux cousues et disparut à l'intérieur. Cornéliane et Fabian l'imitèrent. Ils découvrirent que la longue maison était déjà habitée par un autre homme, une femme et deux poupons dans des berceaux, installés autour d'un feu qui réchauffait le logis. En s'approchant, Cornéliane reconnut Napashni. Elle la salua de la tête, sachant qu'elle n'aimait pas les contacts physiques. Mais à sa grande surprise, la guerrière l'attira dans ses bras et l'étreignit.

– Je suis si contente de te voir, ma petite chérie.

La princesse arqua un sourcil, car c'était ainsi que l'appelait Swan, sa mère. Elle jeta un regard discret en direction de son père et aperçut son air songeur.

– Mais je suis aussi très inquiète que tu te sois aventurée aussi loin d'Émeraude.

– Je ne comprends pas... bredouilla Cornéliane en échappant à son étreinte.

– Il s'est produit un phénomène plutôt inhabituel, fit alors l'homme blond, de l'autre côté du feu.

– Et vous êtes qui, au juste ?

– Je ne peux pas t'en vouloir de ne pas me reconnaître, Cornéliane, car mon apparence a changé. Je suis Wellan.

– Comment est-ce possible ?

– Ton père m'a rendu le corps et le visage que j'avais dans ma première vie.

– Avec ton accord ? voulut savoir la princesse, l'air suspicieux.

– Non, mais je suis bien content qu'il m'ait rendu ce que la mort m'avait enlevé.

– Et de quel phénomène parles-tu, au juste ?

– Il semblerait que l'âme de Swan se soit fusionnée à celle de Napashni.

– Quoi ? s'horrifia l'adolescente.

– Pour l'instant, nous ne pouvons que constater ce qui s'est produit, même si nous sommes encore incapables de l'expliquer.

– Papa ?

– Ce n'est pas parce que j'ai presque sept cents ans que je sais tout, répliqua Onyx.

Cornéliane remarqua alors que son père n'était pas collé contre sa maîtresse comme lorsqu'elle avait vécu avec eux dans les volcans. Il gardait volontairement ses distances.

– Alors, tu es maman et Napashni en même temps ? demanda-t-elle, encore incrédule.

– C'est exact et, curieusement, je ne sens pas qu'une soit en train d'envahir l'autre. J'ai plutôt l'impression que je retrouve enfin une partie de ma personnalité.

La princesse s'agenouilla alors entre les berceaux pour contempler le petit minois des bébés endormis.

– Je te présente ton frère Kaolin et ta sœur Obsidia. C'était toi qui devais choisir le nom du bébé, mais j'ai pensé que ça te plairait.

Napashni n'aurait pas pu savoir que Swan lui avait fait cette promesse. « Elle dit donc vrai », comprit l'adolescente.

– Parle-moi de mes ennemis, fit alors Onyx pour changer de sujet.

– Le premier, c'est Nemeroff, grommela-t-elle, les yeux remplis de colère.

L'empereur plissa le front.

– Alors, là, je ne comprends plus rien, avoua-t-il en se tournant vers Kaolin. Car c'est ce petit garçon qui devait posséder l'âme de mon fils aîné...

– Ce ne serait pas la première fois qu'un sortilège produit un résultat différent de celui qu'on escomptait, intervint sagement Wellan.

– Elle s'est donc emparée du corps d'un autre bébé ?

– Je t'assure que Nemeroff n'est pas du tout un bébé, précisa Cornéliane. C'est un adulte qui te ressemble, sauf qu'il est hypocrite et manipulateur.

– Elle dit la vérité, confirma Napashni en puisant dans les souvenirs de Swan. C'est un adulte, mais il n'est pas aussi terrible que tout le monde le prétend.

– Évidemment, puisqu'il t'a jeté un sort pour que tu vives tranquillement ta grossesse sans te douter de rien !

– Wellan, tu n'es parti d'Émeraude que tout récemment, lui dit Onyx. Peux-tu confirmer ces accusations ?

– Il semble que depuis que je vous ai rencontrés, Napashni et toi, dans la forêt des Itzamans, j'ai oublié beaucoup de choses...

« Le sort de soumission », se souvint alors l'empereur. En appuyant la main dans le dos du jeune homme, il l'avait privé en grande partie de sa volonté et de ses préoccupations afin qu'il le serve sans avoir envie d'aller voir ailleurs. « Je ne peux pas le lui retirer maintenant, sinon il ne poursuivra pas cette mission avec moi... » regretta l'empereur.

– Admettons que Nemeroff soit revenu dans la peau d'un homme adulte, trancha Onyx, de quelle façon est-il devenu mon ennemi ?

– Non seulement il s'est emparé du trône d'Émeraude, mais en réalité, c'est un dragon qui crache du feu !

L'air dubitatif de son père mit la princesse en colère.

– Il a tenté de me tuer ! Et il a bien failli mettre Fabian en pièces ! Il a fait fuir mes frères ainsi que les Chevaliers qui habitaient le château !

– Et maintenant, il veut s'en prendre à moi ?

– Il s'est proclamé Roi d'Émeraude alors que tu es encore en vie !

– Avec mon assentiment, lui fit remarquer Napashni.

– Ma chérie, calme-toi et écoute-moi, exigea Onyx. Ce titre lui revient de droit, car il est mon fils aîné, surtout que j'ai abdiqué ma couronne en quittant Émeraude.

– Le problème, c'est que nous ne sommes pas certains qu'il est vraiment Nemeroff, intervint enfin Fabian. Nous aimerions que tu le confirmes.

– Dans ce cas, je me ferai un devoir de retourner à Émeraude faire la connaissance de cet homme dès que j'aurai rencontré tous les dirigeants d'Enlilkisar. Il ne m'en reste plus que trois ou quatre, je pense.

– Six, rectifia Wellan, qui avait hérité de la carte d'Enlilkisar.

– Malheureusement, tu as aussi un autre rival et celui-là, il est mille fois plus dangereux, indiqua Fabian. Il s'agit d'un dieu en provenance d'un monde parallèle qui a décidé de s'établir dans le nôtre.

– Si j'ignorais jusqu'à présent son existence, comment a-t-il entendu parler de moi ?

– Il s'est emparé d'An-Anshar.

– Quoi ! hurla Onyx en se redressant, le visage rouge feu.

Réveillés en sursaut, les bébés se mirent à pleurer. Cependant, personne ne put faire un geste pour les calmer. Devant l'empereur en colère venait d'apparaître une énorme chauve-souris debout sur ses pattes postérieures. Onyx passa à l'offensive, chargeant ses mains d'énergie destructrice, mais Réanouh fut plus rapide que lui. Il projeta sa poudre noire sur la famille au grand complet avant que quelque décharge que ce soit puisse quitter les paumes du dieu-loup, puis disparut promptement. Le sort effaça le nom de Kimaati de leur mémoire et endormit même les bébés.

– Mais que vient-il de se passer ? s'étonna Wellan.

Onyx éteignit ses mains en se posant la même question.

– Je ne sais pas pourquoi, mais j'ai eu l'impression qu'on nous attaquait...

– Nous n'avons pas beaucoup dormi depuis la naissance des bébés, lui rappela Wellan.

– De quoi parlions-nous ? demanda Cornéliane, confuse.

– De Nemeroff, je crois, répondit Fabian.

– Et du repas que je vais nous procurer ? s'enquit Onyx.

– Je n'en suis pas certaine, admit Napashni.

Pour se débarrasser de ce désagréable sentiment d'amnésie, Onyx fit apparaître de nombreux plats qu'il avait empruntés un peu partout sur les deux continents. Même s'ils se sentaient encore déstabilisés, tous les membres de la famille mangèrent en silence.

– Mais si maman est ici, qui s'occupe d'Anoki et de Jaspe ? fit soudain Cornéliane. Pas Nemeroff, j'espère ?

Napashni déposa son écuelle en adressant à Onyx un regard pétrifié.

– J'ai abandonné mes jeunes fils... s'étrangla-t-elle, prise de remords.

Sans même un battement de cil, le dieu-loup fit apparaître les deux garçons entre sa fille et sa maîtresse. Stupéfaits, ils promenèrent leur regard sur les adultes.

– Cornéliane ! s'exclama Anoki, fou de joie. Papa !

– Ce n'est plus une mission diplomatique, mais une expédition familiale, laissa tomber moqueusement Wellan.

– Ils ne me reconnaissent pas, déplora Napashni.

– Tout peut s'arranger, affirma Onyx qui, lui-même, ne savait pas encore comment réagir devant sa maîtresse qui l'aimait à la folie et sa femme qui lui en voulait, réunies dans la même personne.

Il fit signe aux gamins de venir à lui et les serra dans ses bras en permutant les visages de Swan et de Napashni dans leur cœur.

– Mama ! s'écria alors Jaspe en se débattant pour qu'Onyx le remette par terre.

Le bambin alla se réfugier contre la poitrine de la guerrière.

– Mais comment as-tu fait ça ? s'étonna Wellan.

– Un vieux sort de suggestion...

– Tu es donc partie pour aller rejoindre papa ! s'égaya Anoki. Nous pourrons rester ?

– Oui, mon chéri.

Fabian servit à manger à ses petits frères.

– Maman, où est Ayarcoutec ? s'enquit alors Cornéliane.

– Elle est restée au château avec Cherrval, l'informa-t-elle. Nous avions décidé que c'était trop dangereux d'emmener des enfants.

– Et maintenant, vous en avez cinq sur les bras, leur fit remarquer Wellan.

Onyx sentit quelque chose remuer dans son cerveau, comme un souvenir qui tentait d'en sortir, mais malgré toute sa magie, il n'arriva pas à l'identifier. Il se contenta donc de poursuivre son repas.

– Ayarcoutec aime bien jouer à l'impératrice, expliqua Napashni. Laissons-lui ce plaisir.

Tous les enfants se virent attribuer un endroit pour dormir dans la longue maison. Lorsqu'ils furent bien au chaud sous leurs couvertures, Onyx fixa avec envie la guerrière qui venait de s'allonger près des deux bébés, mais au lieu d'aller se blottir dans son dos, il quitta l'habitation et s'assit près des braises d'un feu pour respirer l'air frais du soir.

– Il semble y avoir une absence de chaleur entre maman et toi, fit alors Fabian qui arrivait derrière lui.

– Si tu n'étais pas devenu un homme, je te dirais que ce n'est rien et d'aller te recoucher.

– Vous vous êtes querellés ? poursuivit le prince en prenant place près de son père.

– Si tu te souviens bien, elle m'a mis à la porte.

– Mais tes sentiments pour la Mixilzin ?

– C'est là que tout se complique... soupira Onyx. Je vis avec une femme qui m'adore et qui me déteste en même temps. Pour tout te dire, je ne sais plus sur quel pied danser. Mais puisque l'intégration de leurs deux personnalités est très récente, je veux bien être patient et attendre la suite des choses.

– Tu ne vas pas la quitter, elle aussi ?

– J'espère ne pas en arriver là, mais ça dépendra d'elle.

– En réalité, je ne suis pas venu te parler de maman. Je voulais m'excuser d'avoir agir comme je l'ai fait avec toi. J'aurais dû t'écouter et cesser de fréquenter la déesse Aquilée. Tu avais raison et j'avais tort.

– Tiens, c'est nouveau, ça.

– Mais sincère. Papa, je te demande pardon.

Onyx pivota vers lui et l'attira dans ses bras pour le serrer avec tendresse.

– Tu as toujours été le plus opiniâtre de mes garçons, murmura-t-il à son oreille, mais aussi le plus sagace.

– Permets-moi de t'accompagner dans tous ces nouveaux royaumes, même si j'ai mystérieusement perdu mes pouvoirs.

– Tu n'en auras pas besoin.

– Maintenant, fais-moi plaisir et reviens à l'intérieur.

Onyx soupira, mais suivit finalement Fabian dans la longue maison. S'assurant que Napashni était profondément endormie, il poussa même l'audace jusqu'à se coucher près d'elle.

8

CHASSEURS DE PRIMES

L'univers céleste d'Achéron n'avait rien en commun avec celui d'Abussos.

Le dieu-hippocampe avait créé des domaines où la nature occupait presque tout l'espace. Le monde des dieux fondateurs ressemblait à une grande forêt ponctuée de lacs et de rivières, tout comme celui des rapaces et des félins. Seuls les reptiliens en avaient préféré une version où les couleurs étaient inversées.

Achéron, lui, avait choisi de vivre dans une immense cité de béton, de verre et de métal étalée sur plusieurs plateaux creusés tout autour d'une haute montagne céleste. Au sommet s'élevait le palais de cuivre.

Puisqu'un rhinocéros et sa femme hippopotame régnaient sur ce panthéon, toutes les pièces et les couloirs de leur résidence étaient démesurés et, depuis le coup d'État perpétré par Kimaati, tous ses accès étaient doublement gardés.

Contrairement à Abussos, Achéron avait limité sa descendance à ses quatre fils et il ne leur avait pas permis de se reproduire, du moins dans son empire.

Il avait plutôt tiré du néant une cohorte de serviteurs pour que tous les besoins de sa famille soient comblés. La plupart étaient d'inoffensifs moutons, de loyaux chiens de berger et de vaillants taureaux. Malgré tout, un grand nombre d'entre eux s'étaient rangés derrière Kimaati pour s'emparer du pouvoir.

Réanouh habitait l'une des hautes tours métalliques sur lesquelles plombaient les rayons du soleil qu'Achéron avait accroché au-dessus de sa forteresse. Il faisait chaud dans l'antre de la chauve-souris, mais elle s'y plaisait. De plus, elle n'avait qu'à s'élancer de la fenêtre, la nuit, pour planer au-dessus des maisons et recueillir le plus d'informations possible sur les habitants de la ville et leurs intentions. Si elle était pratiquement aveugle le jour, rien ne lui échappait une fois le soir tombé.

La courte incursion de Réanouh sur le continent des créatures servantes d'Abussos avait été fructueuse. Une fois rentré chez lui, le sorcier avait attendu l'obscurité avant de se rendre auprès de son maître. La plupart de ses sujets se retiraient dans leurs quartiers dès que la lumière solaire disparaissait. Les autres continuaient de parcourir les kilomètres de corridors intérieurs et extérieurs du palais pour s'assurer que leurs dieux ne manquaient de rien.

Réanouh n'était pas très habile sur ses pattes et sa façon erratique de voler ne lui permettait pas de se déplacer dans les airs jusqu'à la salle du trône, où le monarque passait ses journées, sans frapper les domestiques au passage ou s'empêtrer dans les nombreux mobiles métalliques suspendus partout. Puisque la déesse-hippopotame Viatla en raffolait, il n'était pas question de demander à Achéron de les faire décrocher. Il attendait donc la pénombre pour s'envoler jusqu'au balcon de l'un des appartements divins et faisait le reste du chemin à pied.

Même avec toutes les fenêtres ouvertes, le palais ne se refroidissait pas rapidement, ce qui convenait parfaitement au sorcier. Cette nuit-là, il claudiqua jusqu'à la colossale pièce circulaire où le dieu-rhinocéros passait le plus clair de son temps. Il le trouva le museau plongé dans un grand baquet rempli de bière.

– Vénérable Achéron, me revoilà, s'annonça la chauve-souris.

– Enfin ! s'exclama-t-il en relevant la tête. Que penses-tu de ma nouvelle apparence ?

Heureusement, Réanouh avait tout de suite remarqué qu'il avait fait plaquer d'or la plus longue de ses deux cornes.

– Cela vous donne un air de majesté.

– Tu es le plus flatteur de mes sujets, Réanouh ! Mais j'aime ça !

Le gros mammifère recula jusqu'à son trône, un large siège muni d'un gros coussin, sur lequel il n'avait qu'à appuyer son postérieur.

– Alors, as-tu trouvé le scélérat ?

– Oui, maître. Votre fils Kimaati s'est réfugié dans l'un des mondes créés par les enfants jumeaux d'Abussos, soit les dragons dorés Aufaniae et...

– Je n'ai que faire de l'arbre généalogique de l'hippocampe ! Viens-en aux faits !

– Très bien. Kimaati vit désormais dans le monde des humains.

– Avec leur accord ?

– Il s'est d'abord fait discret et il a même adopté leur apparence.

– Je ne comprendrai jamais l'attrait de cette coutume ridicule adoptée par les autres panthéons. Ne sommes-nous pas parfaits tels que nous sommes ?

– Bien sûr que si, vénérable Achéron.

– Continue.

– J'ai pris le temps de bien étudier la situation avant d'intervenir, comme vous me l'aviez demandé. Kimaati s'est emparé de la forteresse d'un roi en son absence.

– Tout à fait son style.

– J'ai évidemment effacé tout souvenir de lui dans la mémoire des humains qui avaient appris qu'il s'y trouvait.

– Bien joué. Nous n'aurons plus qu'à aller le cueillir.

– Ce n'est pas dans mes habitudes de vous dire quoi faire, maître, mais il ne faudrait pas tarder. Dans son imprévoyance habituelle, Kimaati a indûment pris possession de ce château sans se renseigner sur son propriétaire. Il s'agit de Nashoba, fils loup d'Abussos et...

– Tu ne vas pas recommencer !

– En fait, ce que j'essaie de vous dire, c'est que Kimaati et Nashoba risquent de s'affronter en un combat mortel qui pourrait vous priver de la satisfaction de punir vous-même votre fils lion.

– Tu as raison : ça me déplairait beaucoup.

– Il serait opportun que vos chasseurs de primes s'en emparent avant le retour de Nashoba.

– Tu as bien travaillé, Réanouh. Retourne à tes grimoires et à tes marmites. J'ai la situation bien en main.

– Merci, maître. Si vous avez besoin de moi, vous savez où me trouver.

Le sorcier recula en se prosternant de son mieux, ce qui n'était pas facile avec sa constitution. De toute façon, Achéron avait cessé de s'occuper de lui.

Parfaitement immobile, il réfléchissait au châtiment qu'il voulait imposer à son benjamin. « Mais avant, je dois le capturer... » Kimaati avait déjoué toutes ses tentatives de le reprendre depuis qu'il avait échappé au massacre de son armée.

– Tatchey ! hurla le dieu-rhinocéros.

Un furieux battement d'ailes résonna dans l'un des nombreux couloirs qui donnaient accès à la salle royale, aux murs recouverts de panneaux de cuivre fixés au moyen de gros boulons. L'énorme bec orange et jaune du toucan arriva dans la pièce avant lui.

– Je suis là, votre Majesté divine !

– Que les chasseurs de primes se présentent devant moi à la première heure demain.

– J'en entendu dire qu'ils s'étaient réunis à la taverne, ce soir. Ne préféreriez-vous pas les voir maintenant ?

– J'ai moi-même un peu trop bu et tu sais ce qui arrive dans ces moments-là.

– Vous avez raison.

– Je suis impatient de tordre le cou de Kimaati, mais je ne dois pas sauter d'étapes.

– Tout sera fait selon les règles de l'art.

– J'ai besoin de repos. Allez, file.

Le toucan ne demanda pas son reste. D'un pas lourd et tout en songeant à sa situation, Achéron se dirigea vers le corridor opposé à celui où venait de disparaître son serviteur. Les premières années de son mariage lui avaient apporté beaucoup de bonheur. Il avait bien sûr créé la déesse-hippopotame lui-même en fonction des qualités qu'il recherchait chez une compagne. Viatla était parfaite. Ils avaient ensuite engendré un premier fils. Tout comme son père, Javad était né rhinocéros. Son comportement était irréprochable. Il connaissait sa place dans la hiérarchie divine et il s'acquittait de ses charges royales à la perfection.

Puis, un événement surprenant s'était produit. Viatla avait donné naissance à un scarabée... Amecareth avait d'abord été un curieux bébé mauve et gluant sur lequel s'était graduellement solidifiée une épaisse carapace noire. Horrifiés, les parents avaient consulté tous les sorciers du panthéon, car il y en avait une centaine avant que Kimaati les égorge presque tous. Ils avaient attribué cette tare à un virus stellaire que la mère avait sans doute contracté lorsqu'elle était enceinte. Mais puisque Amecareth était aussi docile que son grand frère Javad, la communauté avait accepté sa présence dans le panthéon.

Afin d'être bien certains que Viatla était débarrassée du micro-organisme infectieux, les parents avaient attendu plusieurs années avant de concevoir un troisième enfant. La déesse accoucha finalement d'un petit mammifère noir et blanc qui poussait des hennissements si aigus qu'ils avaient fait fuir toutes les dames de compagnie brebis de la mère. Ce fut finalement Tatchey qui informa le couple qu'il s'agissait d'un zèbre. Furieux, Achéron avait voulu supprimer cet odieux descendant alors qu'il venait à peine de naître. Attendrie par la faiblesse du petit cheval rayé, Viatla s'était levée devant son mari, menaçante. Le dieu-rhinocéros avait dû battre en retraite. Son troisième fils était donc un zèbre qui s'appelait Rewain. En grandissant, il n'avait évidemment pas acquis la prestance de ses aînés. Timide et craintif, cet enfant ne quittait jamais le flanc de sa mère, ce qui exaspérait Achéron mais attendrissait Viatla.

Les sorciers avaient été incapables d'expliquer ce qui s'était passé, cette fois-là, mais Achéron s'en moquait. Il avait pris la décision de ne pas avoir d'autres enfants, de se consacrer à ses trois fils et de ne permettre qu'à l'aîné de se reproduire lorsqu'il serait adulte. Mais après une nuit de beuverie, le couple divin avait oublié ses belles résolutions et, quelques mois plus tard, Viatla avait mis au monde un autre mammifère qui ne ressemblait pas à ses parents. En fouillant dans ses grands livres, Tatchey les avait informés qu'il s'agissait d'un lion. Courroucé, Achéron avait finalement décidé de faire chambre à part.

En vieillissant, Kimaati était rapidement devenu indépendant. Il ne voulait rendre de comptes à personne et il préférait la compagnie de ses amis à celle de sa famille. Viatla se plaignait de ses absences injustifiées, mais ni elle, ni son époux ne pouvaient forcer le lion à s'acquitter de ses obligations divines. Tatchey avait rapporté au dieu-rhinocéros que son benjamin comptait, parmi ses nombreux défauts, l'avarice, la colère, l'envie, la gourmandise, la luxure, l'orgueil et la paresse. N'ayant jamais pu le faire castrer, Achéron craignait qu'il sème sur son chemin des centaines de bâtards, mais aucun ne s'était encore présenté au palais pour réclamer ses droits.

Ce qui avait le plus peiné le couple divin, c'était que leurs enfants n'avaient jamais été capables de cohabiter. Au lieu de former une belle famille forte et unie, ils étaient l'exemple absolu de la discorde et de la dissension. Les rares fois où ils s'étaient retrouvés dans la même pièce, Achéron avait été obligé de faire intervenir sa garde de taureaux pour séparer Javad, Amecareth et Kimaati. Rewain, quant à lui, s'était enfoncé dans l'un des plis de la peau de sa mère pour échapper aux coups de cornes et de griffes.

Achéron avait attribué à chacun de ses fils un étage du palais ainsi que ses propres serviteurs. Par la suite, il n'avait réellement fréquenté que Javad, se détachant peu à peu des autres. Puis, Amecareth lui avait fait connaître son intention d'aller régner sur un autre univers. « Bon débarras », avait pensé le dieu-rhinocéros en le laissant partir. La paix qu'il pensait avoir enfin trouvée chez lui ne dura cependant pas longtemps.

Un soir, alors qu'il venait de se retirer pour la nuit, une grande clameur le fit bondir sur ses pattes. Dans tous ses états, Tatchey s'était précipité dans ses appartements pour l'informer que le palais était assailli de toutes parts. Achéron avait piqué un coup de sang. Il avait foncé tête baissée dans le corridor en appelant sa garde pour empêcher les agresseurs de se rendre jusqu'au dernier étage de son sanctuaire. Il s'était arrêté net à l'entrée de la salle du trône, incapable de comprendre ce qu'il voyait : des taureaux combattaient d'autres taureaux ! Il était impossible de savoir qui attaquait les dieux fondateurs et qui les défendaient. Tombant du plafond, Réanouh s'était posé près de son maître. À l'aide d'un sort, il avait coloré la robe des protecteurs en doré.

Désormais capable de reconnaître les insurgés, Achéron s'était précipité dans la mêlée, embrochant ses anciens serviteurs l'un après l'autre. Ce fut un monstrueux carnage. Et lorsque le dieu-rhinocéros aboutit devant l'instigateur de cette révolte, il n'en crut pas ses yeux : c'était son fils Kimaati. Toutefois, plus agile que lui, le lion lui avait encore une fois échappé...

« Je me demande si Abussos éprouve les mêmes difficultés avec ses enfants », songea Achéron en atteignant finalement son grand lit rempli de poussière duveteuse. Il se laissa tomber sur le côté en poussant un soupir.

Si son amour pour Viatla n'avait pas été aussi tenace, il aurait détruit tout son monde pour le reconstruire, mais la déesse-hippopotame, dans sa grande sagesse, prétendait qu'il n'y avait pas d'univers parfait et qu'il s'y produirait sans doute autre chose. Achéron dormit tout de même d'un sommeil profond.

Au matin, il dévora le contenu d'une auge en cuivre remplie de feuilles, de bourgeons et de racines copieusement saupoudrés de sel. Il se désaltéra dans sa fontaine de bière privée, puis se rendit à la salle du trône. Une centaine de hyènes l'y attendaient.

– Comment pouvons-nous vous être agréables ? demanda leur chef.

– Merci d'avoir répondu à mon appel, Saonic.

Achéron prit le temps de s'asseoir sur son trône avant de poursuivre :

– Comme tu le sais déjà, je cherche mon fils Kimaati, que j'ai l'intention de punir sévèrement pour tout le mal qu'il a causé à notre panthéon.

– Nous attendions en effet que vous ayez enfin recours à nous.

– Je ne vous dirai pas comment le capturer. Cependant, je vous imposerai quelques conditions. Premièrement, Réanouh vous indiquera le chemin, car lui seul sait comment se rendre jusqu'à la cachette du dieu-lion. Deuxièmement, vous ne devrez pas bouleverser le monde dans lequel il a choisi de se réfugier. Votre intervention devra se faire loin des regards de la population. Je ne veux surtout pas avoir des ennuis avec le dieu fondateur de cet univers. Troisièmement, vous devrez vous assurer que personne ne sera tué, advenant le cas où Kimaati ait choisi de ne pas vivre seul.

– Et si ses nouveaux sujets nous attaquent, vénérable Achéron ?

– Vous pouvez les blesser pour les ôter de votre route, mais pas mortellement.

– Vos conditions seront respectées.

– Il y en a une autre. Prenez tout le temps qu'il faudra pour capturer mon fils et méfiez-vous. Il est très rusé et très convaincant.

– Nous ne reviendrons vers vous que lorsque nous l'aurons enchaîné.

– Si vous me le ramenez intact, vous serez grassement récompensés.

Saonic poussa un hurlement signalant à ses congénères qu'ils devaient aller se préparer à la chasse au lion.

9

UN SORTILÈGE TENACE

C'est avec beaucoup de fierté que Dinath et Dylan offrirent enfin à la population d'Enkidiev de venir s'installer dans la nouvelle cité d'Espérita. Ils avaient fait parvenir à tous les royaumes une invitation pour ceux qui désiraient vivre ailleurs.

Pour n'effrayer personne, les deux demi-dieux avaient décidé de donner un autre nom au Royaume des Esprits. D'un commun accord, ils l'avaient baptisé le Royaume de Sage, car c'était le seul Chevalier qui était originaire de la région. La ville, toutefois, continua de porter le nom d'Espérita.

Quelques semaines plus tard, un premier couple se présenta sur une charrette tirée par deux chevaux chargée de toutes ses possessions. L'attelage avait emprunté la rampe créée par Kira dans le roc plusieurs années auparavant afin de gravir la falaise jusqu'à ce haut plateau. Il s'agissait de jeunes gens qui venaient à peine de se marier. Puisqu'ils étaient tous deux les derniers nés de leur famille, et qu'ils n'hériteraient de presque rien, ils avaient décidé de tenter leur chance à Espérita.

Dylan leur expliqua que les fermes se situaient à l'extérieur de la ville et ne comptaient que des bâtiments pour abriter les animaux et engranger les récoltes.

Au lieu du droit de propriété privée qui avait cours à Enkidiev, les demi-dieux avaient instauré un nouveau système de partage des biens au Royaume de Sage. Tous les Espéritiens qui le désireraient pourraient cultiver la terre, s'occuper du cheptel ou pratiquer un métier utile à la communauté. Les potiers, les cordonniers, les couturiers, les forgerons et tous les autres artisans qui ouvriraient leur boutique dans la cité pourraient alors échanger leurs produits contre de la nourriture ou d'autres nécessités.

– De cette façon, le royaume finira par devenir autosuffisant, ajouta Dinath.

– Donc, nous n'aurons plus besoin d'argent ? s'étonna le paysan.

– Non. Vous ferez du troc.

– Quelle maison sera la nôtre ? demanda la nouvelle mariée.

– Celle de votre choix. Premiers arrivés, premiers servis.

En quelques jours, plus de vingt familles s'installèrent dans la ville et conduisirent leurs animaux dans les pâturages. Ils instituèrent aussitôt un conseil pour prendre les décisions communes, comme c'était aussi la coutume des centaines d'années auparavant, lorsque Nomar avait emprisonné les premiers Espéritiens dans l'enclave de glace.

– Grâce à nous, des gens qui n'auraient rien eu dans la vie vont pouvoir mener une existence heureuse et productive, se réjouit Dinath.

– Alors, je crois bien que notre mission ici est désormais terminée, conclut Dylan.

– Quel sera notre prochain projet ?

– J'ai eu vent que le Roi Onyx avait fait édifier une forteresse dans les volcans, qui, comme tu le sais, sont désormais éteints. Nous pourrions lui offrir de construire une belle cité à ses pieds.

– C'est une excellente idée, mon amour. Mais pourrions-nous d'abord faire un saut chez ta sœur ? J'aimerais m'assurer que Lazuli se porte bien.

– Kira nous a pourtant dit qu'il était sain et sauf et que son séjour à Irianeth n'avait eu aucune séquelle sur lui.

– Alors, disons que je veux juste le serrer dans mes bras...

– Tu sais bien que je ferais n'importe quoi pour te faire plaisir.

Les demi-dieux se prirent par la main, mais rien ne se produisit.

– Dylan ? s'alarma sa compagne.

– C'est bien la première fois que ça ne fonctionne pas...

Ils tentèrent plusieurs fois de se transporter à Shola, sans succès.

– Aurions-nous perdu notre magie ? s'étonna Dylan.

Pourtant, ils parvinrent à se parler par télépathie, à faire bouger des objets et à deviner leurs pensées respectives, mais peu importe leurs efforts, ils demeuraient cloués sur place.

– Nous possédons toujours les facultés de base accordées à certaines personnes par Parandar lorsqu'il a créé ce monde, mais pas celles que nous ont transmises nos parents divins, constata Dinath, effrayée. Sans elles, nous ne pourrons plus aider qui que ce soit.

Désespérée, la jeune femme appela son père. Quelques secondes plus tard, Anyaguara apparut en serrant Danalieth contre sa poitrine.

– Est-ce un mauvais moment ? s'excusa Dinath.

– Ce n'est pas ce que vous pensez, expliqua Anyaguara en relâchant son emprise sur Danalieth. Ton père vient de perdre mystérieusement ses pouvoirs, alors c'est moi qui l'ai emmené jusqu'ici.

– Nous aussi ! s'exclama Dylan. Que se passe-t-il ?

– Je n'en sais rien, soupira Danalieth, mais Anya ne semble pas avoir été touchée par cette malédiction.

– C'est d'ailleurs pour cette raison que j'accepte de mener une enquête à ce sujet. Il serait préférable que vous restiez ici, car si nous étions séparés dans un autre monde, vous ne pourriez plus revenir.

– Ça me paraît raisonnable, accepta Dinath. Toutefois, j'ai une inquiétude. Le sort que j'ai jeté pour réchauffer cette région tiendra-t-il ou tous ces nouveaux citadins mourront-ils de froid dans quelques heures ?

– Il n'y a qu'une façon de le savoir, déclara Anyaguara.

Ils se rendirent au puits dont s'était servie Dinath pour modifier le climat d'Espérita. La déesse-panthère passa la main au-dessus de la margelle.

– La malédiction ne l'a pas touché, affirma-t-elle.

– Les dieux soient loués, fit Dinath, soulagée.

– Puis-je vous conseiller de ne pas en parler à vos pionniers ? Il est inutile de les inquiéter avant que nous sachions exactement de quoi il retourne. Je tâcherai de ne pas être partie longtemps et, à mon retour, nous ferons le point ici même.

– Sois prudente, lui conseilla Danalieth.

Anyaguara embrassa l'Immortel sur les lèvres et se dématérialisa sous ses yeux.

Pour ne pas effrayer son amant et les demi-dieux, la déesse féline ne leur avait pas tout dit ce qu'elle savait. Lorsque les facultés divines de Danalieth s'étaient soudain envolées, elle avait instinctivement tenté de communiquer avec le chef de son panthéon. Non seulement elle n'avait reçu aucune réponse, mais le terrible silence lui avait glacé le sang. C'est donc dans le monde des félins qu'elle commença ses recherches.

La déesse-panthère réapparut à l'entrée du terrier royal et tendit l'oreille. « Il n'y a plus personne... » constata-t-elle, en proie au vertige. Elle sonda tout cet univers où elle avait vu le jour sans trouver âme qui vive. C'est alors qu'elle sentit l'approche de ce qui lui sembla être une vague déferlante magique. Puisqu'il n'était pas question qu'elle retourne à Espérita avant d'avoir des réponses à ses questions, elle se transporta en toute hâte au premier endroit qui lui vint à l'esprit : la montagne de Cristal. Tremblante et désorientée, elle s'accroupit sur la corniche en tentant de comprendre ce qui venait de se passer. « Quelqu'un cherche à nous détruire à la source », conclut-elle.

Abussos et Lessien Idril faisaient-ils partie des victimes de la malédiction ? « Qui possède suffisamment de puissance pour faire une chose pareille ? »

Anyaguara s'efforça de se calmer pour mieux réfléchir. Danalieth, Dylan et Dinath avaient perdu leur magie, alors qu'elle pouvait encore se servir de la sienne. Pourquoi ? Ils étaient tous les trois reliés au panthéon reptilien, mais pas elle. Celui qui les attaquait s'en était-il d'abord pris à celui-ci ? Pour vérifier cette hypothèse, elle se rendit sans tarder à Shola, car Kira, malgré son sang insecte, était également reliée aux Ghariyals. Myrialuna aussi.

Elle se matérialisa au pied du grand escalier et fit sursauter Ludmila qui le descendait avec un seau de couches.

– Anyaguara ! s'exclama-t-elle, folle de joie.

L'adolescente déposa son fardeau et bondit dans les bras de la déesse-panthère. Cette dernière l'étreignit brièvement, puis la fixa dans les yeux.

– Il est très urgent que je parle à Kira et à ta mère.

– Elles sont là-haut avec les bébés.

– Merci, ma chérie.

Anyaguara se changea en panthère et fila jusqu'à l'étage en suivant l'odeur de sa fille adoptive. En arrivant à la porte de la chambre, elle reprit son apparence humaine et y entra. Myrialuna était en compagnie de Kira et de la déesse Fan. Chacune berçait un petit garçon enroulé dans une couverture.

– Oh, Anya ! se réjouit la nouvelle maman. Tu viens voir tes petits-fils ?

– Pas tout à fait, belle eyra. Je cherche une explication à un drame qui semble s'être produit dans les mondes célestes.

– Alors, je peux vous aider, intervint Fan, dont le visage parfait n'exprimait pas la moindre émotion. Abussos s'est emporté et il nous a tous châtiés. Il nous a retiré nos pouvoirs, nous a rendus mortels et a décidé de détruire nos univers respectifs.

– Tous les dieux sont donc à Enkidiev ?

– Non, pas tous. Un ignoble assassin a fauché la femme et les enfants de Parandar avant que ce sort nous emporte. Il ne reste que Theandras, lui et moi parmi les reptiliens. Nous n'en sommes pas encore certains, mais le même scénario semble s'être produit chez les rapaces. Seules Aquilée et Orlare ont survécu.

– Et les félins ?

– Personne ne sait ce qui leur est arrivé.

– Moi aussi, j'ai une théorie ! lança Marek en s'intégrant à la conversation.

Kira allait lui demander de laisser les adultes se parler en paix, mais la déesse-panthère encouragea l'adolescent à lui dire ce qu'il savait.

– Puisqu'ils sont les seuls à ne pas avoir perdu leurs pouvoirs, ils se cachent sûrement quelque part dans notre monde, affirma Marek.

– Il est vrai que nous possédons toujours notre magie, ajouta Myrialuna.

– Grâce à Kimaati... devina la déesse-panthère. Nos facultés ne nous viennent pas uniquement d'Abussos, mais également de ce dieu d'un autre monde.

– Or Abussos ne peut pas nous enlever ce qui ne nous vient pas de lui ! s'exclama enfin le jeune léopard des neiges.

– Kimaati cacherait-il les félidés chez lui ?

– Dans son monde parallèle ? demanda Kira, inquiète.

– Plutôt dans le château qu'il a volé à Onyx.

– Quoi ? firent en chœur Myrialuna, Marek et Kira.

– Mais vous le savez déjà, puisque vous vous y êtes rendus pour lui arracher Marek ! s'étonna Anyaguara.

– Moi ? s'exclama l'adolescent, stupéfait.

– Avez-vous tous perdu la mémoire ?

– Rien n'est impossible, en ce moment, avoua Kira. Kimaati possède sans doute le pouvoir de nous enlever nos souvenirs...

– Pouvez-vous encore capter la présence de vos semblables ? s'enquit Fan.

– Oui, mais je n'ai flairé que celle de Myrialuna, de ses filles, de Marek, de Solis et de Mahito.

– Et Cornéliane ? s'effraya Marek.

Anyaguara ferma les yeux un instant.

– Elle est de l'autre côté des volcans, déclara la sorcière de Jade, mais je ne sens aucune autre présence féline à Enlilkisar.

– Et dans les volcans ? insista Kira.

– Seulement Kimaati...

– Vous pensez qu'ils sont... commença Myrialuna.

– S'ils étaient encore en vie, je le sentirais.

– Vous avez donc perdu votre famille, tout comme nous, soupira Fan.

– Je vous remercie de m'avoir donné une piste, fit Anyaguara d'une voix triste. Nous nous reverrons bientôt.

Elle se dématérialisa d'un seul coup.

– Mais je voulais l'accompagner ! s'indigna Marek.

– Je ne t'aurais pas laissé partir de toute façon, l'avertit Kira.

Au lieu de retourner à Espérita, la déesse-panthère décida de faire une dernière halte au Château de Zénor.

Elle se matérialisa sur le rivage et utilisa ses pouvoirs pour localiser le dieu-jaguar à l'intérieur du palais afin de s'assurer qu'il était seul, car sa famille humaine ne connaissait pas sa nature divine. Elle n'eut toutefois pas à s'y rendre. Ayant senti sa présence, Solis la rejoignit sur les galets.

– Je suis soulagé de constater qu'il y a des survivants, lui dit-il aussitôt.

– Abussos a-t-il détruit notre panthéon, mon frère ?

– Si j'en crois les rumeurs, ce n'est pas lui.

– Dis-moi ce que tu sais.

– On dit que les oiseaux et les chats se sont affrontés dans des combats sanglants et meurtriers, poussés par les manigances d'une enchanteresse.

– Une Elfe ? s'étonna Anyaguara. Mais pourquoi aurait-elle fait une chose pareille ?

– Apparemment, elle veut faire disparaître tous les dieux et tous les humains.

– Connais-tu son identité ? Nous devons l'arrêter avant qu'il ne soit trop tard.

– Le Roi Nemeroff l'a cherchée après le meurtre de la doyenne des enchanteresses, mais ne l'a pas trouvée, l'informa Solis. Comme tu dois certainement le savoir, il est en réalité le dieu-dragon Nayati, fils d'Abussos, et si lui n'arrive pas à la localiser, je ne vois pas comment nous le pourrions.

– Mais le dieu fondateur n'a-t-il pas retiré à ses descendants tous leurs pouvoirs ?

– Eh bien, il semble que ce soient ses petits-enfants et ses arrière-petits-enfants qui fassent les frais de cette malédiction. Mes sources m'informent que ceux qui ont été créés dans la foudre ont encore toutes leurs facultés magiques.

– Et les survivants du panthéon félin également, grâce à leur filiation à Kimaati. Je crains qu'il ne se soit pas établi ici dans le but de faire reconnaître sa paternité, Solis. Il a lancé Marek du plus haut balcon de son nouveau château.

– Quoi ! rugit le dieu-jaguar. Il a tenté de le tuer ?

– Je l'ai vu de mes propres yeux.

– Il me le paiera cher !

– Je t'en prie, ne commets pas l'erreur de l'attaquer seul. Donne-moi le temps de réunir tous les morceaux du casse-tête et nous organiserons ensemble notre assaut de façon intelligente.

– Juste toi et moi ?

– Je ferai appel aux Chevaliers d'Émeraude. Sois patient, Solis. Promets-moi que tu attendras... en mémoire de mère.

Le dieu-jaguar s'y engagea en grommelant son mécontentement. Anyaguara lui serra les mains puis fila à Espérita pour raconter à Danalieth, Dylan et Dinath tout ce qu'elle venait d'apprendre.

* * *

Pendant ce temps, à Shola, Lassa entrait dans la chambre d'amis, où Sparwari reprenait des forces. Il avait commencé à se lever et à marcher, et il passait de longues heures debout devant la fenêtre, à regarder vers l'est, incapable de se transformer en oiseau pour aller chercher fortune ailleurs.

Lassa déposa le plateau de bois sur la commode.

– Je t'ai préparé à manger, déclara-t-il.

– Tu n'as pas besoin de faire ça pour moi... murmura tristement le dieu-épervier. Je pourrais très bien comprendre que tu ne veuilles pas me voir.

– Parce que tu as été le premier mari de ma femme ? Tu me connais bien mal, Sage.

Le pauvre homme tourna doucement la tête vers le fils d'Abussos.

– Je sais que tu as eu ton lot de malheurs, poursuivit Lassa, et j'ignore comment tu as réussi à survivre dans toute cette adversité. Moi, je me serais sans doute laissé mourir. En devenant le nouveau compagnon de Kira, je l'ai empêchée elle aussi de sombrer dans un profond chagrin. Je lui ai redonné goût à la vie.

– Et pour cela, je te remercie.

– Pour moi, tu n'es pas un rival, mais un frère d'armes. Je suis certain que, malgré les années, tu te souviens de notre code d'honneur.

– Oui, en partie.

– Aucun Chevalier n'abandonne un compagnon sur le champ de bataille, Sage. Puisque Kira ne se sent pas assez forte pour s'occuper de toi, c'est moi qui te conduirai là où tu voudras aller.

– Mon premier instinct a été de retrouver Sutton, mon père, mais je crois qu'il serait préférable que je retourne à mes racines.

– Espérita ?

– Il y a certaines choses que je dois faire pour guérir mon âme...

– Quand veux-tu partir ?

– Dès que tout le monde sera couché. Je ne veux pas causer de chagrin à Lazuli et je ne crois pas que ce soit une bonne idée qu'il nous accompagne. Il se remettra plus facilement de cette séparation ainsi.

– Je ne suis pas d'accord, mais je ferai ce que tu me demanderas.

– Merci.

Lassa s'approcha et lui tendit les bras. Avec un sourire nostalgique, Sage les serra à la façon des Chevaliers d'Émeraude.

Dès qu'il fut seul, le dieu-épervier mangea et se prépara à retourner dans son monde de glace.

De jeunes Immortels avaient reconstruit Espérita à leur façon : une ville en forme d'étoile dont le cœur était un puits. Sans doute ses nouveaux habitants le laisseraient-ils y finir ses jours en paix.

Il savait encore comment s'occuper des animaux et même des champs, au besoin. Il se ferait discret et veillerait à ce que personne n'apprenne jamais son histoire. «Depuis le temps que la guerre est terminée, les gens doivent certainement avoir oublié le nom de tous les vaillants soldats qui les ont protégés...»

Lorsque Lassa revint, il transportait deux grosses besaces sur ses épaules.

– Qu'est-ce que c'est ? demanda Sage.

– De la nourriture et des vêtements.

Il tendit la main à son frère d'armes et le transporta instantanément au cœur d'Espérita. Dylan et Dinath vinrent aussitôt à leur rencontre.

– Ta maison est prête, annonça la jeune femme avec un large sourire.

– Vous saviez que je viendrais ? s'étonna Sage.

– Tu ne lui as rien dit ? fit Dylan en direction de Lassa.

– Je n'en ai pas eu le temps.

Le trio conduisit l'ancien soldat dans la dernière maison d'un des nombreux rangs qui partaient du puits. C'était aussi la plus rapprochée des grands champs.

– Nous avons pensé que tu n'aimerais pas être en plein centre de la ville, indiqua Dinath.

Elle poussa la porte.

– Alors, sois le bienvenu chez toi, Sage.

Il pénétra dans son logis avec beaucoup d'hésitation. Un bon feu brûlait dans l'âtre. Il aperçut une table, quatre chaises, un buffet où s'alignaient des casseroles et des assiettes.

– La chambre est en haut, l'informa Dylan, juste derrière lui. Nous y avons installé un lit, une commode et un chiffonnier, l'essentiel, quoi. Tu pourras décorer ton nouveau nid à ton goût.

Lassa déposa les besaces sur la table.

– Je vous suis infiniment reconnaissant pour tout cela, fit Sage de sa voix douce de jadis.

– Si tu as besoin de quoi que ce soit, nous habitons la première maison de ta rangée, lui dit Dylan.

Les demi-dieux se retirèrent pour le laisser en tête à tête avec Lassa.

– Si j'en crois Marek, tu ne devrais pas avoir perdu ta faculté de communiquer par télépathie, fit le Chevalier. Tu n'as qu'à nous appeler en cas de besoin.

– J'ai déjà tout ce que je peux désirer.

– Et quand tu auras complètement recouvré la santé, nous permettrons à Lazuli de venir passer quelque temps avec toi.

Des larmes de reconnaissance coulèrent en silence sur les joues de l'Espéritien. Ses lèvres formèrent le mot « merci », mais sa gorge était trop serrée pour que le moindre son s'en échappe.

– Courage, honneur et justice, lui souhaita Lassa avant de le laisser seul.

Puisqu'il avait surtout envie de se reposer, Sage rassembla son courage et grimpa l'échelle de bois qui menait à l'étage. Le feu du rez-de-chaussée réchauffait agréablement la chambre.

À la lueur des rayons argentés de la lune, il aperçut le candélabre sur la commode. C'était le moment ou jamais de savoir s'il avait au moins conservé ses pouvoirs de Chevaliers. Il dirigea la main vers les bougies et les alluma toutes en même temps.

Il s'assit sur le bel édredon rempli de duvet et allait s'allonger lorsqu'il remarqua un mouvement à sa fenêtre. Les yeux d'un oiseau de proie brillèrent à la lueur des flammes.

– Tu ne peux pas être de mon panthéon, car nous avons tous perdu la faculté de nous transformer... se désola Sage.

Le faucon poussa un cri aigu et s'envola en direction du chiffonnier, où il se posa.

– Finalement, je ne serai pas aussi seul que je le pensais.

Épuisé, il se coucha et ferma les yeux.

10

HÉCATOMBE

En quittant l'agora, Abussos était retourné dans le monde des reptiliens, où les corps inanimés de ses arrière-petits-enfants gisaient toujours.

Une fois passé le choc de la macabre découverte, il remarqua plus facilement tous les petits détails qui lui avaient échappé à sa première visite. Il ramassa un éclat de cristal sur le plancher et ferma les yeux pour remonter dans le temps. Il vit alors dans son esprit tous les fragments transparents se rassembler en une seule sphère compacte de la taille d'un pamplemousse. La magie qui animait cette arme était totalement étrangère à son univers. Elle ne pouvait pas avoir été fabriquée par les membres de sa famille et encore moins par les humains, même les plus puissants. « D'où viens-tu réellement ? » se demanda-t-il.

Le dieu-hippocampe se concentra davantage. De curieuses images se mirent à apparaître dans son esprit : une pièce sombre, la surface bouillonnante d'un chaudron, de vieux livres dont les pages tournaient de plus en plus rapidement, des plaques de métal jaunâtres... Vive comme l'éclair, une main noire sortit de nulle part et lui arracha l'objet virtuel.

Abussos ouvrit les yeux. La créature qui avait conçu cette bombe était encore plus malfaisante qu'Akuretari... Elle ne résidait pas dans l'un des mondes façonnés par ses enfants-dragons, mais dans un univers parallèle, comme il l'avait pressenti lorsqu'il avait d'abord découvert la scène du massacre. Achéron était-il responsable de cet attentat ?

Abussos glissa l'éclat de cristal dans sa ceinture. Il leva les bras et désintégra les corps autour de lui. De belles étoiles dorées s'en élevèrent et montèrent vers le ciel. Lorsqu'elles eurent disparu dans l'Éther, le dieu-hippocampe regarda une dernière fois le domaine si raffiné que ses descendants Ghariyals avaient aménagé pour eux-mêmes. Il était temps de poursuivre son enquête ailleurs.

Le dieu fondateur se rendit chez les félins, qui avaient déserté les lieux depuis un moment déjà. Il marcha dans leur forêt, entre les nombreux terriers, à l'affût du moindre effluve magique. Il ne capta cependant que de la colère, des désirs de vengeance et de l'agressivité. Comment Étanna et ses enfants en étaient-ils arrivés là ?

Il pénétra dans le palais de la déesse-jaguar et en étudia toutes les vibrations. Il caressa la fourrure qui avait servi de trône au chef de ce panthéon. « Elle a méticuleusement planifié l'extermination des rapaces », comprit-il. Pour découvrir de quelle façon, il poursuivit sa route jusque chez les oiseaux de proie et se posta au bord du trou béant au milieu du nid d'Aquilée. Une autre bombe avait-elle causé tout ce dommage ?

Le dieu-hippocampe s'accroupit et sonda la paille mêlée à de la boue. L'odeur du sang chatouilla alors ses narines. « Les rapaces ont-ils été attirés par cet appât ? » Abussos se redressa. « Les félins avaient-ils tué des hommes dans ce but ? » Il n'y avait qu'une seule façon de le savoir : il sauta dans le gouffre.

Les pieds d'Abussos touchèrent le sol au milieu d'un immense cromlech élevé dans la partie sud d'Enkidiev, là où vivait un peuple très ancien, coupé du reste du continent. Il se pencha et remua le sol sablonneux du bout des doigts. Tout de suite, il entendit dans son esprit les cris de terreur non seulement des divinités falconiformes, mais également des félidés.

« Mes descendants se sont-ils tout simplement entretués ? » se demanda-t-il.

Il s'approcha d'un menhir et y appuya la paume. Une énergie électrisante l'avait récemment traversé. Il refit ce geste sur plusieurs des rochers et obtint le même résultat. « Se sont-ils retrouvés piégés ici ? »

Le dieu-hippocampe capta un mouvement subtil dans le dense feuillage à l'extérieur du cercle de pierres. À l'aide de sa seule volonté, il captura l'observateur, qui avait pourtant fait bien attention de ne pas être remarqué, et l'attira à l'intérieur du cromlech. Il s'agissait d'un Enkiev dans la vingtaine, sans doute un chasseur qui venait vérifier ses pièges, car il était armé d'une lance. Le pauvre homme était terrorisé de voler ainsi dans les airs, tous ses membres paralysés.

– Je ne te veux aucun mal, tenta de l'apaiser Abussos.

– Ce n'est pas moi ! hurla le chasseur, dans la langue des Anciens. Je ne pourrais jamais tuer pour le plaisir !

– Je n'en ai aucun doute. Mais sais-tu qui l'a fait ?

– Une sorcière !

– Calme-toi et dis-moi ce que tu as vu.

– Êtes-vous Parandar ?

– Non. Je suis Abussos, le père de son père. Si tu promets de ne pas t'enfuir, je vais te libérer.

– Je suis le fidèle serviteur de votre petit-fils. Je fournis de la nourriture aux prêtresses d'Adoradéa qui, sans moi, mourraient de faim. Je n'irai nulle part sans vous avoir satisfait.

Le dieu fondateur posa l'Enkiev sur le sol, où ce dernier se prosterna sur-le-champ.

– Raconte-moi ce que tu sais.

– La sorcière est arrivée un matin et elle a commencé à faire bouillir quelque chose. Même les animaux ont fui la région. Je suis grimpé dans l'arbre là-bas.

Il pointa le grand fromager, plusieurs mètres à l'extérieur du cercle de pierres.

– Je voulais m'assurer qu'elle n'était pas en train de préparer la ruine des prêtresses.

– Mais ce n'était pas à elles que cette femme voulait s'en prendre, n'est-ce pas ?

– Non...

Il régnait dans le cœur de l'Enkiev une grande incompréhension du drame dont il avait été témoin.

– Elle a capturé des animaux que je n'avais jamais vus par ici : des fauves au pelage de différentes couleurs et des oiseaux énormes ! Mais elle n'avait pas l'intention de les manger. Elle les a tous brûlés d'un seul coup avec un éclair. J'ai eu si peur que j'ai couru sans m'arrêter jusqu'à mon village. J'étais certain qu'elle allait me tuer moi aussi.

– As-tu vu le visage de la sorcière ?

– Aussi clairement que je vois le vôtre. Il était couvert de dessins étranges.

– Je vais mettre la main sur ta tête pour regarder dans tes souvenirs.

– Pourquoi ?

– Pour m'aider à retrouver cette meurtrière et la punir comme elle le mérite.

– Saura-t-elle que c'est moi qui l'ai dénoncée ?

– Non.

Abussos n'eut aucune difficulté à découvrir les événements en question dans l'esprit du chasseur.

La sorcière était sans l'ombre d'un doute une Elfe. Pourtant, Lessien Idril décrivait ce peuple comme étant pacifique et respectueux de la vie et de la nature. Pourquoi cette magicienne avait-elle comploté contre les dieux ? Et l'avait-elle fait avec l'accord des autres Elfes ?

– Retourne chez toi. Aucun mal ne te sera fait.

– Je suis honoré d'avoir servi le grand-père du vénérable Parandar.

Le dieu-hippocampe n'eut pas le courage de lui révéler que les dieux qu'il adorait n'existaient plus. Il le laissa partir et médita sur ce qu'il venait d'apprendre. Une enchanteresse, mortelle de surcroît, avait occis la presque totalité de deux panthéons alors que ceux-ci n'avaient jamais réussi à s'exterminer mutuellement. « Où a-t-elle acquis ses pouvoirs ? » se demanda Abussos.

Il plana au-dessus des grandes forêts des Elfes sans se faire voir, se contentant d'écouter les conversations de ces créatures et de capter leurs craintes et leurs espoirs. C'est ainsi qu'il apprit qu'une de leurs magiciennes avait pris la fuite après avoir assassiné la doyenne des enchanteresses. Il ne pouvait s'agir que de la même femme, mais Abussos voulut s'en assurer avant de l'accuser indûment d'avoir causé la perte de ses descendants. Il sonda donc plus profondément les pensées des Elfes et vit enfin le visage de la coupable. En apercevant les tatouages sur son front, ses tempes et ses joues, il comprit qu'il s'agissait bel et bien de la même personne. Elle s'appelait Moérie...

Abussos pensa tout d'abord se lancer aux trousses de l'assassine, mais il décida plutôt d'aller demander directement aux dieux défunts ce qu'ils savaient.

Il remonta dans l'Éther et se rendit aux grandes portes du monde des disparus, toujours gardées par les sentinelles pieuvres. Ces dernières étaient très agitées.

– Vénérable Abussos, comment se fait-il qu'un très grand nombre de dieux aient franchi le portail en même temps ? s'alarma l'une d'elles.

– Un grand malheur s'est abattu sur nous. Ouvrez.

Les énormes mollusques lancèrent leurs tentacules sur les nombreux anneaux et tirèrent sur les portes. Abussos s'enfonça dans ce monde qu'il avait créé à l'intention des divinités qui avaient perdu leur immortalité. Il trouva facilement Clodissia et ses enfants, à l'abri d'un immense chêne. Ils formaient un rond en se tenant les mains.

– Que nous arrive-t-il ? s'exclama Liam, le dieu des tempêtes, en apercevant le dieu fondateur.

– Vous avez été victimes d'un attentat, répondit calmement Abussos. J'en cherche l'auteur pour qu'il soit châtié. L'un de vous a-t-il vu quelque chose ?

– Une balle de cristal est tombée du plafond, se rappela Clodissia. Après, je ne me souviens de rien.

Tous les Ghariyals affirmèrent la même chose. Aucun n'avait aperçu ou senti une présence ennemie. Avant de les quitter, le dieu-hippocampe leur recommanda de se laisser porter par la douceur de leur nouvel univers et de ne plus penser à cette tragédie.

– Où est Parandar ? s'empressa de demander Clodissia.

– Il a échappé à la destruction.

Abussos tourna les talons et continua d'explorer le monde des disparus.

Tout comme de leur vivant, les rapaces et les félins s'étaient installés à bonne distance les uns des autres. Il approcha d'abord les oiseaux de proie. Séléna lui raconta que le plancher de son palais avait cédé sous ses pattes et qu'elle s'était retrouvée dans le monde des humains en même temps que tous les falconiformes qui se trouvaient près d'elle.

– Les félins nous attendaient pour nous exterminer, ajouta-t-elle. C'était un affreux piège dont nous n'avons pas pu nous échapper.

Le dieu-hippocampe se tourna donc vers le dernier panthéon. Étanna vint aussitôt à sa rencontre.

– On nous a trahis ! rugit-elle. L'enchanteresse nous avait promis que nous pourrions enfin nous débarrasser des rapaces, mais elle nous a tous bien eus.

– C'est toi qui lui as demandé de construire un piège magique ?

– Non, c'est Corindon. Il n'aurait pas dû faire confiance à cette créature dénuée de scrupules.

– Où est-il ?

– Nous l'avons chassé de notre panthéon. Qu'il passe l'éternité seul dans son coin à réfléchir à ce qu'il a fait.

– Ces divisions entre les âmes n'existent pas dans le monde des disparus. Elles y sont toutes égales.

– Peu importe, nous ne voulons plus de lui.

Sentant qu'il perdrait son temps à lui faire entendre raison, Abussos partit à la recherche du dieu-caracal qui, selon Étanna, était responsable de toute cette tragédie.

Au lieu de parcourir l'immense domaine à pied, Abussos utilisa ses facultés divines pour localiser Corindon et le trouva sur des rochers surplombant un grand lac. Sous sa forme humaine, il était assis, les genoux repliés contre sa poitrine, et regardait la surface de l'eau. Le dieu-hippocampe scruta son cœur en s'assoyant près de lui : il était meurtri et très malheureux.

– Pouvez-vous effacer ma mémoire ? murmura le félin.

– Rien ne m'est impossible, mais avant, j'aimerais comprendre comment autant de dieux ont pu être anéantis par une simple mortelle.

– Moérie... Elle s'est servie de moi pour tendre un piège à Aquilée, mais elle en a aussi profité pour détruire les miens.

– Pourquoi ?

– Son désir le plus cher est d'exterminer les humains et toutes les divinités qui les protègent. Elle veut que le continent appartienne enfin aux Elfes.

– Comment s'est-elle débarrassée des Ghariyals ?

– Il n'a jamais été question d'eux, mais elle a sans doute utilisé un pauvre imbécile comme moi pour parvenir à ses fins.

– D'où tire-t-elle ses pouvoirs ? Car tu dois savoir que seul un dieu peut éliminer un autre dieu.

– Je ne cesse de me poser cette question. Elle possède des connaissances approfondies des incantations, comme toutes les autres enchanteresses, mais je n'ai jamais réussi à découvrir d'où provenaient les ingrédients qu'elle utilise ni pourquoi ils sont si puissants.

– Moi, je m'en doute.

Corindon tourna la tête vers le dieu fondateur, son regard l'implorant de l'en informer.

– Je crois qu'elle s'est acoquinée avec un dieu venu d'une autre galaxie qui désire lui aussi dominer ce monde.

– Alors, je lui souhaite qu'il la trahisse à son tour pour qu'elle comprenne le mal qu'elle m'a fait.

– À mon avis, c'est ce qui se produira.

– Et n'allez surtout pas me dire que, dans votre grande bonté, vous avez l'intention de la sauver.

– Non, Corindon. Tout comme toi, je pense que Moérie mérite de subir les conséquences de ses actes. Toutefois, je ne peux pas laisser ce dieu détruire tout ce que Parandar a créé.

– Je participerais volontiers à cette chasse aux sorcières, mais il est trop tard pour moi.

En réponse aux prières du caracal, Abussos posa la main sur sa tête et effaça tous ses mauvais souvenirs, ne lui laissant que ceux qui étaient agréables et réconfortants.

– Ne reste pas seul, lui recommanda-t-il avant de retourner à l'entrée du monde des disparus.

Les pieuvres refermèrent les lourdes portes derrière lui. Le dieu-hippocampe retourna dans sa forêt afin de discuter avec sa femme des répercussions que pourrait avoir son intervention directe dans cette affaire. Il possédait certainement la puissance nécessaire pour déloger l'intrus du monde parallèle, mais à quel prix pour les humains ? Il savait déjà ce que Lessien Idril lui conseillerait, mais il voulait l'entendre le lui dire de vive voix.

Il marcha sur son sentier favori en écoutant les petites roches blanches crisser sous ses pas et arriva devant sa tente. La déesse-louve, installée devant le feu perpétuel, ne s'adonnait pas à l'un de ses passe-temps habituels. Le regard perdu dans les flammes, elle était en profonde réflexion.

– As-tu trouvé le coupable ? fit-elle en voyant Abussos s'avancer vers elle.

– Il y en a plusieurs.

Il s'assit en tailleur près d'elle.

– Sur les trois, je suis presque certain que deux proviennent du monde d'Achéron.

– Alors, tu dois aller lui demander s'il désire les châtier lui-même. Ne provoque surtout pas un incident intersidéral.

– J'étais sûr que tu me dirais ça.

– Si tu le veux, je peux t'accompagner jusqu'à la brèche.

– Je préférerais que tu restes ici et que tu surveilles le monde des hommes, juste au cas où il se produirait une autre catastrophe. L'un de nous doit pouvoir intervenir en cas de besoin.

– Tu as raison.

– Je dois me préparer avant de rencontrer Achéron.

– Fais tout ce que tu dois faire.

Abussos embrassa sa compagne et s'enfonça dans la forêt en direction de la rivière.

11

LONGUE VIE

Aucun des petits-enfants et des arrière-petits-enfants n'avait été épargné lorsque Abussos avait prononcé son terrible châtiment, pas même les dieux qui avaient choisi de vivre parmi les humains. La seule exception était les dieux d'ascendance féline. Au Château d'Émeraude, Shvara qui, sous sa forme de busard, s'était installé à l'abri de la pluie dans un repli du toit de l'aile des Chevaliers afin de surveiller la maison de Morrison, fut incapable de s'accrocher à quoi que ce soit lorsqu'il reprit subitement son apparence humaine. Il glissa sur les tuiles en métal et s'écrasa à deux pas de l'étang sous le regard surpris d'Armène, qui était en train de secouer un petit tapis devant la porte de sa tour.

La gouvernante laissa aussitôt tomber son tapis et se porta au secours du pauvre homme, malgré la pluie. Elle ne reconnut pas tout de suite Shvara tellement il était couvert de boue.

– Êtes-vous blessé ? demanda-t-elle en se penchant sur lui.

– Je ressens une kyrielle de sensations fort douloureuses.

– Pouvez-vous vous redresser ?

Shvara se mit d'abord à quatre pattes en poussant des plaintes à chaque mouvement. En grimaçant, il parvint à se mettre debout, mais sa jambe droite fut incapable de supporter son poids.

– Je vais vous conduire chez moi et faire chercher la princesse. C'est la seule guérisseuse qui nous reste.

– Vous êtes bien aimable, Armène, la remercia le busard en serrant les dents.

– Vous savez qui je suis ?

– Bien sûr. Vous avez élevé tous les enfants du château. Ne me reconnaissez-vous pas ?

– Non, mais peut-être qu'après avoir lancé sur vous quelques seaux d'eau y arriverai-je ?

– C'est moi, Shvara.

– Que faisiez-vous sur le toit ?

– Je dormais lorsque je me suis subitement métamorphosé.

Armène eut beaucoup de difficulté à lui faire grimper l'escalier qui menait au premier étage de sa tour. Elle le fit asseoir sur un tabouret et le débarbouilla de son mieux.

– Promettez-moi de ne pas faire de sottises en mon absence, dit-elle au pauvre rapace.

– Je ne suis pas en état de faire des prouesses.

Armène s'enveloppa dans sa cape et se rendit au château en évitant tant bien que mal les flaques d'eau dans la grande cour.

Elle grimpa à l'étage royal et demanda aux serviteurs de prévenir leur maîtresse qu'elle voulait la voir.

Kaliska était assise dans son salon privé et contemplait sa robe de mariée, épinglée sur un mannequin de bois. Elle était éblouissante avec toutes ces pierres précieuses cousues sur le bustier et sur la longue jupe de tulle doré. Malgré tout, la jeune femme n'arrivait pas à s'enthousiasmer à l'approche de son mariage. Lorsque le serviteur vint lui annoncer que son ancienne gouvernante voulait la voir, Kaliska n'hésita pas une seconde. Elle bondit de la bergère et le suivit jusqu'à l'entrée des appartements de Nemeroff.

– Mène ? s'inquiéta la future reine.

– J'ai besoin de vos dons de guérison.

– Êtes-vous souffrante ?

– Ce n'est pas moi, mais Shvara.

– Shvara ? Est-il revenu avec Fabian ? espéra Kaliska.

– Non, il est seul et il a fait une très mauvaise chute.

La guérisseuse n'écouta que son cœur. Elle prit la cape que lui tendait le serviteur et suivit Armène chez elle. Les deux femmes marchèrent côte à côte sous la pluie.

– Le roi est-il de retour ? demanda la gouvernante.

– Pas encore, mais le connaissant, je sais qu'il cherchera sa mère dans tous les recoins du continent. Je n'ai cessé de prier les dieux qu'il la retrouve saine et sauve.

Elles s'engouffrèrent dans la tour et grimpèrent prestement l'escalier. Le dieu-busard était toujours assis sur son tabouret.

– Je suis bien contente que vous n'ayez pas bougé, le félicita Armène.

– C’est que j’en suis incapable, madame.

Que son patient soit nu comme un ver sous la couverture dont la gouvernante l’avait recouvert n’indisposa aucunement Kaliska, qui se mit aussitôt au travail. Elle passa ses mains lumineuses au-dessus de tous les membres du dieu-busard.

– Je vais commencer par ressouder les os cassés, annonça-t-elle.

– Est-ce que ce sera souffrant, Votre Majesté ?

– Ne m’appelle pas comme ça, Shvara, ou ça le deviendra.

– Mais vous êtes sur le point de gouverner ce royaume.

– Je suis la même femme qui soignait les Elfes.

Kaliska répara ses côtes et son fémur droit, puis arrêta les petites hémorragies internes.

– Malheureusement, je ne peux pas faire disparaître les courbatures tant qu’elles ne se seront pas manifestées.

– Je ne vous importunerai pas pour si peu, affirma le busard.

– Es-tu revenu à Émeraude avec Fabian ?

– Je me suis arrêté au château tandis qu’il poursuivait sa route vers Enlilkisar avec Cornéliane. Ils sont à la recherche de leur père.

– C’est une bonne chose...

Mais le visage de la guérisseuse exprimait plutôt de la déception.

– Où loges-tu ? demanda-t-elle.

– Il peut bien rester ici, offrit Armène. Je n'ai plus de petits protégés.

– Merci de m'offrir le gîte.

– Si la douleur devient insupportable demain, tu sais où me trouver, fit Kaliska en se couvrant. Que les dieux vous protègent.

La jeune femme retourna au palais. Elle venait à peine de franchir la porte de ses quartiers lorsqu'elle ressentit la présence de son futur époux. Elle se débarrassa vivement de sa cape et se mit à sa recherche. Elle le trouva dans sa chambre, assis près du feu. Ses cheveux mouillés lui collaient sur le crâne. Kaliska s'approcha et vit qu'il pleurait. Avec douceur, elle s'agenouilla et prit ses mains.

– Nemeroff, je suis si désolée...

– J'ai regardé partout, hoqueta-t-il. J'ai survolé tout Enkidiev, des hauts plateaux nordiques jusqu'aux sables chauds du désert. Elle n'est nulle part.

– Si, comme tu le crois, c'est un dieu qui l'a prise, alors elle est certainement sur les grandes plaines de lumière...

– Où je ne peux pas me rendre sans mettre ma propre existence en danger.

Kaliska se leva et commença à lui enlever ses vêtements trempés.

– Pourquoi le sort s'acharne-t-il ainsi sur moi ? gémit-il. Parce que je porte dans le cœur un germe de destruction qui ne se développera sans doute jamais ?

– Je t'en prie, Nemeroff, calme-toi.

– Je suis mort à neuf ans, sans avoir jamais rien vécu. Alors que je reviens à la vie, mon père n'est plus là pour m'accueillir, puis ma mère m'est enlevée. J'en ai assez, Kaliska. Peut-être que je devrais défier Abussos et l'affronter une fois pour toutes.

– Lorsqu'on a de la peine, on dit toutes sortes de bêtises.

Elle jeta sa chemise par terre et se blottit contre lui pour le réchauffer.

– La vie est ainsi faite. Un jour, nous perdons ceux que nous aimons. Pour certains, cela arrive très tôt dans la vie. D'autres ont le temps d'en profiter davantage. C'est le destin qui en décide, pas nous.

– Alors, je veux changer le mien. J'ai le droit d'être heureux comme tout le monde.

Ils demeurèrent enlacés un long moment. Les vagues d'apaisement que la guérisseuse transmettait goutte à goutte à son futur mari finirent par adoucir son chagrin.

– Me seconderas-tu lorsque je devrai annoncer au peuple que la reine mère n'est plus ?

– Tu sais bien que oui, affirma Kaliska, mais tu n'es pas obligé de le faire ce soir. Commence d'abord par vivre ton propre deuil.

– J'aimerais tellement posséder ta sagesse...

– Tu l'acquerras avec le temps. Si les dragons n'ont pas peur de l'eau, alors ce serait une bonne idée que tu te prélasses un peu dans un bain chaud. Je ferai monter notre repas et nous mangerons en tête à tête dans le petit salon.

– Tu n'as que de bonnes idées. Je ne pourrai plus jamais me passer de toi.

Nemeroff chercha les lèvres de sa belle et l'embrassa jusqu'à ce qu'elle quitte ses genoux et qu'elle lui pointe le couloir qui menait à sa salle de bain privée. Docile, le dieu-dragon lui obéit. Pendant qu'il se détendait dans le bassin, Kaliska retourna à sa chambre pour enfiler une robe aussi mauve que ses yeux. C'est alors qu'elle ressentit une curieuse crampe dans son ventre. Croyant que c'était la faim, elle choisit de l'ignorer, jusqu'à ce qu'elle aperçoive un petit point incandescent juste au-dessous de son nombril. Elle plaça la main sur cette lumière et capta la présence d'une vie !

« Mais comment est-ce possible ? » s'effraya-t-elle. Elle n'avait jamais partagé le lit de Nemeroff ! Elle s'habilla et se mit en boule sur le petit sofa qu'elle avait fait placer devant l'âtre, et elle essaya de comprendre ce qui avait bien pu se passer. « Fabian ! » se rappela-t-elle. Il s'était imposé à elle avant de partir à l'aventure. « Si Nemeroff apprend que je porte l'enfant de son frère, comment réagira-t-il ? »

Kaliska s'efforça de ne pas paniquer. Elle n'avait certes pas l'intention de fuir Émeraude pour sauver son bébé. De toute façon, Nemeroff l'aurait retrouvée peu importe où elle se serait réfugiée. La solution la plus sûre, c'était de faire croire à son fiancé que c'était son héritier qui grandissait en elle. Le dieu-dragon, malgré l'indéniable attirance qu'il éprouvait pour la belle guérisseuse, l'avait toujours traitée avec le plus grand respect. Jamais il ne lui avait demandé de coucher avec lui. Kaliska se doutait qu'il attendrait jusqu'au mariage avant de s'unir à elle... mais il risquait ainsi de s'apercevoir qu'elle était enceinte. « Ai-je suffisamment d'influence sur lui pour l'attirer dans mon lit ce soir ? » se demanda-t-elle. « Mais que pensera-t-il de moi si j'insiste ? »

Rassemblant son courage, elle commanda le repas à ses serviteurs, puis élabora un plan. Lorsque Nemeroff la rejoignit dans le petit salon, il ne portait qu'une tunique noire et il avait attaché ses cheveux sur sa nuque. « Dommage qu'il ne boive pas de vin », songea Kaliska. Les futurs époux mangèrent en se regardant dans les yeux, puis la guérisseuse passa à l'attaque. Quittant son fauteuil, elle grimpa sur les genoux de Nemeroff et, de baisers en caresses, elle parvint à éveiller le désir en lui.

Le dieu-dragon souleva sa promise dans ses bras et la transporta jusqu'à son lit en oubliant tout ce que sa mère lui avait appris sur la courtoisie. À la grande surprise de Kaliska, le comportement amoureux de Nemeroff ne ressemblait en rien à celui de Fabian. Sa tendresse et sa passion emportèrent la déesse-licorne au septième ciel. Le lendemain matin, lorsqu'elle se réveilla dans les bras de Nemeroff, elle sut qu'elle s'habituerait à sa vie de femme mariée. Le couple fit l'amour une autre fois, puis quitta la chaleur du lit royal.

– Je me sens désormais la force d'annoncer la nouvelle au peuple, déclara alors le jeune roi. Toutefois, je vais devoir m'adresser à mes conseillers, car je ne sais pas comment m'y prendre. Acceptes-tu de te tenir à mes côtés pendant cette importante rencontre ?

– J'irai jusqu'au bout du monde avec toi.

Nemeroff lui fit un baisemain chargé de promesse.

– En te contemplant, ce matin, je me félicite de n'avoir jamais abandonné lorsque je te faisais la cour chez les Elfes, avoua-t-il.

– Je ne savais pas ce qu'était l'amour avant de te rencontrer.

Kaliska l'embrassa sur les lèvres avec tendresse.

– Viens, la pressa Nemeroff.

Ils descendirent dans le hall et convoquèrent le groupe d'hommes qui avaient si bien secondé la Reine Swan lorsqu'elle avait dû régner seule pendant la maladie d'Onyx. Ceux-ci arrivèrent à la queue leu leu et s'installèrent à la table, du côté opposé à leur futur monarque.

– Comment pouvons-nous vous servir, Altesse ?

– Je dois annoncer aux Émériens la mort de leur reine.

– Elle est morte ? s'étonna l'un des conseillers, parlant pour tous les autres.

– Qu'est-il arrivé, sire ?

– Ma mère s'est tout simplement envolée. Je vous en prie, dites-moi comment procéder.

– Traditionnellement, des hérauts se rendent dans tous les royaumes et remettent à leurs dirigeants un message qu'ils doivent répéter à leurs sujets, Votre Majesté. Mais durant la saison des pluies, il est dangereux d'envoyer des messagers à cheval dans la boue et sous les averses torrentielles. Il est préférable d'attendre le retour de la saison chaude.

– Ai-je le droit d'utiliser la magie pour faire parvenir mon message aux autres souverains ?

– Le roi a tous les droits, bien sûr.

– Alors, je vais me servir de la télépathie. Aux dires de ma défunte mère, les Chevaliers d'Émeraude sont dispersés dans toutes les régions d'Enkidiev. Ils m'entendront et transmettront la nouvelle à mes pairs, qui, à leur tour, en informeront officiellement la population.

– C'est une excellente idée.

– Aussi, puis-je organiser des funérailles dans mon palais même si les autres souverains ne pourront pas y assister en raison du mauvais temps ?

– Oui, s'il s'agit d'une cérémonie privée. Ce serait d'ailleurs une belle initiative de votre part.

– Je vous remercie pour vos recommandations. Vous pouvez disposer.

Une fois que les conseillers eurent quitté le hall, Nemeroff se mit à faire les cent pas devant Kaliska en se concentrant.

Je m'adresse à tous ceux qui possèdent la faculté de communiquer par la pensée, dit-il finalement. *Je suis le Roi Nemeroff d'Émeraude et c'est avec une très grande tristesse que je vous annonce le décès de ma mère, née Swan d'Opale, épouse du Roi Onyx. Une courte cérémonie à sa mémoire aura lieu à mon château dans trois jours.*

Nemeroff s'immobilisa et se mit à trembler. *Faites-le savoir à tous ceux qui l'ont connue...*

Il se cacha le visage dans les mains et éclata en sanglots. Kaliska s'élança et l'étreignit avec tendresse.

– Je ne suis pas aussi fort que je le croyais, en fin de compte...

– Dans les circonstances, c'est tout naturel, mon amour.

– Je ne veux pas que mes sujets perdent espoir alors que les jours sont sombres et que la pluie flagelle le royaume. Leur roi est parti et maintenant, ils viennent de perdre leur reine.

– Mais ils ont aussi un nouveau souverain qui ne désire que leur bien, lui rappela Kaliska. Mieux encore, il va bientôt prendre épouse.

– Marions-nous avant le retour du soleil.

– Mais nos familles...

– Leur magie leur permettra de se rendre jusqu'ici. Nos parents ne se laisseront pas arrêter par l'état des routes.

Les réactions des Chevaliers d'Émeraude à l'annonce du décès de Swan ne se firent pas attendre. En plus d'offrir leurs condoléances à Nemeroff, les soldats de l'Ordre y ajoutèrent pour la plupart des vagues de réconfort qui allégèrent sa douleur.

* * *

En apprenant la nouvelle, Atlance, qui, après le départ de Cornéliane, Fabian et Shvara, avait décidé de passer quelques jours chez ses beaux-parents avec sa femme et son jeune fils, déposa son couteau sur la table en pâlissant.

– Ma mère ? s'étrangla-t-il.

– Que se passe-t-il ? s'alarma Sanya, qui ne possédait pas la faculté d'entendre les messages télépathiques.

– Swan est décédée, l'informa Jasson, les yeux chargés de larmes.

– Comment ?

– Le message ne le dit pas.

– Sans doute en couches, supposa Katil.

Atlance chancela sur sa chaise et Jasson se précipita juste à temps pour l'empêcher de s'écrouler sur le plancher.

Avec l'aide de ses deux garçons, il coucha son gendre sur son lit, puis lui tapota les joues jusqu'à ce qu'il ouvre finalement les yeux.

– Tu dois être fort, jeune homme.

– Je suis certain que Nemeroff l'a tuée... murmura Atlance en revenant à lui.

– Vous devez arrêter d'accuser cet homme de tous vos malheurs ! se fâcha Jasson.

– Tu dis ça parce que tu ne le connais pas, répliqua durement Katil. Il a été si odieux avec ses frères qu'ils ont tous déserté le palais. Même Maximilien ne s'y rend plus que pour dormir.

– J'aimerais assister aux funérailles de ma mère, indiqua Atlance, mais si c'était un piège destiné à tous nous rassembler au château ?

– Je suis certain que ce n'en est pas un, riposta Jasson, et, pour te le prouver, je t'y accompagnerai, car Swan n'était pas seulement ma reine, elle était aussi ma sœur d'armes.

– C'est une excellente idée, l'appuya Sanya, mais Katil et Lucca resteront ici avec moi. Il n'est pas question que cet homme qui a déjà volé une fois le corps du petit soit remis en sa présence.

– Tu as raison, ma chérie. Préparons-nous à cette importante rencontre tandis que nous terminons le repas.

– Jasson, si tu comptes me demander de me réconcilier avec mon frère, tu perds ton temps.

– Chaque chose en son temps, jeune rebelle.

⁂

Puisque Maximilien ne possédait aucune faculté magique, il apprit la terrible nouvelle du Chevalier Bailey, avec qui il avait passé la journée sur les plaines d'Émeraude à capturer des chevaux sauvages. Effrayés par un étrange tourbillon de nuages noirs qui était disparu aussi abruptement qu'il était apparu, les animaux s'étaient rapprochés des fermes et les dresseurs en avaient profité pour s'en emparer. Dès que les bêtes furent enfermées dans l'enclos, le prince fila au château et grimpa à ses appartements. Il trouva Aydine en pleurs et l'attira contre lui.

– Ta mère s'est évaporée en donnant naissance... finit-elle par lui révéler en s'essuyant les yeux. Ton frère l'a cherchée partout, mais elle n'est nulle part...

– Ça ne veut pas nécessairement dire qu'elle est morte, ma colombe.

Ils entendirent alors un grand tumulte dans le couloir et s'empressèrent d'ouvrir la porte de leurs quartiers pour voir ce qui se passait. Une vingtaine de serviteurs frappaient à la porte du roi. Ce fut Nemeroff lui-même qui leur ouvrit.

– Sire ! Anoki et Jaspe ne sont plus au château ! s'exclama une femme.

– Nous avons fouillé tout le palais, affirma un homme.

Maximilien se tourna vers Aydine.

– S'ils ont été enlevés, alors il y a de fortes chances qu'ils soient tous encore en vie, chuchota-t-il pour la rassurer. Nemeroff les trouvera. Il possède de la magie et moi, non.

Il poussa sa femme dans leurs appartements. Ils arrivèrent alors nez à nez avec Fabian et Cornéliane.

– Que faites-vous ici ? s'étonna Maximilien.

– Papa a accepté de nous expédier à Émeraude pour assister aux funérailles de maman qui n'auront pas lieu, expliqua Cornéliane. Nous sommes venus vous expliquer ce qui s'est réellement passé.

– Alors Nemeroff devrait assister à cette explication, suggéra Aydine.

La princesse se renfrogna.

– Et Atlance également, ajouta la Madidjin.

– Il doit être dans tous ses états, se douta Fabian.

Cornéliane communiqua avec lui par télépathie et lui demanda de se joindre à eux le plus rapidement possible. La réponse ne les surprit pas : *Je ne suis plus capable de former mon vortex,* paniqua Atlance. *Évidemment, puisque tous les descendants d'Abussos ont perdu leurs pouvoirs,* commenta Fabian. *Je ne peux même pas me transformer en milan pour aller te chercher.* Cornéliane dut avouer que même si elle possédait encore toutes ses facultés, elle n'avait malheureusement jamais appris à se déplacer magiquement. *Ne vous inquiétez pas, je vous l'emmène à cheval,* intervint alors Jasson. *Nous serons au palais dans une heure.*

Aydine s'empressa de faire asseoir son beau-frère et sa belle-sœur au salon et leur servit le thé. Maximilien mourait d'envie d'entendre ce qu'ils avaient à dire, mais il s'efforça d'attendre l'arrivée de son aîné.

Comme l'avait annoncé Jasson, ce dernier et Atlance frappèrent à la porte une heure plus tard. Aydine leur offrit de grandes serviettes pour s'essuyer et les invita à se joindre aux autres près du feu.

– Vous êtes venus pour les funérailles ? s'enquit Atlance.

– Il n'y en aura pas, les informa Fabian, pour la très bonne raison que maman n'est pas morte.

– Les dieux soient loués...

– Où est-elle ? s'enquit Aydine, soulagée.

– Avec notre père, répondit Cornéliane, ainsi qu'Anoki et Jaspe.

– Quoi ? firent Atlance et Maximilien, d'une seule voix.

– Laissez-nous parler, exigea Fabian. Nous ne comprenons pas comment c'est possible, mais le corps de mère s'est fondu dans celui de Napashni, la nouvelle compagne de père. Elles sont désormais une seule et même personne.

– Comme lorsque père a pris possession du corps du Chevalier Sage ? demanda Atlance.

– Pas tout à fait, car la fusion des deux femmes s'est apparemment effectuée dans la plus grande sérénité. C'est comme si une partie de Napashni était revenue vers elle, comme le dit Wellan.

– Alors, mère n'existe plus ? s'efforça de comprendre Maximilien.

– Elle vit désormais dans le cœur de Napashni, affirma Cornéliane. C'est déroutant, car elle passe sans cesse d'une personnalité à l'autre, mais nous nous y habituerons, même papa.

– Quand ils auront terminé leur mission à Enlilkisar, nous organiserons des retrouvailles, promit Fabian pour leur redonner courage.

– Nous avons aussi une autre bonne nouvelle à vous annoncer, poursuivit la princesse. Vous avez maintenant une petite sœur et un petit frère : Obsidia, la fille de Napashni, et Kaolin, le fils de mère.

– Donc, pas de funérailles ? voulut s'assurer Atlance.

– Non, puisque personne n'est mort, réitéra Fabian. Nous irons tout raconter à Nemeroff pour qu'il empêche les Chevaliers de converger vers Émeraude dans trois jours, puis nous retournerons auprès de père.

– Si vous n'y voyez pas d'inconvénient, je préférerais partir tout de suite, les implora Atlance.

– Allons-y, décida Jasson en se levant.

– Et toi, Maximilien ? demanda Fabian.

– Je ne restais à Émeraude que pour notre mère, alors je vais réaliser mon rêve d'avoir mon propre élevage au Royaume de Perle. Surtout, ne m'oubliez pas lorsque vous organiserez ces retrouvailles.

– Nous irons te chercher, car nous voulons faire la connaissance de notre future nièce.

– C'est une fille ? se réjouit Aydine. Maximilien, c'est une fille !

– Nous resterons en communication, promit Fabian.

Les frères s'étreignirent, puis se séparèrent. Cornéliane et le dieu-milan s'arrêtèrent à la porte des appartements royaux.

– Es-tu bien certain de vouloir lui parler ? chuchota la princesse.

– Quelqu'un doit le mettre au courant.

– Il pourrait se fâcher et tenter de dévorer Napashni.

– Crois-tu vraiment que père le laisserait faire ?

Les serviteurs les firent entrer dans l'antichambre et allèrent prévenir leur maître. Nemeroff ne cacha pas son étonnement de revoir le frère et la sœur qu'il avait si sauvagement attaqués dans le cromlech derrière son château.

– Vous êtes ici pour rendre hommage à mère ? se risqua-t-il.

– Non, répondit bravement Cornéliane.

– Nous désirons plutôt t'informer qu'elle est vivante, commença Fabian, sur ses gardes.

– Vous êtes donc ses ravisseurs ?

Les pupilles dans les yeux bleus de Nemeroff prirent une forme verticale.

– Pas du tout !

De petites écailles bleues couvrirent la moitié du visage de Nemeroff. *Papa ?* l'appela Cornéliane. *Maintenant !* Elle disparut en même temps que Fabian, avant que leur frère ait totalement adopté sa forme de dragon.

12

LA FOUDRE PERDUE

Pendant que Fabian et Cornéliane se trouvaient à Émeraude et que Wellan était à la rivière avec Anoki et Jaspe, Onyx était resté assis près des deux berceaux, dans la longue maison des Anasazis. Attendri, il contemplait le visage de ses nouveaux héritiers. Kaolin dormait à poings fermés, mais la petite Obsidia le fixait de ses grands yeux noirs. Elle ressemblait beaucoup à Ayarcoutec et on pouvait déjà deviner, à son air déterminé, qu'elle serait aussi intraitable qu'elle. *Tu veux me dire à quoi tu penses, petite déesse ?* demanda Onyx en utilisant la télépathie. *Tu es évidemment trop petite pour me répondre... mais ça viendra.*

Couchée à deux pas de lui, Napashni s'éveilla et commença par observer la scène en silence. Onyx lui avait souvent parlé de l'amour qu'il avait éprouvé pour chacun de ses enfants. Elle pouvait déjà sentir le lien qui s'établissait entre sa fille et lui.

– J'avais oublié à quel point il était contraignant d'allaiter, murmura-t-elle en s'assoyant.

– Tu l'as pourtant fait très souvent, répliqua Onyx.

Son commentaire s'adressait aussi bien à la prêtresse mixilzin qu'à la Reine d'Émeraude.

– Kaolin n'est pas le fils que tu as placé dans mon ventre par magie, n'est-ce pas ?

– Qui me parle ? Napashni ou Swan ?

– J'imagine que ce ne doit pas être facile pour toi de nous voir réunies en une seule entité.

– Surtout que vous n'entreteniez pas nécessairement les mêmes sentiments envers moi. Qui l'emportera sur les deux ?

– Pourquoi l'une de nous doit-elle sortir victorieuse de cette intégration ?

– Parce que c'est la loi de la nature. Le plus fort l'emporte toujours.

– C'était sans doute vrai quand tu as volé le corps de Sage, puis celui de Farrell, mais si c'était différent dans mon cas ?

– Pour l'avoir vécu personnellement, je sais que ce n'est pas possible.

– Alors, sache que je ne ressens nullement le besoin de repousser Napashni au fond de ma conscience. Je me réjouis plutôt de partager ses souvenirs, les bons comme les mauvais. Et, bien sûr, je suis bien placée pour comprendre l'attirance qu'elle éprouve pour toi.

– Je ne sais plus qui tu es.

– Je suis celle qui a partagé une partie de ta vie, qui a mis tes enfants au monde, qui a pris soin de toi lorsque tu étais invalide et qui n'a cessé de décourager tes idées de grandeur.

– Moi, j'ai besoin de celle qui les a comprises et qui a accepté de me suivre dans ma conquête d'Enlilkisar.

– Mais elle est là, en moi.

– Curieusement, je ne l'entends pas.

– Es-tu en train de me dire que tu ne veux plus de moi, Onyx ?

– Tu m'as chassé de mon propre château, rappelle-toi.

– Te souviens-tu au moins pourquoi j'ai dû agir ainsi ?

Onyx redonna son attention à Obsidia, qui semblait lui adresser un regard désapprobateur.

– Ton intransigeance a fait fuir tous nos enfants, mais tu ne voulais pas l'admettre. Je ne désirais pas seulement une vie de couple, mais une véritable vie de famille. Au lieu de tenter un rapprochement avec tes fils, tu as choisi de partager le lit d'une autre femme et tu lui as fait un enfant. Tu es pourtant assez intelligent pour comprendre qu'il est absurde de continuellement recommencer à zéro en espérant que la situation finira par te plaire.

– Le sujet est clos. Je ne veux plus en parler.

– Même avec Napashni ?

– Elle ne discute jamais avec moi.

– Est-ce bien de la soumission que tu désires chez ta femme ?

Onyx fit un mouvement pour se lever, mais la soudaine apparition de la déesse-louve devant lui arrêta son geste.

– Il était temps que j'arrive, on dirait, fit Lessien Idril sans cacher son découragement.

– Tout ça, c'est votre faute ?

– Il s'agit d'une erreur de parcours que j'aimerais vous expliquer à tous les deux, si vous voulez bien m'écouter.

– Je vous en prie, parlez, vénérable mère, accepta la prêtresse.

– Dois-je conclure que tu es Napashni quand ça t'arrange ? lui reprocha Onyx.

– Elle est Napashni, affirma Lessien Idril.

– Mais elle vient de s'entretenir avec moi sur le même ton que ma femme.

– Parce que Swan est une partie de la personnalité de ma fille.

– Donne-lui le temps d'éclaircir cette affaire, Onyx, l'implora Napashni.

La seule réponse du renégat fut un mélange de grognements et de soupirs. La déesse-louve considéra qu'il acquiesçait et prit place près du feu avec les nouveaux parents.

– Vous savez déjà que pour concevoir nos enfants, Abussos et moi avons besoin de la foudre. C'est en elle que nous plaçons leur âme.

– Moi, oui, mais Swan l'ignore parce qu'elle ne voulait plus rien entendre de ce que je disais, répliqua Onyx.

– Ce que Napashni sait, je le sais aussi, rétorqua la jeune femme.

– Tiens donc, on dirait Swan.

– Nashoba, chasse la peur de ton cœur et écoute-moi, exigea Lessien Idril.

Onyx serra les dents pour ne pas faire un autre commentaire, car s'il y avait un homme dans le monde des humains qui ne craignait rien, c'était bien lui.

– Abussos et moi avions prévu que tous nos enfants, sauf les jumeaux dragons, naîtraient à Enkidiev, mais les décharges électriques sont malheureusement imprévisibles, poursuivit la déesse-louve. Lazuli est né des milliers d'années avant Nayati, sa contrepartie obscure. Nashoba, tu es toi-même né plusieurs centaines d'années avant le pacifique Nahélé. Quant à elle, Napashni est née quelques dizaines d'années avant Naalnish, sa contrepartie lumineuse. Comme vous voyez, la foudre est bien capricieuse. Mais dans le cas de Napashni, il s'est produit un phénomène inattendu.

La déesse-louve fit apparaître entre elle et ses enfants une version miniature de la carte d'Enkidiev et d'Enlilkisar séparés par la chaîne de volcans.

– Elle devait naître au nord d'Enkidiev, mais l'éclair a frappé une femme enceinte selon un angle qui l'a rejeté en orbite autour de la planète, jusqu'à ce qu'il pique sur l'un des villages des Mixilzins. L'âme de notre fille a donc laissé une partie d'elle-même au Royaume d'Opale.

Onyx absorba rapidement cette information

– Napashni aurait dû être Swan et non Napalhuaca... comprit-il.

– C'est exact. Son énergie s'est divisée en deux. Pour cette raison, ni l'une ni l'autre ne s'est jamais sentie complète.

– Est-ce que cela explique également pourquoi je n'arrive pas à maîtriser ma magie ? demanda la nouvelle maman.

– Oui, ma chérie.

– Mais pourquoi cette fusion ne s'est-elle pas opérée avant maintenant ?

– À mon avis, c'était la première fois que vous étiez enceintes en même temps. Cela a créé un lien invisible entre vous et la plus forte des deux a attiré l'autre.

– Je ne suis pas prêt à admettre que Swan était faible, laissa tomber Onyx.

Napashni réprima un sourire amusé.

– Elles ont en effet toutes les deux beaucoup de caractère, concéda Lessien Idril. Avez-vous d'autres questions au sujet de cette singularité ?

– Napashni n'était donc pas enceinte de Kaolin, mais uniquement d'Obsidia, ou suis-je désormais incapable de déceler la vie ? demanda Onyx.

– L'enfant a suivi Swan dans son corps éthéré, mais il avait besoin d'une mère en chair et en os pour voir le jour. Et avant que tu me le demandes, il n'est pas Nemeroff, comme tu l'avais souhaité en jetant un sort à ta femme.

– On m'a depuis appris qu'il était un adulte, ce que je ne m'explique pas.

– Ton enchantement était parfait, Nashoba, et c'est ta puissance divine qui te l'a fait réussir. Aucun humain ne peut en arracher un autre à la mort. Toutefois, ce n'est pas seulement l'âme de Nayati que tu as fait sortir du monde des disparus, mais également celle de sa contrepartie, Lazuli. Comme je vous l'ai expliqué tout à l'heure, la foudre est changeante.

– Donc, l'âme de Nemeroff s'est implantée dans une autre femme ?

– C'est exact, mais dès sa naissance, Nayati s'est débarrassé de son enveloppe de bébé qui ne lui permettait pas de faire ce dont il avait envie et il en a adopté une autre.

– Il a volé un corps d'adulte, c'est ça ?

– Malheureusement, déplora la déesse-louve. Le premier réflexe de Nayati a été de tuer un de tes descendants pour survivre. C'est ce qui a poussé Abussos à le traquer afin de le ramener dans l'univers dont tu l'as tiré, pour le bien de tous.

– Si l'âme de Nayati a déjà habité le corps de mon fils Nemeroff tandis qu'il vivait sous mon toit, alors je peux affirmer, sans l'ombre d'une hésitation, qu'il n'est pas dangereux.

– Il dit vrai, l'appuya Napashni. Cet enfant était irascible, mais facile à apaiser. Jamais il n'a fait de mal à une mouche.

– A-t-il tué d'autres personnes depuis qu'il est revenu à la vie ? s'enquit Onyx.

– Oui, un des chasseurs que ton père avait envoyés pour le capturer. Nous ignorons s'il y a eu des victimes subséquentes, puisqu'il s'est entouré d'une protection que même Abussos n'arrive pas à percer. Cependant, il m'a avoué qu'il y avait en lui une terrible fureur qui se déchaîne quand il se met en colère.

– Ce qui est tout à fait naturel, fit remarquer Onyx.

– Sauf que ce n'est pas tout le monde qui se métamorphose en dragon cracheur de feu.

– Je vous en conjure, ne le reprenez pas avant que j'aie pu au moins le serrer de nouveau dans mes bras. Vous n'avez aucune idée du trou béant que sa mort a laissé dans mon cœur.

– Je ferai ce que je peux, mon enfant, mais ton père est encore plus opiniâtre que toi.

– Comme si c'était possible... laissa échapper Napashni.

Onyx lui décocha un regard irrité, mais ne dit rien.

– C'est donc Lazuli que j'ai mis au monde, conclut-elle.

– Mon adorable dieu-phénix. Il vous apportera beaucoup de joie.

– Et la petite ? s'empressa de demander Onyx.

– Elle est la foudre que nous avons perdue lorsque les dragons jumeaux sont nés.

– Obscure ou lumineuse ?

– Étant donné que les énergies d'Aufaniae et d'Aiapaec se neutralisent, ce sera à elle de le décider.

– Dois-je conclure que si elle est animée du même souffle que Nemeroff, Abussos cherchera à nous l'enlever aussi ?

– Je puis prédire dès maintenant qu'elle risque surtout d'être aussi charmante que son frère. Il est temps pour moi de retourner dans mon monde. J'espère que ces quelques éclaircissements vous permettront de faire la paix entre vous et de ne semer que de l'harmonie sur votre route.

Lessien Idril fit apparaître de petites étoiles argentées sur la paume de ses mains et les souffla sur ses enfants, puis disparut.

– Moi aussi, j'ai hâte de revoir Nemeroff, avoua Napashni en se levant.

– Où vas-tu ?

– Il y a un moment que j'éprouve le besoin de vider ma vessie. Je ne serai pas longue.

La jeune femme sortit de la maison et se dirigea vers les bosquets le long de la rivière. Une fois soulagée, elle prit le temps de respirer l'air frais et entendit des rires familiers. Elle suivit le sentier et aperçut Jaspe et Anoki qui se baignaient en eau peu profonde avec Wellan.

Les garçons fonçaient sur le colosse qui prétendait être un Tanieth. Celui-ci les repoussait, mais tenaces, les enfants revenaient à l'attaque. « Ils s'endormiront sans difficulté, ce soir », se dit la mère.

Elle observa leurs jeux en cette belle fin de journée, contente d'échapper à la saison des pluies d'Enkidiev. Le soleil se couchait derrière les volcans et il ferait bientôt sombre. « Heureusement, je n'ai pas besoin de penser aux repas », se réjouit-elle. Onyx leur procurait tout ce dont ils avaient besoin. Jugeant que les princes avaient suffisamment joué, Wellan les prit sous ses bras et les ramena sur la berge, où les attendaient de grandes serviettes tissées par les Anasazis. Il frotta Jaspe en le faisant rire de plus belle, puis aperçut Napashni tandis qu'il poussait ses protégés en direction de la maison qu'ils habitaient désormais avec leurs parents.

– Mama ! s'écria le plus jeune.

Wellan le libéra pour qu'il puisse courir jusqu'à elle. Napashni étreignit celui qui, depuis un an, avait été son plus jeune.

– Anoki, peux-tu le ramener chez nous et lui passer une tunique ? demanda-t-elle. Nous allons bientôt manger.

– Oui, maman.

Heureux de sa nouvelle vie, Anoki prit son frère par la main et le fit gambader entre les longues maisons.

– Merci de t'occuper d'eux, fit alors la prêtresse à l'ancien commandant des Chevaliers.

– Si je peux en faire plus pour vous aider, il faut me le dire.

Ils marchèrent lentement, en suivant les garçons de loin.

– Tu ne sais pas à quel point ça me rassure de revoir le visage que tu avais autrefois.

– Je trouve ce commentaire très amusant, vu que Napashni ne s'y habituait pas.

– Cette partie de moi ne possédait pas mes souvenirs.

– Mais la guerre, c'est bien fini pour moi. Si j'accompagne maintenant Onyx, c'est surtout pour m'assurer que sa démarche reste pacifique.

– Avec lui, rien n'est jamais gagné d'avance.

– J'ai cru le remarquer.

– Quand il aura rassemblé tous les peuples d'Enlilkisar sous sa bannière, que feras-tu ?

– Je retournerai auprès de ceux pour lesquels il me manque des renseignements, puis je me retirerai quelque part et j'écrirai un énorme traité d'histoire.

– Nous possédons un gros château pratiquement vide, où personne ne t'importunerait. De plus, il abrite un archiviste qui prend soin de ma bibliothèque...

– J'y réfléchirai.

Ils grimpèrent l'échelle et trouvèrent les princes déjà séchés et habillés. Onyx avait commencé à recueillir de la nourriture un peu partout sur le continent pour leur plus grand plaisir.

– J'ai faim ! déclara Jaspe assis en tailleur devant son grand bol rempli de grains de maïs, de haricots et de riz.

Les adultes mangèrent aussi, puis Napashni allaita les bébés pendant que Wellan installait Jaspe et Anoki dans leur lit pour leur raconter une histoire.

– Rien de sanglant, l'avertit Onyx.

L'empereur avait fait apparaître une cruche et sirotait son vin en réfléchissant à la suite de son entreprise. Il devait se rendre à Ellada pour inciter ses habitants à se regrouper sous sa protection, mais était-il prudent de voyager avec toute sa marmaille ? Ankti, la matriarche des Anasazis, lui avait assuré que les Elladans n'étaient pas belliqueux, mais...

Napashni recoucha les nouveau-nés dans leur berceau et s'allongea sur sa couverture.

– Comment devons-nous t'appeler, maintenant ? lui demanda Wellan, qui venait de terminer l'histoire des vaillants

Chevaliers d'Émeraude qui gardaient la côte d'Enkidiev avec l'aide des Elfes. Napashswan ou Swanashni ?

– Mon véritable nom est Napashni, insista-t-elle en riant.

– J'aime bien Swanashni, commenta Onyx, les yeux embués par l'alcool.

– Moi, j'aime mieux maman, fit Anoki.

– On ferme les yeux et on pense à toutes les belles choses qu'on aimerait faire demain, leur rappela Wellan en allant s'allonger sur son propre lit.

Une heure plus tard, tout le monde dormait, sauf Onyx et Obsidia. Le roi s'approcha de son berceau et la souleva. Il s'assit près du feu et la tint précieusement dans ses bras. C'était la plus belle période de la vie d'un parent, selon lui. À voix basse, il se mit à lui fredonner la berceuse que sa mère lui chantait des centaines d'années auparavant, comme il l'avait fait avec tous ses enfants, d'ailleurs.

Petite étoile qui éclaire à peine le firmament
Tu grandiras comme le blé et il viendra un temps
Où ta lumière éclipsera celle du soleil
Et ta sagesse te fera découvrir des merveilles
Ton nom sera vénéré jusque chez les dieux
Et les trouvères chanteront tes louanges en tous lieux

Couchée sur le côté, les yeux mi-clos, Napashni l'observait en se disant que cet homme tendre, qui jouait les durs, valait la peine qu'elle tente une dernière réconciliation.

13

L'HOMME DU CAUCHEMAR

Pendant qu'il pleuvait sur le reste du continent, il avait recommencé à neiger à Shola.

Les filles de Myrialuna s'étaient spontanément improvisées maîtresses du château. Elles s'occupaient des tâches ménagères et de leurs jeunes cousins pendant que leur mère, leur tante et leur grand-mère prenaient soin des trois bébés.

Lavra, Léia, Lidia, Léonilla et Ludmila adoraient leur nouvel horaire. Après le repas du soir, elles faisaient jouer Maélys et Kylian dans le bain, puis les installaient dans leur lit où leurs parents venaient les border. Elles redescendaient alors à la cuisine, lavaient et rangeaient la vaisselle, puis allaient s'asseoir devant le feu dans le grand hall afin de deviner ce que leur sœur Larissa était en train de faire chez les Fées. Quelquefois, Lazuli se joignait à elles, mais jamais Marek.

Depuis son retour de Fal, l'adolescent passait la plus grande partie de la journée debout à la fenêtre de sa chambre à regarder tomber les flocons sur le royaume. Il n'acceptait de se mêler au reste de la bande que pour manger et même alors, il gardait le nez dans son assiette. Lassa avait tenté de l'intéresser à la lecture, à la musique, au combat à l'épée et même à la cuisine, mais il voyait bien que le cœur de son fils souffrait.

– Dis-moi ce qui te ronge, demanda finalement le père en s'assoyant sur le lit de Marek.

– Je me sens en prison, ici.

– Ta place, tant que tu ne seras pas adulte, est avec ta famille.

– Mais pas dans un palais au milieu de nulle part...

– Combien de fois allons-nous avoir cette discussion, Marek ?

– Jusqu'à ce que je sois adulte, apparemment.

– Tu sais que je n'aime pas imposer une discipline sévère à mes enfants.

– Dans mon cas, ce serait inutile. Le désespoir qui s'empare de moi ne s'envolera pas à coups de punitions. Je ne suis pas né pour être gardé en cage. Comme mon frère, j'ai besoin de parcourir le monde et d'enquêter sur les grands mystères, comme les pouvoirs des félins et l'avenir de l'humanité.

– Et te faire encore une fois lancer dans le vide par...

Lassa s'arrêta net.

– De quoi parles-tu ? s'étonna Marek en se retournant vers lui.

– Je viens d'avoir un souvenir incomplet...

– Mais personne ne m'a jamais fait ça, papa.

– J'avoue que quelques éléments me manquent. Toutefois, si je me fie à l'émotion que je ressens en ce moment, c'est quelque chose qui m'a fait très peur.

– Les parents s'affolent pour rien, mais ils devraient plutôt laisser leurs enfants apprendre de leurs propres erreurs.

L'image de son fils tombant de très haut revint à l'esprit de Lassa, qui dut faire un gros effort pour se ressaisir.

– Écoute-moi, mon garçon. C'est ta dernière chance de te conformer à la vie de ce château et de te conduire comme l'un de ses membres utiles.

– Sinon ?

– Je te remets entre les mains des Sholiens du sanctuaire.

Le visage de Marek devint livide. Depuis la mort de Mann, qui avait trop utilisé ses pouvoirs, l'adolescent n'avait plus du tout envie de devenir augure. Il ne parlait même plus de ses rêves prémonitoires à ses parents.

– C'est mon dernier avertissement, ajouta Lassa.

Il quitta la chambre et se rendit à celle des jumeaux, que Kira tentait encore une fois de remettre en ordre tandis que les filles de Myrialuna leur apprenaient à lire et à écrire dans le hall.

– Il vient de m'arriver quelque chose de vraiment étrange.

– Il semble pourtant que cela fasse partie de notre quotidien, se moqua-t-elle.

– As-tu déjà eu des souvenirs vagues ?

– Oui, comme tout le monde. Je me rappelle très peu mon enfance.

– Je fais référence à des événements récents.

Kira plaça le dernier jouet sur sa tablette et pivota pour faire face à son mari.

– Sois plus précis.

– Je vois tomber Marek dans le vide et je ne sais pas si cette image provient du passé ou d'un rêve.

– Il est bien curieux que tu me dises ça, car Anyaguara a mentionné qu'il avait été enlevé, ce dont je n'ai aucun souvenir...

– Nous devrions creuser plus loin, Kira.

– Que suggères-tu ?

– D'explorer mutuellement nos pensées.

– Tu pourrais trouver des choses défendues... le taquina-t-elle.

– Mais c'est ce que j'espère.

– Attendons que tout le monde soit couché, d'accord ?

– J'allais justement le proposer.

Pendant ce temps, la lourde porte du palais s'ouvrait. Dans le hall, les filles se tournèrent vers le vestibule en servant d'écran aux jumeaux afin que les nouveaux arrivants ne les voient pas.

Lorsqu'elles aperçurent leur sœur Larissa, elles éclatèrent de joie et se précipitèrent pour la serrer dans leurs bras. C'est alors qu'elles constatèrent qu'elle n'était pas seule. Un beau jeune homme aux cheveux bruns et aux yeux bleus l'accompagnait. Les eyras reculèrent timidement.

– Daghild, je te présente mes sœurs Lavra, Léia, Lidia, Léonilla et Ludmila.

Le Prince des Fées fut surpris de voir cinq copies conformes de l'élue de son cœur.

– Et nous ? s'exclama la petite jumelle.

– Ainsi que ma cousine Maélys et mon cousin Kylian. Daghild est le fils du Chevalier Ariane et du capitaine Kardey et le petit-fils du Roi des Fées.

Les adolescentes ne cachèrent pas leur admiration.

– Il a accepté de nous aider dans notre projet d'arbres en cristal, ajouta Larissa.

– C'est donc possible ? se réjouit Ludmila

– J'en ai vu pousser de mes propres yeux dans son pays.

– Quand commence-t-on ? s'enthousiasma Lavra.

– Avec toute cette neige ? leur rappela Léia.

– Elle ne retardera pas nos plans si le palais est sous la protection d'un enchantement, les rassura Larissa.

– Si papa savait comment empêcher la neige de tomber, nous n'aurions pas eu à traverser toutes ces tempêtes au fil des ans, lui fit remarquer Lidia.

– Nous n'aurons pas besoin de lui.

– Ce n'est un secret pour personne que je serai le prochain Roi des Fées, indiqua l'adolescent.

La voix mélodieuse de Daghild les envoûta toutes. Même Maélys tomba sous son charme.

– Or mon grand-père me prépare depuis longtemps à lui succéder. J'ai donc appris à modifier le climat. Je peux facilement établir autour du château le même sort qui protège le Royaume des Fées depuis toujours.

– Oh oui ! s'égaya Maélys. De la magie !

– Maman préfère qu'on n'en fasse pas, lui rappela son jumeau.

– Ce n'est pas nous, c'est Daghild, qui en fera. Elle n'est pas sa mère à lui.

– Nous sommes prêtes, affirma Lavra.

– Je dois prononcer l'incantation à l'extérieur.

Elles coururent chercher leurs capes chaudes, habillèrent les jumeaux et sortirent du château.

– Pouvons-nous vous aider ? demanda Léia.

– Je crains que non, répondit Daghild. C'est une magie trop différente de celle que vous pratiquez.

Il leur demanda de rester près de la porte et s'avança sur la route qui commençait à se couvrir de neige.

– Un kilomètre autour de la forteresse, ça vous irait ? demanda-t-il.

– Oh oui ! répondirent en chœur les eyras.

L'adolescent ferma les yeux et se mit à murmurer dans une langue qui ressemblait au bruissement du vent dans les feuilles.

La chaleur se mit à monter du sol, faisant fondre la neige, si bien que les filles et les jumeaux purent se débarrasser de leur cape au bout de quelques minutes seulement.

– Comme c'est merveilleux, apprécia Léonilla.

– Nous pourrons prendre l'air même durant la saison froide ! se réjouit Lidia.

Lazuli sortit alors du palais.

– Qu'est-ce que vous faites ? Qui c'est, lui ?

– C'est Daghild, le futur Roi des Fées, répondit Larissa. Il vient de jeter un sort au Château de Shola pour qu'il baigne dans une température clémente malgré la fureur des éléments.

– C'est vrai qu'il fait chaud... mais comment se fait-il qu'il ait encore des pouvoirs ?

– Il les a reçus de ses ancêtres Fées et non des dieux, expliqua Larissa, alors il les a conservés.

– Comment on fait des arbres ? s'impatienta Kylian.

– Avant de commencer, il faudrait décider de leur emplacement, indiqua Daghild.

– Nous ne pourrons pas tous les planter en une seule journée, non plus, ajouta Larissa, car nous en avons un millier.

– Est-ce que c'est beaucoup ? demanda Kylian.

– C'est cent fois beaucoup, répondit sa sœur.

– Et si nous commencions par la façade du château ? suggéra Ludmila.

– Je vais en créer un pour que vous puissiez voir à quoi ils ressembleront. N'oubliez pas que ce seront d'abord de jeunes arbres et qu'ils prendront de l'expansion. Alors, nous devrons bien les espacer.

– Est-ce qu'ils seront tout brillants comme les petites pierres sur le sol ? demanda Kylian.

– Il est impossible de décrire leur beauté, répondit le futur roi.

Larissa ouvrit la besace qu'elle portait sur l'épaule, permettant à Daghild d'en retirer une graine aigrettée.

– Ce n'est pas un arbre, ça, protesta Maélys.

– Attends de voir ce qui se passe lorsqu'on y ajoute de la magie, la rassura Larissa.

Daghild souffla sur le petit faisceau de poils emprisonné entre son pouce et son index, puis le laissa tomber sur le sol. La graine se mit à grossir sous les yeux émerveillés des spectateurs, puis forma des racines de cristal. Elles s'enfoncèrent dans la terre pendant qu'un tronc transparent d'environ cinq centimètres de diamètre s'élevait vers le ciel. En quelques minutes à peine, des branches en sortirent de tous côtés et de délicates feuilles bleues s'ouvrirent sur chacune d'entre elles.

– Comme c'est beau ! se pâma Kylian.

– C'est quoi le liquide qui coule à l'intérieur ? demanda Maélys.

– De la sève, répondit Daghild. Elle agit comme notre sang et elle maintient l'arbre en vie. Cet arbre deviendra trois fois plus grand qu'un homme, alors il faut planter le prochain au moins vingt-cinq pas plus loin.

– Puis-je faire une suggestion ? fit Léia en levant la main.

– Certainement.

– Nous devrions commencer par planter des piquets là où les arbres devraient s'élever.

Daghild fit apparaître de petits pieux rouges dans ses bras et les distribua entre les filles.

– N'oubliez pas de respecter les distances.

Pendant que la joyeuse bande aménageait l'espace devant le palais, Marek se tenait debout devant la fenêtre de sa chambre. Cette fois, ce fut Kira qui s'approcha de lui.

– Tu sais comment jeter des sorts, alors pourquoi n'es-tu pas avec tes cousines qui sont en train de planter des arbres ?

– Parce que ça ne m'intéresse pas.

– Dis-moi ce que tu aimerais faire.

– Partir.

– À part partir ?

– Rien. Maman, je veux que tu saches que je suis vraiment désolé de ne pas être le fils que vous auriez dû avoir.

– Mais qu'est-ce que tu racontes là ?

– Je ne suis ni discipliné, ni adapté à cette vie.

Kira le saisit par-derrière et le ramena contre sa poitrine pour l'étreindre avec force.

– Wellan et toi, vous êtes indépendants et curieux comme je l'étais à votre âge. Mais le monde est trop dangereux pour s'y aventurer avant d'avoir assez d'expérience.

Ils ressentirent alors une curieuse vague magique.

– Ce n'est pas moi ! se défendit tout de suite Marek.

– Je sais. Ce doit être leur nouvel ami Fée. Tu veux jouer aux devinettes ?

– Je suis bien trop vieux pour ça.

– Alors, si on parlait du type de fille qui fait battre ton cœur ?

– Maman...

Pendant que Kira tentait de distraire son fils, dans la chambre de Myrialuna, un intrus venait d'apparaître. Après avoir évalué que les habitants du château ne représentaient aucune menace pour lui, il s'avança jusqu'aux trois berceaux et examina les trois fils de Myrialuna, qui dormaient paisiblement.

À ce moment précis, Fan entra dans la pièce avec une pile de couches propres sur les bras. Elle s'arrêta net en apercevant l'imposante silhouette de l'homme penché sur les bébés.

– Kimaati ?

Le colosse blond se retourna et esquissa un sourire en reconnaissant la Princesse de Shola qu'il avait séduite, jadis.

– Tu n'as pas oublié mon nom.

– Je n'ai pas oublié non plus qu'après avoir reçu mes soins, tu es parti comme un voleur.

– Je ne pouvais pas rester, Fan.

– Si tu as l'intention de continuer à mentir, alors je préférerais que tu te taises.

– J'étais un homme traqué.

– Et j'imagine que tu l'es toujours.

– Oui, mais je suis beaucoup plus fort maintenant. Je ne crains plus personne.

– Pourquoi es-tu ici ?

– J'ai senti la présence de mon sang. À qui sont ces petits garçons ?

– À notre fille.

– Nous avons eu une fille ? s'égaya-t-il.

– Il est un peu tard pour réclamer ta paternité. Le Roi Shill a eu la bonté de l'accepter comme sienne, jusqu'à ce que je la confie à une autre femme.

– À une autre femme ? Pourquoi ?

– Parce que j'étais sur le point d'être assassinée.

– Je suis un homme normalement intelligent, mais là, j'avoue ne pas comprendre.

– Le sorcier à la solde d'Amecareth m'a enlevé la vie alors que Myrialuna n'avait que quelques mois. Puisque j'étais maître magicien, je savais que j'allais mourir, alors je l'ai confiée à une déesse féline.

– Où est cet ignoble sorcier ?

– Mort, tout comme son maître.

– Bien fait pour eux. Mais comment se fait-il que tu sois devant moi s'il t'a tuée ?

– Une fois dans le monde des morts, je suis devenue Immortelle et j'ai été élevée au rang de déesse dans le panthéon de mon oncle. Malheureusement, après une guerre sanglante entre les rapaces et les félidés, Abussos nous a retiré nos pouvoirs. Me revoilà donc mortelle.

– Encore un brin amoureuse de moi ?

– Mes sentiments pour toi se sont éteints le jour où tu t'es volatilisé.

– Quelles sont mes chances de te reconquérir ?

Fan garda un silence contrarié.

– Je vois... murmura Kimaati en se redressant fièrement. Ce palais au milieu d'un pays désertique n'est pas digne de mes petits-fils.

– C'est ici que leur mère a décidé de les élever. D'ailleurs, elle a construit elle-même ce château bloc par bloc selon sa propre vision d'un foyer agréable.

– Il serait mieux pour eux qu'ils grandissent chez moi.

– Mère, où avez-vous mis les couches des garçons ? demanda Myrialuna en arrivant derrière elle.

Elle s'arrêta net en apercevant l'étranger.

– Ma chérie, je te présente ton père.

– C'est lui, Kimaati ? s'étrangla la nouvelle maman.

– Le plus beau de tous les dieux, affirma-t-il en s'approchant. Content qu'elle t'ait parlé de moi.

Il était grand, costaud et ses yeux bleus étincelaient. Ses cheveux, qui lui atteignaient l'épaule, rappelaient la crinière d'un lion !

– Qui t'a élevée ? demanda-t-il en baissant le regard sur elle.

Il était aussi haut qu'une tour devant Myrialuna.

– Anyaguara...

Un large sourire éclata sur le visage du géant.

– Au moins, c'est resté dans la famille.

– Ah oui ?

– Anya est ma fille !

– Ma sœur ?

– Il me tarde de retrouver tous mes enfants.

– Dans ce cas, tu arrives un peu tard, l'informa Fan. Tous ceux qui habitaient le ciel ont été assassinés. Il n'en reste qu'une poignée, qui avaient décidé de vivre dans le monde des humains.

Elle trouva étrange qu'il ne semble pas du tout troublé par la mort de sa progéniture céleste.

– Laisse-moi voir la vie que tu as menée, fit-il plutôt à l'intention de Myrialuna.

Il plaça la main sur ses cheveux roses et assista en quelques secondes à ses joies, ses espoirs, ses déceptions, ses peines et ses épreuves. Lorsqu'il libéra sa fille, les traits de Kimaati s'étaient durcis. Il recula de quelques pas et disparut.

– Mais qu'est-ce qu'il a vu ? s'alarma Myrialuna.

Dans la crypte du château, Abnar se tenait debout devant la table de son atelier, encore sous le choc d'avoir perdu la plupart de ses pouvoirs. Il pouvait encore faire bouger les objets et allumer ses mains, mais aucune des incantations qu'il prononçait ne fonctionnait. Une peur violente s'empara alors de lui. Il pivota lentement vers le couloir qui menait à sa salle de travail et vit s'approcher la menaçante silhouette de son cauchemar. Mais cette fois, il ne dormait pas.

– C'est donc toi, Abnar ! tonna Kimaati en s'arrêtant sur le seuil.

* * *

Kira venait tout juste de quitter Marek lorsqu'elle entendit celui-ci pousser un cri d'épouvante. Elle tourna les talons et revint dans sa chambre en courant. Son fils était écrasé contre le mur et tremblait de tous ses membres.

– Marek ?

– Papa avait raison ! L'homme qui m'a jeté du balcon est ici !

Ce n'était guère le moment de lui demander des explications. Kira scruta immédiatement le palais. Même si Abussos avait retiré à ses descendants leurs pouvoirs magiques, il n'avait pas pu lui ôter ceux qu'elle tenait de son père, le dieu-scarabée du monde parallèle.

– Il est ici ! s'effraya-t-elle. Lassa !

Elle sortit de la chambre et vit son mari qui se hâtait à sa rencontre.

– Que se passe-t-il ? s'inquiéta-t-il.

– Ton souvenir est dans la crypte !

Lassa agrippa la main de Kira et la transporta aussitôt dans le sous-sol du palais.

– Par là ! s'exclama-t-elle.

Malgré leur célérité, ils arrivèrent malheureusement trop tard : Abnar gisait sur le plancher à quelques pas d'un homme d'une imposante stature vêtu d'une tunique grise serrée à la taille par une large ceinture.

– Tu ne maltraiteras plus jamais ma fille ! rugit l'étranger.

– Hé ! cria Kira pour attirer son attention.

Le dieu-lion se retourna et reconnut les deux étrangers qui étaient venus l'importuner chez lui. La femme mauve chargea ses mains, mais ses rayons n'atteignirent pas leur cible. Kimaati venait de disparaître en poussant un grand rire sonore. Lassa se précipita pour venir en aide à Abnar, mais s'arrêta net en arrivant à côté de son corps. Il y avait un trou béant au milieu de sa poitrine.

– Peux-tu le réanimer ? demanda Kira en accourant.

– Il lui manque bien trop d'organes, se découragea Lassa.

– Juste ciel... Il ne faut pas que les enfants le voient ainsi.

– Et Myrialuna ?

Kira se mordit les lèvres avec hésitation. Lassa n'attendit pas sa réponse et se dématérialisa. Il revint quelques secondes plus tard avec la châtelaine.

– Mais... s'étrangla-t-elle, horrifiée.

– Son cauchemar était apparemment prémonitoire, laissa tomber Kira. Je suis désolée, ma sœur. Nous sommes arrivés trop tard.

– Qui a fait une chose pareille ?

– Kimaati.

– Il a regardé dans ma tête et il... non...

Myrialuna éclata en sanglots. Kira l'attira dans ses bras en faisant signe à Lassa de s'occuper du corps. Bien à regret, celui-ci incendia les restes d'Abnar afin de libérer son âme.

14

LA RIVIÈRE DE FEU

En quittant le Royaume de Fal, Hawke et Briag étaient directement retournés au sanctuaire sholien. Après s'être recueillis dans la salle de prières, devant la grande statue du dieu-hippocampe, ils s'étaient dirigés vers la cellule où leur chef spirituel les attendait. Isarn leur offrit du thé et écouta leur récit des derniers événements qui avaient secoué le ciel et la terre.

– Tout ceci est bien inquiétant, soupira le hiérophante.

– Qu'avez-vous l'intention de faire ? s'enquit Briag.

– Notre rôle est d'intercéder auprès d'Abussos pour que les habitants de ce monde puissent continuer de vivre en paix.

– Mais s'il a perdu patience avec sa propre famille, comme nous venons de vous le dire, qui sait où s'arrêtera sa colère ?

– Je ne crois pas qu'il s'en prenne aux hommes, Briag.

– Sans les trois panthéons, il deviendra leur unique dieu, intervint Hawke, et cela mettra fin à bien des tensions entre les peuples.

– Mais ce n'est pas à nous de leur imposer ce culte, les avertit Isarn.

– Ne revient-il pas aux plus sages de guider ceux qui désirent cette paix ? poursuivit Briag, inexorable.

– Pourquoi ai-je soudain l'impression que je n'aurais jamais dû te laisser quitter le sanctuaire ?

– Que nous le voulions ou pas, nous sommes tous reliés les uns aux autres, poursuivit Briag, qui n'avait pas saisi sa critique. Nous ne pouvons pas rester cachés tandis que les créatures de ce monde ont besoin d'aide. D'ailleurs, ce qui leur arrive aura certainement des répercussions sur nous.

– Tu as cessé de réfléchir comme un Sholien, on dirait.

– Je ne veux pas être immolé une seconde fois par un sorcier mal intentionné, avoua le jeune moine en baissant la tête.

– Parce que tu crois que c'est notre inaction qui a causé notre perte ?

– J'en suis de plus en plus persuadé, vénérable Isarn.

Le hiérophante arqua un sourcil avec surprise.

– Il est beaucoup plus dangereux de vivre à l'extérieur qu'à l'intérieur de notre refuge, Briag.

– En êtes-vous vraiment certain ?

Sa hardiesse étonna même son ami Hawke.

– Puis-je te conseiller de méditer là-dessus toute la nuit, jeune homme ? fit Isarn, sur un ton plus dur.

– Je ne vois pas ce que cela m'apportera de plus, mais je vous obéirai.

Briag le salua de la tête et quitta la cellule.

– Je crains que son âme ait été corrompue, se désola le vieil homme.

– Ou que ses yeux se soient ouverts ? répliqua l'Elfe. Tant qu'il a vécu loin du chaos du monde des hommes, il ne remettait pas en question le but de sa vie.

– Tu lui donnes raison, Hawke ?

– Je comprends ce qu'il ressent.

– Que devrais-je faire de lui ?

– Je ne suis qu'un simple moine. Je ne possède pas l'expérience requise pour vous donner un tel conseil.

– Mais tu viens de passer beaucoup de temps avec Briag.

– Il manifeste certes une grande curiosité pour tout ce qu'il voit et entend, et son esprit traite rapidement l'information qu'il découvre.

– Et puisque la colère d'Abussos vous a empêchés de poursuivre votre mission, il éprouve de la frustration.

– Tout comme moi, d'ailleurs. Il ne faut pas oublier que c'est Abussos lui-même qui nous a demandé de venir en aide à Lassa afin qu'il puisse reconnaître la petite pacificatrice. Je serai très honteux lorsque je devrai lui annoncer que nous avons dû renoncer à notre quête.

Isarn demeura muet pendant quelques minutes.

– Poursuivez-la, décida finalement le hiérophante. De toute façon, la dernière chose dont j'ai besoin dans ce monastère, c'est d'un cénobite insatisfait.

– Nous partirons dès que j'aurai revu ma femme et mes fils, vénérable Isarn.

– Ce qui est tout à fait naturel.

– Et je tenterai d'apaiser Briag.

– Merci, Hawke.

L'Elfe quitta le vieillard et s'empressa de se rendre à ses appartements. Il avait à peine mis le pied dans la cuisine qu'Élizabelle se jetait dans ses bras. Les époux s'étreignirent en silence.

– Tu m'as manqué, murmura Hawke.

– Toi aussi.

– Comment vont les jumeaux ?

– Tu sais bien qu'ils ne sont presque jamais ici et qu'ils se débrouillent fort bien sans moi.

– J'ai plusieurs choses à te raconter avant de repartir.

– Moi aussi.

Ils prirent place à la table. Élizabelle lui narra son séjour chez son père et ses amies, en insistant sur la gentillesse des Elfes qui l'avait ramenée à Shola, puis Hawke lui relata tout ce qui lui était arrivé.

– Sommes-nous en danger ? s'inquiéta sa femme.

– Vous ne risquez rien à l'intérieur de la falaise. Toutefois, si nous voulons pouvoir en sortir de temps à autre, nous devons nous assurer qu'il n'y aura plus jamais de guerres sur le continent.

– Tu dois donc retrouver la fillette.

– C'est exact. Pourras-tu tenir le coup encore un peu ?

– Je suis parfaitement capable de m'occuper de façon constructive, si c'est ce que tu veux savoir.

Hawke l'embrassa, puis il alla retrouver ses fils dans le réfectoire. Il les salua et s'assura qu'ils étaient toujours heureux dans leurs fonctions. Préoccupés par leurs tâches de nettoyage, les jumeaux échangèrent à peine quelques mots avec lui. Hawke ne s'en formalisa pas. À part Briag, les moines n'étaient pas des créatures très bavardes. Il se rendit donc à la cellule de son ami. Comme il s'y attendait, le jeune moine était assis sur son lit, mais il ne méditait pas.

– C'est bien la première fois que je te vois en colère, lui dit l'Elfe.

– Je trouve injuste qu'Isarn ne veuille rien entendre, mais c'est sans doute parce que tous les Sholiens sont aussi sourds qu'aveugles !

– Je t'en prie, calme-toi. Il nous a au moins donné la permission de continuer nos recherches.

– Vraiment ? Quand partons-nous ?

– Quand tu voudras.

– Alors, allons-y ! Par où veux-tu commencer ?

– Le mieux serait d'informer Lassa que notre quête n'est pas terminée. Dès que tu seras prêt, rejoins-moi dans mes quartiers.

– Donne-moi le temps de me purifier et de me changer !

Le soudain enthousiasme de Briag fit sourire Hawke. Celui-ci retourna chez lui pour se laver et enfiler une tunique propre, puis serra longuement sa femme dans ses bras, regrettant qu'elle ne possède pas la faculté de communiquer par télépathie. Dès que Briag se présenta à la porte, l'Elfe embrassa Élizabelle et se transporta devant le Château de Shola avec son ami.

La douceur du vent les étonna, car ils s'attendaient plutôt à se retrouver les deux pieds dans la neige. Non seulement elle avait fondu, mais de beaux arbres brillants s'élevaient tout autour d'eux.

– Sommes-nous au bon endroit ? s'inquiéta Briag.

– Je me posais justement cette question.

C'est alors qu'ils aperçurent la bande d'enfants sur l'allée qui menait à la falaise. Ils faisaient pousser les féeriques saules pleureurs. Les Sholiens marchèrent jusqu'à eux et ressentirent leur chagrin. S'agissait-il d'une punition ?

– Pourquoi êtes-vous si tristes ? demanda Hawke.

– Abnar a été assassiné, répondit Lazuli.

– Mais qui a fait une chose pareille ? s'horrifia Briag.

– Nos parents ne veulent pas nous le dire.

L'Elfe sonda le cœur des filles de l'Immortel, qui continuaient de laisser tomber de petites graines dans des trous en refoulant leurs larmes.

– Prends bien soin d'elles, Lazuli, recommanda-t-il.

Les deux moines revinrent sur leurs pas et frappèrent à la grande porte du palais. Elle s'ouvrit un instant plus tard.

– Hawke ? Briag ? s'étonna Kira.

– Nous aimerions nous entretenir avec Lassa, mais il semble que nous arrivions à un bien mauvais moment.

– Non, non, entrez.

Kira les fit asseoir dans le grand hall, près de l'âtre, et leur raconta ce qu'elle avait vu dans la crypte.

– Je ne veux surtout pas excuser son geste, mais je ne crois pas que Kimaati soit venu ici uniquement pour tuer Abnar, conclut-elle. Myrialuna affirme qu'il n'est parti à sa recherche qu'après avoir scruté son esprit.

– Qui est là ? s'enquit Lassa en descendant l'escalier.

Il reconnut ses compagnons de mission avant que sa femme puisse lui répondre.

– Avez-vous trouvé quelque chose ?

– Pas encore, déclara l'Elfe, mais je commence à croire que cette guerre opposera les habitants de ce monde à ceux d'un univers parallèle. Il est devenu encore plus urgent de trouver la fillette qui nous sauvera tous.

– Depuis qu'Abussos a châtié les dieux, nous ne pouvons plus compter sur leur assistance dans cette quête, répliqua Lassa.

– Je suis d'avis que nous pouvons réussir sans eux, intervint Briag.

– Êtes-vous venus me demander de vous accompagner ?

– C'est le but de notre visite.

– Mais je ne sais pas plus que vous où se trouve l'enfant.

– Wanda l'a vue, tout comme moi, leur apprit Marek en arrivant des cuisines.

– D'où tiens-tu cette information ? s'étonna Lassa.

– D'un rêve.

– J'ignorais que tu en faisais encore.

– Ça m'arrive, mais j'essaie de les oublier, pour ne pas finir comme Mann. Mais cette vision m'a semblé plus importante que toutes les autres.

– Dis-moi ce qu'elle contenait.

– Wanda est effrayée par ce que ses propres rêves lui ont révélé au sujet de la guerre qui approche.

– C'est tout ?

– Tout ce que je sais, c'est qu'elle détient la clé.

Kira observait son fils, bouleversée par la frayeur qu'elle décelait sur son visage. Lorsqu'il tourna les talons pour s'enfuir vers l'escalier, elle le suivit jusqu'à sa chambre.

– Est-ce que ce sont tes cauchemars qui te poussent à vouloir quitter Shola ? demanda-t-elle.

– S'ils se concrétisent, aucun endroit ne sera sûr.

– Et surtout ce château ?

Marek garda le silence.

– Nous as-tu vus mourir ? poursuivit la mère.

– J'ai assisté à des événements horribles que je ne comprends pas.

– Mon pauvre chéri...

Elle l'attira dans ses bras et l'étreignit maternellement.

– Nous devons retourner chez lui ce dieu qui m'a jeté du balcon, murmura Marek.

– Nous? répéta Kira. Mais il n'est pas question que tu participes à quelque combat que ce soit.

– Je veux faire ce que je peux pour protéger ma famille, maman.

– Et c'est ce que tu feras en restant avec Lazuli et les jumeaux dans un endroit hors de portée de l'ennemi, que j'aurai choisi avec ton père.

– Je ne suis plus un bébé.

– C'est exactement pour cette raison que je remettrai leur vie entre tes mains.

Au même moment, Lassa faisait part aux Sholiens de sa réticence à quitter le château pour les suivre à Émeraude, même si c'était le vœu d'Abussos lui-même.

– Kimaati a assassiné Abnar. Je ne m'en remettrais jamais s'il revenait ici en mon absence. Parce que je suis le fils du dieu-hippocampe, je possède encore mes pouvoirs et je peux certainement éloigner Kimaati.

– Je comprends ton inquiétude, avoua l'Elfe, mais si nous pouvons empêcher une guerre d'éclater, n'est-ce pas plus important?

Tiraillé entre son amour pour sa famille et son dévouement à Enkidiev, Lassa hésita.

– Hawke a raison, l'appuya Myrialuna en s'approchant de son beau-frère. Si Kimaati a tué mon mari, c'est ma faute. Il a accédé aux pires souvenirs de ma vie conjugale et il a condamné Abnar sans aucune forme de procès. Heureusement pour nous, il semble tenir à ma mère et à mes fils. Je ne crois pas qu'il nous ferait du mal.

– Il a aussi balancé Marek du plus haut balcon de son château, lui rappela Lassa.

– Parce qu'il savait que vous le sauveriez. Il avait très bien compris que vous vous étiez aventurés dans les volcans pour récupérer cet enfant et il vous l'a rendu... à sa façon. Trouvez cette fillette et ramenez la paix sur le continent pour toujours. Notre paix d'esprit en dépend.

Le plaidoyer de Myrialuna acheva de convaincre Lassa. Il grimpa chercher ses affaires et demanda à Kira de lui donner un coup de main. En réalité, il voulait surtout lui expliquer sa décision loin des oreilles des enfants.

– Promets-moi de m'appeler si tu as besoin de moi, fit-elle.

– Tu sais bien que ce sera mon premier réflexe, affirma-t-il.

Ils s'embrassèrent, puis Lassa redescendit dans le hall.

– Il semble bien que nous poursuivrons notre quête chez les Chevaliers Wanda et Falcon, décida-t-il.

Les moines prirent chacune de ses mains et furent instantanément transportés dans la prairie, au nord-est du Château d'Émeraude. Puisque Lassa n'avait jamais visité ses anciens compagnons d'armes chez eux, il avait choisi de se rendre là où Kira avait installé les chevaux-dragons. Il scruta la région avec ses sens invisibles.

– C'est de ce côté, indiqua-t-il.

Ils marchèrent jusqu'à la chaumière sous les regards inquisiteurs des énormes chevaux noirs qui paissaient en toute quiétude. Aurélys, qui puisait de l'eau au puits, fut la première à les apercevoir. Elle s'empressa d'aller avertir ses parents. Quelques instants plus tard, Falcon arriva à la rencontre de ses visiteurs.

– Je rêve du jour où ceux qui s'arrêteront chez moi n'auront pas une mauvaise nouvelle à m'annoncer, fit-il en serrant les bras de Lassa à la façon des Chevaliers.

– Je t'assure que nous sommes là uniquement pour obtenir des informations. Tu connais déjà Hawke et voici Briag, un moine de Shola.

– J'imagine que ce sont les dons de ma femme qui vous intéressent.

– Wanda a des visions, n'est-ce pas ? voulut vérifier Lassa.

– Ouais... soupira Falcon. Elles sont de plus en plus sinistres.

Il les ramena à la maison. En les voyant entrer, Wanda délaissa la grosse casserole de potage qu'elle était en train de préparer et alla serrer Lassa dans ses bras. Aussitôt, une vision l'assaillit, qui ne dura que quelques secondes. La femme Chevalier se débattit, secouée de tremblements effrayants.

– Qu'as-tu vu ? s'alarma Lassa, qui n'osait plus la toucher.

– Deux puissantes armées, l'une verte, l'autre noire, séparées par un fleuve aux eaux enflammées...

– Tu es une augure...

– Ce n'est pas ma faute !

– Au début, elle voyait des choses anodines, intervint Falcon, mais dernièrement...

– Quand les visions sont-elles devenues terrifiantes ? demanda Briag.

– Il y a un peu plus d'un mois.

– À la mort de Mann...

– Lui aurait-il transféré son don ? s'inquiéta Hawke.

– Mais je n'en veux pas ! protesta Wanda. Je ne veux pas dépérir comme lui !

Falcon l'attira contre sa poitrine et l'abrita dans ses bras pour l'apaiser.

– Mann n'était pas humain, tenta de la rassurer Lassa. Il était Sholien.

– Il a raison, l'appuya Briag. Notre constitution diffère de la vôtre. Nous sommes beaucoup plus fragiles.

– Nous ne sommes pas venus te causer plus d'angoisse, assura Lassa. Nous cherchons seulement des indices pour retrouver une enfant qui pourrait nous sauver.

– Si vous voulez bien manger avec nous, les invita Falcon, je crois bien que Wanda redeviendra suffisamment calme pour vous révéler ce qu'elle sait.

Les trois enquêteurs acceptèrent sur-le-champ et Aurélys apporta des chaises supplémentaires. Elle servit les bols de potage, puis trancha le pain encore chaud. Wanda reprit finalement sa complexion normale.

– Je vois souvent une petite fille dans mes visions, avoua-t-elle. Elle a un si beau sourire...

– La connais-tu ? s'enquit Lassa.

– Anyaguara m'a posé les mêmes questions, mais je n'ai rien appris de plus depuis sa visite. Les visions ne se manifestent pas avec les explications correspondantes.

– Les Sholiens arrivent à trouver des réponses à leurs problèmes en méditant avant de se coucher, lui apprit Briag.

– Je n'ai jamais essayé...

– Il n'y a donc qu'une façon de savoir si les humains peuvent faire la même chose, fit Falcon. Vous coucherez ici, cette nuit.

Après le repas, le Chevalier les emmena visiter ses écuries et faire la connaissance de ses plus belles pouliches. Hawke ne put que se demander où était rendu son propre cheval-dragon, mais ne voyant aucune bête avec des ailes, il se douta qu'il avait choisi un pâturage le plus éloigné possible de celui où l'étalon Hathir était roi et maître.

Au repas du soir, ce fut au tour d'Aurélys de leur raconter son étrange aventure à Irianeth. Désirant en apprendre le plus possible sur la vie des humains, Briag était suspendu à ses lèvres. Lorsque vint le temps de se mettre au lit, Wanda demanda aux Sholiens de l'aider à méditer. Assise devant le feu, Wanda ferma les yeux et se laissa bercer par les douces paroles de Briag. Lassa aurait bien aimé se prêter à l'expérience, mais puisque tous les autres avaient décidé de se plonger dans cette contemplation, il demeura alerte.

Ils allèrent tous au lit une heure plus tard. Toutefois, dans l'obscurité, Falcon aperçut Briag assis devant les flammes. Il quitta donc la chaleur de ses couvertures et le rejoignit.

– Les Sholiens ne dorment pas ? chuchota-t-il.

– Bien sûr que si, mais j'ai du mal à fermer l'œil quand quelque chose m'obsède.

– Cette histoire d'enfant miraculeuse, par exemple.

– Non... avoua Briag en baissant timidement la tête.

– J'ai une longue expérience de la vie, alors ne te gêne pas pour en profiter.

– Je suis hanté par la théorie des âmes sœurs...

– Les Sholiens n'en ont pas ?

– Je sais qu'autrefois, il y avait des femmes dans leurs rangs, mais elles ne sont pas revenues à la vie en même temps que nous, et les moines n'en parlent jamais dans leurs enseignements.

– Eh bien, je peux te dire que les humains qui possèdent des pouvoirs magiques aperçoivent une belle lumière blanche autour de la personne que les dieux ont choisie pour eux.

– Puisque les dieux ont tous disparu, est-ce à dire que plus personne ne verra cette aura ?

– Les Sholiens ne posent pas de questions faciles, on dirait.

– En fait, je suis une exception dans le sanctuaire. Le hiérophante me trouve trop curieux.

– Malheureusement, tout comme toi, j'ignore les conséquences de la suppression des trois panthéons. Et puis, à mon avis, ton âme sœur ne sera pas nécessairement une Sholienne. Certains de mes amis humains ont trouvé la leur chez les Elfes et même chez les Fées.

– Merci, c'est rassurant.

– Garde l'œil ouvert.

Briag alla se coucher, mais ne trouva pas facilement le sommeil, tourmenté cette fois par l'apparence que pouvait prendre ce halo mystérieux.

Le soleil venait à peine de se lever lorsque Wanda se redressa d'un seul coup dans son lit, faisant sursauter Falcon près d'elle.

– C'est la fille de Swan ! s'exclama-t-elle.

– Nemeroff a annoncé son décès, puis il s'est dédit en nous informant qu'elle est partie rejoindre le Roi Onyx de l'autre côté des volcans, se rappela Hawke. Jamais il n'a parlé de la naissance de son enfant.

– Qui était un garçon, d'ailleurs, ajouta Lassa.

– Est-ce Cornéliane ? demanda Aurélys.

– Non, affirma catégoriquement Wanda. Elle a les cheveux et les yeux aussi noirs que la nuit.

– C'est sans doute son prochain bébé, avança Briag.

– Maintenant, nous sommes fixés, se réjouit Lassa.

– Nous allons dans le nouveau monde ?

– Oui, Briag.

Le Sholien serra les poings pour ne pas éclater de joie.

15

INCONSOLABLE

Le Roi Patsko de Fal était honoré d'avoir eu sous son toit cinq des divinités qui avaient réglé le sort du monde pendant des millénaires, mais leur attitude l'avait dérouté.

La déesse reptilienne Fan était partie avec Lassa, Kira et Marek afin de vivre à Shola, le royaume sur lequel elle avait régné avant sa mort. Quant à la déesse-harfang Orlare, elle avait annoncé son désir d'aller vivre parmi les Elfes qui, à son avis, possédaient des manières semblables aux siennes. Seul le mauvais temps l'empêchait d'entreprendre ce périple vers le pays du Roi Cameron.

La déesse reptilienne Theandras avait choisi de demeurer à Fal avec sa fille Jenifael jusqu'à ce que celle-ci mette son enfant au monde, mais n'avait encore formulé aucun autre plan d'avenir.

Si Theandras s'adaptait à merveille aux coutumes des humains, ce n'était pas le cas de la déesse-aigle Aquilée, qui se sentait à l'étroit dans toutes les robes qu'on lui présentait, même les plus amples. Elle était tout à fait incapable de porter des sandales et se plaignait continuellement de la nourriture : trop chaude, trop froide, trop salée. Les cuisinières du palais ne savaient plus quoi lui offrir. Orlare décida donc d'intervenir.

Elle prit place devant la déesse-aigle à la table de sa chambre, car Aquilée ne voulait pas se mêler aux autres dans le grand hall.

– Ma sœur, je t'en prie, cesse ces lamentations. Elles ne font qu'éloigner les gens.

– Je n'en ai rien à faire !

– Dans cet univers, personne ne peut survivre isolé, à moins d'être un monarque dont s'occupent des serviteurs.

– Nous sommes des déesses ! Nous devrions être mieux traitées que nous le sommes ici !

– Aquilée, ce déni a assez duré. Ne te rends-tu pas compte que tu l'utilises pour te protéger contre ton propre chagrin ? Il est temps que tu acceptes ce qui nous est arrivé. Nous avons perdu nos pouvoirs et notre prestige. Nous sommes incapables de reprendre notre véritable forme et de nous envoler ailleurs. Pire encore, nous ne savons pas comment nous nourrir chez les humains. Le Roi de Fal a eu la gentillesse de nous accueillir chez lui. Au lieu de te plaindre de tout, tu devrais plutôt te montrer reconnaissante.

– Mais je ne lui ai rien demandé !

– Alors, quitte cette forteresse et débrouille-toi pour survivre.

– C'est bien la première chose intelligente qui sort de ta bouche.

– Viens. Je vais te conduire à la sortie.

Aquilée suivit Orlare et s'arrêta sous le porche. Dans la grande cour, il pleuvait à torrents.

– Marche jusqu'aux grandes portes et demande aux sentinelles de les ouvrir.

– Qu'y a-t-il de l'autre côté ?

– Des kilomètres de terrain sablonneux ponctué d'oasis où habitent les nombreuses tribus qui forment le peuple de Fal.

– Et plus loin ?

– D'autres royaumes : Zénor et Cristal à l'ouest, Perle au nord et Turquoise au nord-est.

– Comment sais-tu tout ça ?

– J'assiste aux cours que Bridgess donne à ses enfants. Contrairement à toi, j'ai de la gratitude envers les humains. J'apprends tout ce que je peux et je réfléchis à mon avenir. Je te souhaite de trouver ce que tu cherches, Aquilée.

– Combien de temps pleuvra-t-il ?

– Plusieurs semaines encore.

Aquilée tourna les talons et retourna dans le palais. Elle parcourut plusieurs couloirs avant de retrouver sa chambre, dont elle claqua furieusement la porte.

* * *

Au même moment, Theandras mangeait en compagnie de Jenifael, Mahito, Bridgess, Santo et leurs trois enfants. La déesse du feu ne portait que des robes de couleurs chaudes depuis qu'elle avait repris conscience à Enkidiev et elle faisait de gros efforts pour supporter ses sandales quelques heures chaque jour. Elle goûtait à tout et avait décidément un faible pour ce qui était sucré.

Bridgess ne disait rien, mais elle n'aimait pas l'attention que Jenifael portait à sa mère biologique. La future maman passait beaucoup de temps avec Theandras, allait aux bains avec elle le matin, l'emmenait bavarder dans les jardins, lui racontait son enfance et sa participation à la guerre. Pire encore, elle lui parlait constamment de Wellan. Même si Bridgess avait épousé Santo, qu'elle aimait de tout son cœur, elle ressentait encore cruellement la perte de son premier mari.

Après le repas, Bridgess quitta les autres pour aller ranger les vêtements fraîchement lavés que lui avaient apportés les servantes. Elle déposa ceux de Famire sur sa commode et trouva Santo devant elle lorsqu'elle se retourna.

– Ne sois pas jalouse de Theandras, chuchota-t-il.

– Comment pourrais-je ne pas l'être ? J'ai cessé d'exister aux yeux de ma propre fille...

– Tu l'as eue rien que pour toi pendant des années. Laisse-la profiter un peu de sa mère divine. Elle sera toujours ta fille, Bridgess, peu importe ce qui arrivera.

Elle se contenta de baisser la tête.

– Moi, je t'ai bien partagée avec Wellan... ajouta-t-il.

– Il était mort et lorsqu'il est revenu à la vie, dans un corps différent, je n'ai eu aucun contact avec lui.

– Je t'en prie, respecte les choix de Jeni. Elle est heureuse et c'est tout ce qui devrait compter pour nous.

– Tu as sans doute raison...

– Je peux te donner un coup de main ?

– Non. Il ne me reste qu'à démêler les tuniques des filles.

– Quand tu auras terminé, est-ce que je pourrai te chanter des chansons près du feu ?

– C'est très tentant...

– Je t'y attendrai.

Santo l'embrassa sur les lèvres et quitta la chambre. En poursuivant ses tâches ménagères, Bridgess ne put s'empêcher de constater que ce beau Prince de Fal était un mari plus que parfait. « Il est bien moins torturé que Wellan », songea-t-elle. C'était aussi un père présent et attentionné, qui lisait des histoires aux filles après les avoir mises au lit. Quant à Famire, il avait passé l'âge d'être bordé, mais Santo lui consacrait aussi du temps, surtout depuis que le jeune homme avait commencé à s'intéresser aux arts de guérison.

Une fois les vêtements de Djadzia et Élora séparés en deux piles, Bridgess quitta la chambre de son fils. Elle allait mettre le pied dans le couloir lorsqu'elle vit passer Parandar, silencieux et pâle comme un spectre. « Pauvre homme », se désola la femme Chevalier. Elle poursuivit sa route jusqu'au salon.

L'ancien chef du panthéon reptilien s'enferma dans la chambre qu'on lui avait assignée. En plus du chagrin qui l'oppressait, il ne parvenait pas à s'habituer au poids et aux exigences de sa nouvelle enveloppe charnelle. Puisqu'il ne digérait pas la nourriture qu'il avalait, il éprouvait de plus en plus de malaises et tombait endormi partout.

En proie à un étourdissement, il s'empressa de s'asseoir sur son lit. « J'aurais dû mourir avec le reste de ma famille », grommela-t-il intérieurement.

Il entendit alors un curieux clapotis, qui semblait provenir du corridor, mais n'eut pas la force de se lever pour aller voir de quoi il s'agissait. Une petite créature poussa la porte qu'il avait mal refermée et pénétra dans ses quartiers.

– Kyomi ? s'étonna Parandar.

Le bébé s'approcha à quatre pattes en poussant des cris de plaisir. Parce qu'elle ne portait qu'une couche en tissu, elle pouvait se déplacer sans encombre. Une fois qu'elle fut devant l'adulte, elle s'assit et le fixa en babillant, comme si elle désirait lui révéler quelque chose.

– Malheureusement, je ne comprends pas le langage des bébés, soupira Parandar.

Elle s'accrocha à la tunique de l'adulte pour se mettre debout.

– Tu es spéciale, petite fille...

Il se rappela la création de chacun de ses enfants avec de la poussière d'étoile dans une matrice gélatineuse en forme de grosse bulle. Puisque les dieux fondateurs n'avaient pas créé de conjoints célestes pour leur progéniture, il avait bien fallu que Parandar se débrouille autrement pour fonder son panthéon.

Sa joie fit rapidement place à la détresse quand des images du passé furent remplacées par celles de ses fils et de ses filles transpercés par des éclats de cristal sur le plancher de sa rotonde.

Kyomi poussa un cri aigu, tirant instantanément Parandar de ses pensées accablantes. Il essuya ses larmes et vit que le bébé lui tendait les bras. Malgré sa faiblesse, il se laissa attendrir et la souleva pour l'asseoir sur ses genoux.

– Qu'essaies-tu de me dire ?

Il n'eut pas le temps de le deviner que Mali arrivait en courant.

– Le ciel soit loué ! lança-t-elle, soulagée. Depuis qu'elle a commencé à se mouvoir toute seule, il n'y a plus moyen de la garder tranquille !

– Je suis désolé de ne pas vous l'avoir ramenée, s'excusa Parandar.

– C'est plutôt moi qui suis navrée qu'elle vous ait importuné.

Mali prit la petite, ce qui la fit éclater de rire, et exécuta une courbette pour saluer l'ancien chef des Ghariyals. Dès qu'elles furent parties, Parandar se coucha et dormit jusqu'au repas du soir. Craignant qu'il se laisse mourir de faim, Theandras vint le chercher et l'emmena dans le hall du roi où tous avaient accepté l'invitation de Patsko, même Aquilée ! Voyant qu'il ne choisissait rien dans les nombreux plats déposés au milieu de la table, sa sœur lui prépara une assiette et le surveilla en mangeant. Parandar n'avala que quelques dattes et but la totalité d'une cruche d'eau fraîche. « Il dépérit... » comprit Theandras.

– Ce pain au miel est délicieux, fit-elle pour le tenter.

Il n'en prit qu'une bouchée.

– Tu as raison.

– Puis-je te servir autre chose ?

– Ce serait bien inutile.

Il eut tout de même la décence d'attendre que le roi quitte la salle avant de saluer ses hôtes et de se diriger lui-même vers la sortie.

– On dirait un spectre qui ne sait pas quoi hanter, laissa tomber Aquilée.

La remarque était sans doute déplacée, mais on ne peut plus juste.

– Je ne sais plus quoi faire pour le consoler, avoua Theandras.

– Il n'est peut-être tout simplement pas fait pour la vie mortelle.

– C'est ce que je constate, en effet.

Parandar sortit dans la cour, malgré la pluie qui n'arrêtait pas de tomber. Il grimpa sur la passerelle du sud et s'arrêta devant un créneau. Le Désert s'étendait à perte de vue.

Une fois encore, il se plongea dans les souvenirs de sa vie tranquille dans le ciel. Le visage souriant de Clodissia, sa femme, se mit à danser devant ses yeux. Parandar éprouva aussitôt un irrépressible désir de se réfugier dans ses bras et la seule façon d'y parvenir, c'était de se donner la mort. Il grimpa entre les merlons et regarda en bas. En se laissant tomber dans le vide, il pourrait rejoindre sa bien-aimée.

– Ne faites pas ça, l'implora Santo en s'avançant sur la passerelle.

– Je n'appartiens pas à votre monde et ma famille me manque terriblement.

– La fuite ne règle jamais rien, vénérable Parandar.

– Ne m'appelez pas ainsi. Je ne suis plus rien.

– Ce n'est pas parce que vous n'avez plus de pouvoirs magiques que tout ce que vous avez fait jusqu'à présent ne compte plus.

– Oubliez-moi et remettez plutôt votre destin entre les mains d'Abussos.

– Je vous en prie, écoutez-moi. Vous nous avez créés à votre image. Or nous sommes courageux et ingénieux. Nous ne nous laissons pas abattre facilement par les épreuves de la vie. Nous imaginons des solutions pour les surmonter. Vous devez certainement posséder aussi ces belles qualités, sinon de qui en aurions-nous hérité ?

– J'ai façonné ce monde pour plaire à ma femme.

– Alors, montrez-lui qu'elle peut encore être fière de vous.

Santo lui tendit la main.

– Descendez de là et allons en parler dans un endroit sec.

Parandar demeura incertain pendant un moment, puis accepta l'aide du guérisseur. Les deux hommes se rendirent au jardin intérieur du palais, heureusement couvert. Il était déserté en fin de soirée.

Santo fit asseoir l'ancien dieu sur un banc à proximité de la fontaine dont le murmure était si apaisant. Une douce brise avait déjà commencé à sécher leurs cheveux et leurs vêtements.

– Si vous n'aimez pas les coutumes, la nourriture et le climat de Fal, sachez que nous avons divisé ce continent en un grand nombre de royaumes. Il fait plus frais au nord et plus chaud au sud. Si vous aimez le bruit des vagues qui viennent mourir sur la grève, vous pourriez vous établir à Zénor. Si ce sont les denses forêts qui vous attirent, alors Turquoise vous plairait. Si aucun de ces pays ne vous agrée, il y a toujours Enlilkisar, de l'autre côté des volcans.

Le dieu déchu plissa le front, car Santo lui présentait beaucoup trop de choix.

– J'aimerais en apprendre davantage sur chacun de ces endroits, dit-il enfin.

– C'est avec le plus grand plaisir que nous vous en parlerons. Vous connaissez déjà Fal, alors commençons par Zénor.

Santo lui décrivit l'imposante falaise, les terres cultivées des hauts plateaux, le château dans l'eau et la vieille cité rebâtie sur la plage. Parandar l'écouta en silence, étonné de ce que les hommes avaient fait de ces terres qu'il leur avait offertes.

16

VŒUX EXAUCÉS

De retour à la ferme de Jasson, Atlance se dirigea tout droit vers Katil, qui l'attendait sous le porche de la maison de sa belle-famille. Il la pressa contre lui avec tendresse.

– Elle est vivante, l'informa-t-il.

– Alors, pourquoi Nemeroff a-t-il annoncé son décès ? s'étonna-t-elle.

– Il l'ignorait.

Katil tira son mari à l'intérieur, où il faisait plus chaud et moins humide.

– Ton frère tout-puissant l'ignorait ? répéta-t-elle, incrédule.

– Apparemment, ma mère a été transportée à Enlilkisar par magie.

– Ce qui veut dire que ton père est mêlé à cette histoire.

– C'est ce que je crois.

Atlance lui raconta ainsi qu'à Sanya et aux garçons tout ce que Jasson et lui avaient appris au Château d'Émeraude. Pourtant, il ne semblait pas heureux de savoir que Swan était toujours en vie.

– Napalhuaca n'est pas ma mère, se justifia-t-il.

– Mais l'esprit de Swan est dans sa tête.

– Il a tout de même raison de se méfier, intervint Jasson. Ces histoires de possession d'autres corps se terminent toujours mal.

– De toute façon, nous ne la reverrons pas avant longtemps, puisque mon vortex ne fonctionne plus, trancha Atlance.

– Il semble bien que tu sois coincé ici jusqu'à la saison chaude, conclut son beau-père.

– Nous ne voulons surtout pas être un fardeau.

– Ces longs mois de pluie sont mornes et on finit par ne plus savoir quoi faire, l'encouragea Sanya. Nous nous réjouissons d'avoir de la compagnie.

Une fois la vaisselle lavée et rangée, Carlo et Cléman jouèrent aux osselets sur le plancher de la pièce principale, tandis que les adultes buvaient du thé près du feu. Le petit Lucca dormait paisiblement dans les bras de son père. « La vie est si simple à cet âge », songea Atlance en le berçant doucement. Tous se mirent au lit quelques heures plus tard et le martèlement régulier de la pluie sur les vitres les aida à trouver rapidement le sommeil.

En ouvrant l'œil, au matin, Atlance sentit tout de suite que quelque chose n'allait pas. Il se redressa sur ses coudes et regarda autour de lui.

– Mais comment est-ce possible ?

Il s'empressa de réveiller Katil, qui dormait près de lui.

– Qu'y a-t-il? grommela-t-elle en s'enfonçant plus profondément dans son oreiller.

– Nous ne sommes plus chez ton père.

– Quoi?

La magicienne s'assit d'un seul coup.

– Tu nous as ramenés chez nous? se réjouit-elle.

– Non... s'inquiéta Atlance. Et ton père ne possède plus les bracelets magiques qui lui permettaient de se transporter là où il le voulait.

– Alors comment?

Atlance mit prudemment le pied sur le plancher, qui craqua sous son poids. Urulocé et Ramalocé quittèrent le panier rempli de vieilles serviettes qu'ils avaient adopté pour dormir, et galopèrent à sa rencontre.

– Enfin! s'écrièrent-ils en chœur.

– Quand sommes-nous rentrés? demanda le prince, troublé.

– Ce matin, sans doute, car vous n'étiez pas ici hier soir, répondit Urulocé.

– Avez-vous assisté à notre retour?

– Malheureusement pas, se désola Ramalocé. Nous dormions à pattes fermées.

– Pourquoi posez-vous cette question? s'étonna Urulocé.

– Parce que j'ai perdu ma faculté de me déplacer magiquement, alors j'ignore comment nous avons quitté la maison de

Jasson pour arriver jusqu'ici... à moins que je sois en train de rêver.

Urulocé mordit aussitôt le gros orteil de son nouveau maître, qui poussa un cri de douleur.

– Mais qu'est-ce qui te prend ?

– Je voulais seulement vous prouver que vous n'êtes pas en train de rêver.

L'éclat de voix d'Atlance avait réveillé Lucca.

– Au moins, le bébé nous a suivis, fit Katil en allant le prendre dans son berceau.

– Si ce n'est pas vous ou votre femme, peut-être que c'est Lucca qui voulait rentrer à la maison ? suggéra Urulocé.

– Il ne possède pas cette magie, affirma la mère.

Atlance remarqua alors que des bûches brûlaient dans l'âtre.

– Vous savez comment allumer un feu ?

– En théorie seulement, répondit Ramalocé, mais nous n'avons jamais tenté l'expérience, puisque nous générons notre propre chaleur.

– Alors, celui ou celle qui nous a emmenés ici s'est assuré que nous ne mourrions pas de froid durant la nuit...

– Ta mère, alors ? tenta de deviner Katil.

– Elle n'a jamais possédé le pouvoir de se téléporter.

– Et Napalhuaca ?

– Je n'en sais franchement rien.

– Maître Atlance, nous donnez-vous la permission de mener une enquête ? réclama Urulocé.

– Bien sûr. Je ne trouverai pas la paix avant de comprendre ce qui s'est passé.

Comme des chiens de chasse, les petits dragons se mirent à flairer chaque centimètre carré de la maison.

Katil changea les langes de son fils, puis lui donna à manger pour l'apaiser. Quant à Atlance, il alla s'asseoir au bord de l'âtre et tenta de revenir aussi loin que possible dans ses souvenirs, mais ils s'arrêtaient au moment où il avait fermé les yeux la veille.

– Nous avons trouvé quelque chose ! s'écria finalement Urulocé.

– Cependant, vous n'allez pas aimer notre découverte, ajouta Ramalocé.

– Dites-le-nous quand même, soupira Atlance.

– Nous discernons en effet une puissante magie.

– Et elle est toute fraîche, précisa Urulocé.

– Allez-vous vous décider à parler ? les pressa Atlance.

– C'est celle de votre frère Nemeroff.

Atlance et Katil restèrent bouche bée. Puisqu'il fallait avoir déjà visité le lieu où on tentait de se rendre par vortex et que le nouveau Roi d'Émeraude savait où habitait le couple, il avait certainement pu les transporter à Zénor, mais pourquoi ?

– As-tu dit à Nemeroff que tu ne pouvais plus rentrer chez nous ? articula finalement Katil.

– Je ne l'ai même pas vu quand je suis allé au château.

– Les frères ne possèdent-ils pas tous la faculté de deviner les pensées les uns des autres, comme Urulocé et moi ? s'enquit le dragon bleu.

– Est-il assez puissant pour savoir ce qui se passe dans ta tête ? s'effraya Katil.

– Je ne sais pas de quoi il est capable. Peut-être nous épiait-il lorsque nous étions chez ton père.

Katil, Atlance, où êtes-vous ? fit la voix angoissée de Jasson dans leur esprit. *Ne t'inquiète, papa,* lui répondit la jeune femme par télépathie. *Nous ne savons pas ce qui s'est passé, mais nous nous sommes réveillés chez nous.*

⁕ ⁕ ⁕

Sous le Château d'Émeraude, couché dans un océan de pièces d'or, de pierres précieuses et de bijoux étincelants, le dieu-dragon savait tout ce qui se passait sur son territoire. Il avait donc capté le désir de son frère de rentrer à Zénor et, puisqu'il ne supportait pas la rivalité, il l'avait tout de suite exaucé. Mieux encore, sans pouvoirs magiques, Atlance serait moins tenté de revenir dans son pays de naissance, qui se situait à des centaines de kilomètres de la côte.

Même s'il n'était pas encore marié à Kaliska, Nemeroff partageait désormais son lit, mais il ne pouvait pas y rester jusqu'au matin. De toute façon, elle n'aurait pas apprécié qu'il se transforme en dragon à côté d'elle. Alors, toutes les nuits, il s'esquivait dès qu'elle dormait et regagnait son antre obscur. Il ignorait comment se débarrasser de cette malédiction et, tôt ou tard, il serait bien obligé d'en parler à celle qui régnerait avec lui pour le reste de ses jours. Mais, pour l'instant, elle ne s'en était pas encore aperçue. Son union charnelle avec Kaliska avait créé entre elle et lui un lien télépathique que personne ne pourrait jamais briser. Dès qu'elle s'éveillait, il le sentait, et il retournait auprès d'elle.

Il aura dû être soulagé d'apprendre que sa mère était encore vivante, mais puisque l'information provenait de Fabian et de Cornéliane, il ne savait pas s'ils disaient la vérité. Tandis qu'ils se tenaient tous les deux devant lui, à la porte de ses appartements, il avait scruté leur esprit et n'y avait trouvé que le visage d'une femme qui n'était pas sa mère. Mais, pour son plus grand bonheur, il avait enfin revu son père...

Onyx n'avait pas du tout changé, malgré toutes ces années. En fait, si Nemeroff n'avait pas également capté dans les pensées de son frère et de sa sœur l'image d'un colosse aux cheveux blonds balançant Marek dans le vide, il aurait tout de suite déployé ses ailes pour aller à la rencontre de ses parents. Mais qui était cet étranger et quelle menace représentait-il pour son règne ?

Après avoir transporté Atlance et sa famille à Zénor, Nemeroff avait décidé d'explorer son royaume avec son esprit. Il avait flairé le passage de cet intrus magique au nord de son château et avait mentalement suivi sa trace jusqu'à Shola, où il captait une grande détresse. « Qui est-il ? Pourquoi est-il allé là-bas ? » Sans doute pour exterminer la famille du petit scélérat...

Nemeroff captait la puissance du dieu-lion et cela ne lui plaisait pas du tout qu'il se déplace à son gré sur son continent.

Il avait donc continué de le traquer et avait découvert qu'il se cachait dans les volcans. Avant de pouvoir pousser son enquête plus loin, il sentit que sa fiancée venait d'ouvrir l'œil et qu'elle s'inquiétait de son absence. Nemeroff reprit aussitôt sa forme humaine et se matérialisa à l'entrée de sa chambre.

– Qu'y a-t-il, ma bien-aimée ?

Kaliska avait placé les mains sur son ventre et le fixait avec interrogation. Il s'approcha vivement, craignant qu'elle soit souffrante. Un sourire tremblant apparut sur son visage lorsqu'il comprit ce qui se passait.

– On dirait un bébé... balbutia-t-il.

– Déjà ? Mais nous ne sommes pas mariés ! s'effraya-t-elle.

– Alors, nous n'avons plus le choix.

Il lui prit la main et l'entraîna vers la sortie de leurs appartements.

– Où allons-nous ?

– Mais nous marier, bien sûr.

– Je suis en robe de nuit, Nemeroff !

Elle n'eut pas le temps de battre des cils qu'elle se retrouva serrée dans sa magnifique robe dorée recouverte de joyaux et parée d'un collier en diamants. Nemeroff l'arrêta devant le grand miroir accroché au mur.

– Ça te plaît ?

– Mais où as-tu pris ce bijou ? murmura-t-elle, la gorge serrée.

– Tu ne veux pas le savoir.

– Au contraire, j'y tiens !

– Les sous-sols des grands châteaux d'Enkidiev regorgent de trésors insoupçonnés.

– Lequel de ces châteaux ?

– Shola.

En se tournant vers Nemeroff, elle constata qu'il portait de riches habits noirs piqués de minuscules diamants.

– Ceux-là étaient suspendus dans la penderie de mon père, avoua-t-il.

– Ils te vont à merveille.

Nemeroff entraîna sa fiancée dans le couloir.

– Nous avions décidé d'inviter nos familles à la cérémonie, lui rappela-t-elle en le suivant de son mieux, empêtrée dans les larges pans de sa robe.

– Je tiendrai ma promesse, mais s'ils décident de ne pas se présenter ce matin, ce ne sera pas de ma faute.

– Ça ne leur laissera pas suffisamment de temps pour se préparer et se rendre à Émeraude !

– Mais moi, je n'ai mis que quelques secondes à nous parer de nos plus beaux atours.

– Ils ne possèdent pas ta magie, Nemeroff.

– Dans ce cas, que ceux qui le peuvent se présentent. Maintenant que tu es enceinte, nous ne pouvons plus attendre.

Quelques secondes plus tard, Kaliska se retrouva dans la salle du trône, où son futur mari alluma un bon feu dans l'âtre d'un seul geste de la main.

Il se planta devant elle et fut le premier à lancer un appel à sa famille. *Père, mère, c'est moi, Nemeroff. Ce matin, j'ai décidé d'épouser Kaliska, la plus merveilleuse femme de l'univers, et j'aimerais que vous assistiez à cette courte cérémonie*. La réponse ne parvint ni d'Onyx, ni de Swan. *Quoi!* s'exclama Kira. *Ce mariage ne devait pas avoir lieu avant des mois!* Kaliska se mordit la lèvre inférieure avec remords, mais n'eut pas le temps de rassurer sa mère. *Nous l'avons devancé. Il ne vous reste donc que quelques minutes pour vous présenter à Émeraude*, répliqua Nemeroff.

* * *

Dans sa longue maison, chez les Anasazis, Onyx venait à peine d'ouvrir l'œil lorsqu'il entendit les paroles de ce fils qu'il avait perdu durant la dernière invasion. « Il est à peine revenu à la vie qu'il se marie ? » s'étonna-t-il.

Napashni dormait près des berceaux, réchauffée par les braises. D'ici peu, les bébés allaient réclamer leur premier repas de la journée.

– Je peux les surveiller en votre absence, murmura Wellan, couché sur le côté sur son lit de paille.

– Tu l'as donc entendu, toi aussi.

– Tu meurs d'envie de le revoir. Pourquoi hésites-tu ?

– Je me suis juré de ne jamais remettre les pieds dans ce château.

– Parce que ta femme t'en avait chassé ? Mais elle est désormais à tes côtés. Alors ?

– Napashni a besoin de repos.

– Tu crains que Nemeroff lui jette un nouveau sort de docilité ?

– Je ne crains rien du tout.

– Alors, pourquoi songes-tu à y aller seul ?

– Parce que je n'ai pas encore démêlé mes sentiments envers elle, se livra finalement Onyx.

– Ce n'est pas toi qui se marie, mais ton fils. Et, si j'ai bien compris, dans quelques minutes à peine.

– Il ne la reconnaîtra même pas.

– Ne peux-tu pas lui jeter le même sort qu'à Jaspe et Anoki ?

Onyx émit un grognement de contrariété et secoua Napashni.

– Déjà ? gémit-elle en battant des paupières.

– Nemeroff se marie et il veut que nous soyons là.

– Quoi ? Quand ?

– Maintenant.

La prêtresse se redressa d'un seul coup et jeta un œil à sa tenue anasazi.

– Tu n'es plus la Reine d'Émeraude, lui rappela Onyx. Personne ne s'en offensera.

– Mais mes cheveux...

– Rien qu'un peu de magie ne peut pas arranger, commenta Wellan.

– Les bébés ?

– Wellan veillera sur eux.

Onyx prit la main de sa compagne et l'aida à se lever.

– Nous ne pouvons pas aller à ce mariage sans avoir au moins pris un bain, protesta-t-elle.

– Et là, c'est mieux ? soupira l'empereur.

En l'espace d'une seconde, Napashni se retrouva dans la robe verte ourlée d'or qu'Onyx lui avait offerte des années auparavant et sa peau était toute fraîche et parfumée.

Elle remarqua également que son mari portait une simple tunique, un pantalon et des bottes noires.

– Pour la coiffure, je préfère tes cheveux quand ils ne sont pas attachés.

Il se tourna vers Wellan.

– J'ai déjà eu des enfants, lui rappela l'ancien chef des Chevaliers. Je sais quoi faire.

Les yeux clairs d'Onyx plongèrent ensuite dans ceux de sa femme.

– Je suis consciente que nous avons encore des problèmes conjugaux à régler, mais il n'est pas nécessaire de le laisser paraître devant les tourtereaux, l'avertit-elle.

Serrant les lèvres pour ne pas faire de commentaire, Onyx les transporta tous les deux à Émeraude, à l'entrée de la salle du trône. Il sentit aussitôt les doigts de Napashni serrer fortement les siens, sans doute par nervosité.

– Mon visage ? murmura-t-elle.

– Arrête de t'affoler. Tu es belle, même quand tu viens de te lever.

– Est-ce le mien ou celui de Napalhuaca ?

– C'est le tien désormais, aux dires de Lessien Idril.

Il était si tôt que les serviteurs n'avaient pas encore commencé leurs corvées quotidiennes. Le palais baignait encore dans l'obscurité et des flambeaux brûlaient, accrochés aux murs.

Nemeroff sut que son père était arrivé avant même d'entendre résonner ses bottes dans la vaste pièce.

Onyx s'immobilisa à une trentaine de pas de cet homme qui prétendait être son aîné. Il commença par étudier son regard, puis sonda son cœur. Il n'y eut alors plus aucun doute dans son esprit : c'était bel et bien l'énergie de Nemeroff qu'il détectait. Des larmes de joie se mirent à couler sur les joues du dieu-dragon. Il s'approcha d'Onyx, dont il n'avait gardé que de bons souvenirs.

– Père...

– Je ne reconnais pas tes traits, mais je sais que c'est toi.

Nemeroff se faufila dans les bras d'Onyx de la même façon qu'il le faisait lorsqu'il était enfant, incapable de retenir ses sanglots de joie.

– Alors, c'est toi le Roi d'Émeraude, désormais ?

– Comme vous l'aviez souhaité jadis.

Onyx lui saisit les bras et le fit reculer pour le regarder encore une fois.

– Le peuple te respecte, au moins ?

– Je suis un excellent souverain.

– Ce qui m'étonne, par contre, c'est que tu viens à peine de naître et que tu es déjà prêt à te marier, avoua Onyx en relevant un sourcil.

– Un roi a besoin d'une reine, comme vous le savez bien vous-même.

Nemeroff salua ensuite sa mère.

– Je suis tellement heureuse pour toi, mon poussin, lui dit-elle.

– Fabian et Cornéliane ont donc dit vrai. Vous et la Mixilzin ne faites plus qu'une seule personne.

– Ma mémoire contient leurs pensées, leurs émotions et leurs souvenirs, confirma-t-elle. Toute ma vie j'ai ressenti une profonde insatisfaction que je ne m'expliquais pas. Maintenant, je sais que j'étais incomplète, car une partie de moi vivait de l'autre côté des volcans.

Un vortex se forma derrière eux. Lassa et Kira en émergèrent et ils n'étaient pas habillés pour un mariage.

– Kaliska, pourquoi cet empressement ? demanda Lassa en ignorant la famille royale et en marchant jusqu'à sa fille, Kira sur les talons.

Afin d'éviter une discussion inutile, la guérisseuse prit les mains de ses parents et les appuya contre son ventre.

– Par tous les dieux... s'étrangla Lassa.

– Vous avez couché ensemble avant d'être mariés ? fit Kira sur un ton de reproche.

– Le cœur a ses raisons que la raison ignore, rétorqua Nemeroff.

Lassa consulta sa femme du regard.

Onyx ne comprenait pas pourquoi ses anciens compagnons d'armes s'énervaient ainsi. Lorsqu'une femme et un homme partageaient le même lit, il était tout naturel qu'ils conçoivent des enfants.

– La présence d'une vie en toi nous oblige à taire notre déception, soupira Lassa, mais sache que nous n'approuvons pas ce mariage.

– Ne pourriez-vous pas plutôt vous réjouir pour moi ? les implora Kaliska.

– Moi, j'ai toujours su que nos deux familles finiraient par s'unir, laissa tomber Onyx avec un large sourire.

Les parents de la guérisseuse semblèrent remarquer pour la première fois la présence du couple royal.

– Ne devrais-tu pas être au bras de ta femme ? reprocha Kira à Onyx.

– Mais c'est moi, Swan. Mon âme s'est fusionnée à celle de Napalhuaca.

– Tiens donc, ça me rappelle quelque chose...

– Je n'ai pas pris possession de son corps, si c'est que tu insinues. J'étais une partie d'elle et elle, une partie de moi, mais nous avons été séparées à la naissance. Ne te fie pas à tes yeux. Je suis la même guerrière qui passait des heures à pratiquer l'escrime avec toi sous l'œil critique de Bridgess dans le hall des Chevaliers lorsque les serviteurs avaient rangé toutes les tables.

– Pourriez-vous procéder à ces réminiscences après la cérémonie ? s'enquit Nemeroff.

– Oui, bien sûr, mon chéri, le rassura Napashni.

– Si vous le voulez bien, ma bien-aimée et moi aimerions que nos pères nous unissent.

Onyx accepta sur-le-champ, mais Kira dut pousser discrètement Lassa dans le dos pour qu'il s'avance vers les futurs mariés. Un papyrus apparut dans leurs mains.

– C'est juste au cas où vous auriez oublié les mots d'usage, les taquina Nemeroff.

Malgré les réticences de ses parents, quelques minutes plus tard, Kaliska devint l'épouse du Roi d'Émeraude.

« Elle ne sait pas ce qui l'attend », ne put s'empêcher de penser Kira, découragée. Les jeunes gens étreignirent leurs aînés en leur promettant de s'aimer pour la vie et de régner avec courage, honneur et justice.

Lorsqu'ils furent repartis, Nemeroff emmena sa belle dans les jardins du château, où il arrêta la pluie de tomber. Ils marchèrent sur les allées en se regardant dans les yeux.

– Es-tu enfin heureux ? s'enquit Kaliska.

« Presque... » songea-t-il en s'arrêtant pour l'embrasser. Elle était loin de se douter de ce qu'il venait de faire au dernier de ses frères qui habitait Émeraude.

* * *

Maximilien se réveilla en sursaut. Le gros ventre d'Aydine était appuyé dans son dos et ils étaient enveloppés dans leurs couvertures préférées, mais le bruit de la pluie n'était plus le même. Il huma l'air et capta des odeurs d'écurie. Le vent ne venait pourtant jamais de ce côté du palais...

Sans réveiller sa femme, Maximilien se glissa hors du lit. Il remarqua que leur chambre était deux fois plus grande, tout à coup ! Il ne reconnut pas non plus les autres pièces de ses appartements. Pour s'assurer qu'il n'était pas en train de rêver, il ouvrit la porte, qui aurait normalement dû donner sur le couloir divisant l'étage du palais d'Émeraude en deux. Il se retrouva plutôt sous un porche en pierre.

– Mais qu'est-ce qui se passe ici ?

Il demeura un long moment interdit. Devant lui s'étendait une interminable prairie. Il revint à l'intérieur et inspecta plus attentivement les lieux.

Le côté gauche de son logis comprenait cinq chambres à coucher, tandis que du côté droit s'ouvraient un vaste hall et, derrière, des cuisines fort bien équipées. Le jeune dompteur de chevaux éclata de rire, car il s'agissait là du genre de maison qu'il voulait se faire construire depuis toujours. « Je vais me réveiller et raconter ça à Aydine », se dit-il.

– Maximilien, où sommes-nous ? fit alors sa femme, sur le seuil du hall.

– Es-tu en train de rêver toi aussi ? s'étonna-t-il.

– Si les bébés donnent des coups de pied dans le ventre de leur mère pendant leur sommeil, alors, c'est possible. Mais je pense plutôt que c'est ce qui m'a réveillée.

Il se hâta auprès d'elle et posa la main sur son ventre. La petite était en effet très agitée.

– Comment sommes-nous arrivés ici et à qui appartient ce palais ?

– Je me posais justement la même question, avoua-t-il.

Ils explorèrent donc les lieux ensemble. Ce fut Aydine qui remarqua la première le sac en cuir et la note laissée sur l'une des tables des cuisines.

– Je parle votre langue, mais je ne la lis pas encore, déplora-t-elle.

Maximilien lut donc à voix haute ce qui était écrit sur le bout de papyrus :

– Voici la part que mère comptait te donner le jour de ton départ. Si tu l'ajoutes à ce que Fabian et Shvara m'ont volé, tu devrais fort bien t'en tirer dans la vie. Et c'est signé Nemeroff.

– Ils lui ont pris de l'argent ? s'offusqua Aydine.

– À peine quelques pièces, ma chérie. Ils voulaient seulement nous aider.

Le dompteur de chevaux eut du mal à soulever l'offrande de son aîné tellement le sac était lourd.

– Sa générosité m'étonne, s'exclama-t-il. Il faut trouver une cachette pour cet argent.

– J'ai vu un coffre au fond d'une des penderies.

Ils s'empressèrent d'aller le vérifier. Tout ce qu'ils avaient possédé au Château d'Émeraude les avait suivis. Ils transportèrent donc leur trésor en sûreté, puis décidèrent d'aller inspecter l'extérieur de leur nouveau logis. Ils s'enveloppèrent dans des capes et sortirent sous la pluie. En reculant de plus en plus, ils finirent par avoir une vue d'ensemble de leur maison, qui avait la forme d'un château avec des tours aux quatre coins et des crénelures autour du toit.

– Sommes-nous toujours à Émeraude ?

– Je n'en sais franchement rien, soupira Maximilien

Sans le soleil, il était bien difficile de s'orienter. Il aperçut alors un bâtiment vers la gauche et s'y rendit. Il s'agissait d'une grande écurie en pierre ! Tout autour s'élevaient des clôtures qui séparaient une vingtaine de paddocks. Le couple y pénétra et s'étonna de trouver une dizaine de chevaux bien au sec dans des stalles.

– C'est Nemeroff qui t'a donné tout ceci ? s'enquit Aydine.

– Il est certainement assez puissant pour ça, mais ce qui m'inquiète encore plus, c'est qu'il ait pu déloger les possesseurs de cet endroit pour nous y installer.

– Regarde, il y a une pochette en cuir clouée sur la poutre, là-bas, Maximou.

Il la décrocha et constata qu'elle contenait les titres de la propriété. Ils étaient bel et bien à son nom.

– Nous sommes au Royaume de Perle, à proximité de sa frontière méridionale avec le Royaume de Cristal ! découvrit-il en lisant le document.

– Pourquoi nous a-t-il envoyés aussi loin ?

– Parce que c'était mon rêve de posséder un élevage de chevaux à Perle... mais comment l'a-t-il su, puisque je ne lui en ai jamais parlé ?

– Dans notre propre petit palais...

Aydine ne donna pas le temps à Maximilien de se torturer davantage l'esprit. Elle se faufila dans ses bras et couvrit son visage de baisers.

17

AUROCH

Kimaati était de fort belle humeur lorsqu'il rentra à sa nouvelle forteresse. Non seulement il avait retrouvé l'une des deux femmes qui avaient fait battre son cœur, mais il venait d'apprendre que Fan lui avait donné une fille... «Myrialuna», répéta-t-il mentalement. De son union avec Étanna, il ne restait plus que Solis et Anyaguara. Combien de petits-enfants avait-il ?

– Du vin ! hurla-t-il en apparaissant dans son hall.

Il s'installa sur une bergère et déposa les pieds sur un pouf devant le feu magique qui brûlait dans l'âtre. Pendant que les Hokous se précipitaient dans la cave à vin, Kimaati revit dans ses pensées les trois petits garçons dans leur berceau.

– Tayaress ! appela-t-il.

L'Immortel tomba du plafond comme une araignée au bout de son fil et se posta à quelques pas du dieu-lion.

– Je reviens de Shola. Tu ne devineras jamais ce que j'y ai vu !

Puisqu'il se doutait que Kimaati poursuivrait son histoire, Tayaress demeura silencieux.

– La femme que j'ai tant aimée, mais que j'ai dû abandonner quand les pisteurs d'Achéron m'ont retrouvé, y vit encore. Elle m'a raconté une curieuse histoire de mort et de résurrection que j'ai eu du mal à comprendre, mais qu'importe, elle est bel et bien de retour. Mieux encore, nous avons eu une fille ! Et, à son tour, elle m'a donné six petites-filles et trois petits-fils ! Ma dynastie est déjà sur la bonne voie !

Les traits de la divinité se durcirent.

– J'ai aussi revu la femme mauve et j'ai senti le sang de mon frère Amecareth dans ses veines, se rappela-t-il. Il n'a donc pas été castré comme Rewain.

– C'est Kira, l'informa Tayaress. Si vous croyez pouvoir la rallier à votre cause, vous vous trompez. Elle s'est déjà liguée avec les humains contre son propre père et a causé sa perte.

– Qui voudrait être l'enfant de cet insecte dégoûtant ?

– Elle a prêté un serment d'allégeance aux soldats verts. Elle ne reviendra jamais sur sa parole.

– C'est ce qu'on verra... Ça vient, ce vin ?

Un Hokou se hâta dans le hall et déposa une coupe en argent et une cruche de vin sur le guéridon près du nouveau maître des lieux.

Kimaati s'empara de la buire et se mit à boire.

– Je vais rapatrier toute ma famille ici, décida-t-il en s'essuyant les lèvres.

– Ils mènent déjà une vie satisfaisante ailleurs.

– Je ne leur donnerai pas le choix. Parle-moi des enfants d'Anyaguara et de Solis.

– Votre fille n'a eu qu'un fils avec un Immortel reptilien. Il s'appelle Mahito et il se transforme en tigre. Solis, quant à lui, a gambadé dans divers jardins. Son fils Kirsan est tombé amoureux d'une femme-poisson et a entrepris avec succès de devenir lui-même un Ipocan.

– Quelle curieuse idée...

– Il a également eu une fille avec la Reine d'Émeraude. Elle s'appelle Cornéliane. Vous connaissez déjà Marek, le fils qu'il a eu avec la femme mauve.

– Nous allons former une belle grande famille.

– Dois-je vous rappeler que vous avez jeté Marek de votre balcon ?

– Je voulais voir comment réagiraient ses sauveteurs. Il comprendra mon geste.

Tayaress en doutait, mais il retint sa langue. Si son maître voulait courir à sa perte, cela ne regardait que lui seul.

– Te voilà enfin, fit une voix de femme à l'entrée du hall.

En voyant approcher l'enchanteresse, Tayaress se volatilisa sans attendre que Kimaati le lui ordonne. Moérie se déhancha jusqu'à l'imposant dieu-lion.

– Où étais-tu ?

– Je suis allé faire un peu d'exploration.

– Est-ce prudent avec tous ces chasseurs de primes à ta recherche ?

– Je ne les crains plus, désormais.

L'Elfe grimpa sur ses genoux et flaira sa tunique rouge.

– Ce sont des femmes que tu es allé voir ?

– J'ai en effet repéré mon propre sang dans un des royaumes de l'autre côté des volcans et j'ai voulu vérifier la justesse de mes perceptions.

– Ton sang ? Parles-tu d'autres dieux en provenance de ton monde ?

– Certainement pas. Il s'agissait des enfants de ma fille.

– Tu ne m'as jamais dit que tu t'étais reproduit dans mon univers.

– Mais est-ce de la jalousie que je décèle dans ta voix ? se moqua Kimaati.

– Tu m'as dit qu'il n'y avait personne d'autre que moi dans ta vie.

– Il y en a eu deux autres avant toi, Moérie, que ça te plaise ou pas.

– Je mérite d'être exclusive après tout ce que j'ai fait pour te plaire.

– C'est étrange, car je ne me souviens pas d'avoir accepté une telle condition.

– Tu pourrais regretter ton infidélité, Kimaati.

– Écoute-moi bien, enchanteresse, rugit Kimaati, mécontent. Je vis un jour à la fois et je me préoccupe d'abord et avant tout de ma propre survie. Je prends ce que je trouve sur ma route et surtout, je n'accepte pas qu'on me fasse des menaces.

– J'ai tué pour toi.

– Et je suis certain que ça t'a plu.

– Je veux être ta seule et unique reine.

– Je suis immortel et tu finiras par mourir.

– Alors, jure-moi fidélité jusqu'à ce que je quitte cette vie.

– Tu es beaucoup trop ambitieuse, Moérie. Ça pourrait bien te mener à ta perte.

L'enchanteresse lui arracha un baiser passionné, puis un deuxième. Elle lui enleva sa tunique en la tirant par-dessus sa tête et allait lui ôter son pantalon lorsqu'il se redressa sur sa chaise, en état d'alerte.

– Que ressens-tu ?

– Une énergie en provenance de la cité d'Achéron.

Moérie s'empressa de sauter sur le plancher pour le laisser se lever. Elle savait très bien que si les chasseurs à la solde du dieu-rhinocéros parvenaient à tuer Kimaati, ils ne l'épargneraient pas non plus.

Tayaress avait aussi capté l'approche d'une créature inconnue. Sans la moindre hésitation, il s'était rendu devant les grandes portes de la forteresse et les avait refermées, par précaution. Campé sur ses jambes, il attendait l'intrus de pied ferme. Au milieu des vignes, les travailleurs s'étaient immobilisés en voyant l'Immortel adopter une position de combat. Soudain le plateau trembla alors qu'y atterrissait un homme à la peau bronzée aussi grand et aussi robuste que leur nouveau maître.

Lorsque Tayaress sortit ses poignards, les vignerons prirent la fuite en direction de leur maison. Ils ne voulaient certainement pas se retrouver coincés entre ces deux hommes qui risquaient de se provoquer en duel.

L'homme au large torse et aux puissantes épaules s'avança vers le château. Ses longs cheveux retombaient dans son dos en une myriade de petites tresses noires et ses yeux turquoise brillaient dans son visage taillé à la serpe.

– Identifiez-vous !

– Je suis Auroch ! répondit l'intrus d'une voix tonitruante. Où est mon ami lion ?

Les portes grincèrent derrière l'Immortel.

– Du calme, Tayaress ! s'exclama Kimaati en riant.

Le colosse passa près de l'assassin et marcha au-devant d'Auroch. Dans un terrible choc de leurs corps, les deux hommes s'étreignirent comme des frères. Puis, Kimaati le ramena vers l'entrée de son château.

– C'est mon fidèle Auroch ! lança-t-il.

Tayaress demeura sur ses gardes, prêt à lancer ses lames.

– Nous avons pratiquement grandi ensemble.

Cela n'impressionna nullement l'Immortel, qui avait appris à se méfier de la constance des dieux et des hommes.

– Il m'a aidé à monter une formidable armée de loyaux soldats.

– Celle qu'Achéron a écrasée ? riposta finalement Tayaress.

– Ce n'était qu'une petite partie de nos forces. J'ai été trahi par un vil sorcier et j'ai dû fuir ma patrie, mais Auroch a poursuivi l'entraînement de nos troupes, n'est-ce pas, Auroch ?

– Elles n'attendent qu'un mot de ta part pour se remettre en marche.

Kimaati entraîna son ami dans le vestibule.

– Très belle forteresse, commandant, le complimenta Auroch.

Le hall lui plut encore davantage.

Allongée sur le côté sur une longue banquette, Moérie contempla le nouveau venu de la tête aux pieds.

– N'y pense même pas, l'avertit le dieu-lion. C'est un eunuque, comme tous les serviteurs créés par Achéron. Et s'il avait pu m'attraper, mon père m'aurait certainement fait castrer, moi aussi.

Les deux hommes prirent place devant le feu.

– Tu pourrais me le présenter ? se hérissa la magicienne.

– Auroch, voici Moérie, l'enchanteresse qui m'a débarrassé de la presque totalité des enfants d'Abussos. Es-tu ici parce que tu as été dénoncé, mon ami ?

– Non, commandant. Je suis venu t'annoncer que tes fidèles soldats sont de nouveaux prêts à marcher sur la citadelle de ton père.

Insultée d'être ainsi écartée de la conversation, Moérie décida tout de même de rester dans la pièce et d'apprendre tout ce qu'elle pouvait sur les plans de guerre du dieu-lion.

– Les choses ont changé, Auroch, avoua Kimaati en lui versant du vin. J'ai découvert un monde qui a perdu tous ses dieux et qui est prêt à en adorer un autre. Peux-tu faire passer mon armée dans la brèche ?

– Sans problème.

Il vida sa coupe d'un trait.

– Peux-tu encore te transformer ? voulut savoir Kimaati.

– Nous le pouvons tous.

Moérie s'émerveilla lorsqu'elle vit le soldat se métamorphoser en un vigoureux taureau de combat aux longues cornes pointues.

– Nous faucherons tous ceux qui nous résisteront, se réjouit le lion.

– Il y a cependant quelque chose que tu dois savoir, commandant. Ton père a lancé les chasseurs hyènes à tes trousses et ils savent que tu es sur cette planète.

– Cette fois, je les mettrai en pièces, car je suis parfaitement remis.

– Je ne les laisserai pas se rendre jusqu'à toi.

– Ce soir, ne pensons plus à ces casse-pieds et buvons comme autrefois !

Kimaati se tourna vers la porte.

– Du vin ! hurla-t-il.

Les serviteurs Hokous, qui savaient désormais que la soif du dieu-lion était inapaisable, avaient prévu le coup. Ils s'empressèrent donc d'apporter une très grande quantité d'amphores remplies du vin que produisaient les ouvriers d'An-Anshar.

18

LES FUGITIFS

Après avoir pénétré dans ce qu'il restait de la forêt du pays des Mixilzins, au pied des volcans, Ayarcoutec, Azcatchi et Cherrval durent en venir à la conclusion qu'ils ne savaient plus où aller.

Onyx était parti à la conquête du nouveau monde, alors il pouvait se trouver n'importe où. Le mieux, c'était de se renseigner. Le Pardusse offrit alors de conduire ses compagnons au village de son ami Féliss. Sans doute les Itzamans savaient-ils quelque chose sur les déplacements de l'empereur. Ayarcoutec décida de lui faire confiance et le suivit jusqu'aux grands champs cultivés.

Puisque la ressemblance entre Onyx et Azcatchi était frappante, les paysans qui les virent approcher se demandèrent pourquoi l'empereur, qui était parti avec Wellan et Napalhuaca quelque temps auparavant, revenait dans leur pays avec Cherrval et l'enfant. Mais lorsque le trio se fut suffisamment rapproché des maisons, les habitants constatèrent qu'il ne s'agissait pas du tout de l'homme qui avait regroupé les Nacalts.

– Azcatchi ! hurla une femme, terrorisée.

– Non ! Vous n'avez rien à craindre de lui ! le défendit Ayarcoutec.

Mais elle ne put rien faire pour empêcher la panique qui suivit. Des enfants avaient foncé vers la cité pour avertir la famille royale du danger. Les soldats empoignèrent leurs lances et se précipitèrent vers les cultures, Sévétouaca à leur tête. Ils entourèrent prestement les fugitifs.

– Ce n'est pas ce que vous pensez ! s'écria Ayarcoutec, effrayée.

Croyant que le dieu-crave avait enlevé la fillette, Sévétouaca la souleva de terre et la remit à son homme de confiance pour qu'il la ramène au palais. La princesse se débattit et protesta de tous ses poumons, mais personne ne l'écouta. Il ne restait plus que Cherrval et Azcatchi au centre d'un véritable barrage de lances et de visages grimaçants.

– Écoutez-moi ! réclama le Pardusse. Nous étions prisonniers d'un horrible dieu au sommet des volcans et nous avons réussi à nous enfuir grâce à cet homme !

– Ce n'est pas un homme ! cracha Sévétouaca. C'est le cruel Azcatchi, qui a assassiné les nôtres et qui réclamait des sacrifices sanglants tant sur l'autel de la pyramide de Séléna que sur celui de Solis !

– Il a été rejeté par les siens et il ne cherche qu'à se faire pardonner !

– Emparez-vous de lui !

Les guerriers foncèrent sur les deux hommes en poussant des cris effrayants. Cherrval se mit à rugir pour les faire reculer, mais ils étaient trop nombreux. Des nœuds coulants lui emprisonnèrent les membres. En y mettant toute leur force, les Itzamans parvinrent à l'immobiliser. Incapable de venir en aide au crave, Cherrval ne put qu'assister à sa capture. À sa grande surprise, Azcatchi n'opposa aucune résistance à ses assaillants et se laissa emmener comme un agneau à l'abattoir. Les soldats qui avaient capturé le Pardusse parvinrent à le faire marcher entre eux en tirant vivement sur les cordes.

La totalité des habitants de la cité du soleil, et le Prince Féliss lui-même, étaient massés sur la grande place lorsque les soldats arrivèrent avec les prisonniers. Retenue contre son gré, Ayarcoutec continuait de tempêter, en vain. Tous les regards étaient rivés sur l'impitoyable dieu-crave, dont les mains avaient été attachées dans le dos.

– Que devons-nous faire de lui ? demanda Sévétouaca.

– À mort ! À mort ! se mit à scander le peuple.

– Conduisez-le dans la cage des condamnés, ordonna Féliss. Nous allons préparer son exécution.

Les gens se mirent à injurier l'ancien dieu sur son passage, mais Azcatchi semblait tout à fait imperméable à leurs insultes. Il ne chercha même pas à prendre le large lorsque les guerriers le poussèrent dans sa prison de bambou. Il s'assit en tailleur et attendit courageusement la suite des événements.

Pour calmer la petite princesse qui se débattait férocement dans les bras d'un soldat, les femmes la forcèrent à boire un médicament qui engourdissait les sens. Ayarcoutec devint graduellement amorphe et fut déposée sur le sol. Toutefois, elle continua de proclamer l'innocence du crave, même avec le peu d'énergie qui lui restait.

Féliss prit place parmi le conseil de guerre de la cité du soleil et écouta ce que tous avaient à dire. Toutefois, il savait ce qu'il serait obligé de faire dès les premières lueurs du matin. Le bourreau affûtait déjà la lame de sa hache.

– Et si c'était un leurre d'Aquilée ? lança-t-il, lorsque le dernier guerrier eut parlé.

Le silence se fit parmi l'assemblée.

– Nous avons appris à nos dépens que les rapaces sont cauteleux et sournois, poursuivit Féliss. Avez-vous eu du mal à capturer Azcatchi ?

– Aucun, mon prince, avoua Sévétouaca.

– Est-ce normal, à ton avis ?

– Habituellement, nos prisonniers ne se laissent pas aussi facilement prendre. Mais nous ne pouvons pas pour autant le relâcher.

– Nous ne pouvons pas l'exécuter non plus avant d'être bien certains que ce n'est pas ce qu'attendent les dieux pour nous tomber sur la tête. Instituez des tours de garde partout dans la cité. Au matin, si nous n'avons pas été victimes d'une attaque, alors, le crave mourra.

Sévétouaca s'empressa de diviser ses hommes et de leur indiquer l'emplacement de chaque sentinelle.

Les guerriers piquèrent des flambeaux devant toutes les maisons et les allumèrent, puisque le feu avait la propriété de chasser les divinités belliqueuses.

Féliss revint vers son vieil ami Cherrval. Étant donné qu'on l'avait obligé lui aussi à boire un liquide anesthésiant, les soldats l'avaient détaché. Le Pardusse s'était traîné jusqu'à la petite princesse qu'il avait juré de protéger et l'avait ramenée contre lui. Ayarcoutec avait cessé de crier et se contentait maintenant de pleurer.

– Je veux être magique comme mes parents...

– Moi aussi, j'aimerais bien posséder quelque pouvoir qui nous sortirait de ce guêpier, murmura le Pardusse.

Féliss s'assit devant eux.

– Pourquoi ne m'écoutes-tu pas ? lui reprocha Cherrval.

– Parce que si vous protégez désormais cet assassin, c'est qu'il vous a ensorcelés.

– Il nous a sauvés de Kimaati... sanglota Ayarcoutec.

– Un dieu encore plus implacable qu'Azcatchi s'est emparé de la forteresse d'Onyx, raconta le Pardusse. Il nous y gardait captifs en l'absence de l'empereur. Nous avons réussi à nous échapper grâce au crave.

– Tu ne trouves pas ça louche, Cherrval ?

– Cesse de suspecter un piège. Les siens l'ont expulsé de leur panthéon.

– Si vous continuez de prendre sa défense, le peuple exigera que vous soyez décapités en même temps que lui.

– Peux-tu imaginer la fureur d'Onyx si vous tuez sa fille ? le mit en garde Cherrval.

– C'est en effet une situation très délicate, mais nous sommes régis par des lois, mon ami.

– Mais où est donc le garçon rempli de bonté et de miséricorde qui fut jadis mon compagnon ?

– Il a dû prendre la place qui lui revenait à la tête de son peuple.

– Alors, fais ce que tu dois, mais ne t'attends pas à la clémence de l'empereur lorsqu'il apprendra ce qui s'est passé. Votre ennemi, ce n'est pas l'homme que vous venez de jeter dans une cage, mais celui qui règne sur les volcans.

Cherrval refusa de bouger de l'endroit où il s'était couché, la petite entre ses pattes, et il montra sauvagement les dents lorsque les femmes leur apportèrent à manger, se doutant qu'elles avaient ajouté aux aliments d'autres ingrédients pour engourdir leurs sens. Il laissa dormir Ayarcoutec, mais ne ferma pas l'œil un seul instant. « Comment pourrions-nous nous sortir de ce mauvais pas ? » se demandait-il. La piazza regorgeait de soldats, ce qui rendait impossibles à exécuter tous les scénarios qu'il imaginait.

Au milieu de la nuit, Ayarcoutec se réveilla et le Pardusse vit, à la lueur des nombreuses torches, que ses yeux étaient bien clairs. Elle était enfin libérée de la drogue.

– Nous devons faire quelque chose, chuchota-t-elle.

– Je n'ai pas arrêté d'y penser, petite fleur, mais la cage est trop bien gardée.

– Quand j'accompagnais les chasseurs mixilzins, quelques-uns d'entre eux créaient une diversion afin que les autres puissent s'approcher de la proie.

– Une diversion... As-tu quelque chose en tête ?

– Si tu pouvais mettre le feu un peu partout, je suis certaine que j'arriverais à me glisser derrière la cage et à couper les lianes qui retiennent les barreaux ensemble.

– Avec tes dents ?

– Il me faut évidemment un couteau.

Elle observa les gens autour d'eux et constata que tous les guerriers en portaient un à la ceinture qui retenait leur pagne.

– Ce serait si simple si j'avais des pouvoirs magiques, moi aussi, déplora-t-elle.

Les Itzamans s'étaient retirés pour la nuit. Seuls les guerriers continuaient de veiller, mais ils regardaient presque tous vers le ciel.

– Ils ont peur que les oiseaux de proie leur tombent dessus, on dirait.

– Cela jouera en ta faveur, Ayarcoutec. Dès que tu seras prête, j'irai projeter quelques flambeaux dans l'herbe sèche de façon à créer une sorte de paravent qui t'empêchera de te faire égorger tandis que tu libères notre ami.

– Que dois-je faire ensuite ?

– Les forêts sont à plus de un kilomètre de la cité vers le nord. Nous ne pourrions pas courir à découvert sans nous exposer aux habiles lanciers itzamans. Par contre, nous ne sommes qu'à quelques pas de la mer.

– Tu sais bien qu'Azcatchi ne sait pas nager.

– Tout comme dans le grand fleuve, vous n'aurez qu'à vous accrocher à ma crinière. Il suffira ensuite que j'aie la force de vous traîner jusque chez les Tepecoalts qui, eux, adorent les dieux rapaces.

– Nous n'avons pas le choix. Nous devons réussir.

– Commence par trouver un couteau pour libérer Azcatchi.

Ne bougeant que les yeux, la petite combattante scruta les soldats les plus rapprochés, mais l'arme la plus facile à obtenir ne se trouvait pas à leur ceinture : elle aperçut un jeune garçon qui, ne voulant rien manquer, s'était finalement endormi sur le sol, devant le palais.

– Je suis prête... murmura-t-elle.

Cherrval desserra les pattes. Ayarcoutec, malgré son jeune âge, était très habile à la chasse. Elle n'avait évidemment pas été élevée comme la plupart des enfants. Sa mère s'était assurée qu'elle pourrait survivre n'importe où. La petite Mixilzin marcha le plus normalement du monde, car si elle avait couru, les sentinelles l'auraient tout de suite remarquée. Elle retira délicatement la dague de l'étui du garçon en question et se dirigea vers l'ombre des maisons. Sans faire de bruit, elle se rapprocha de la prison d'Azcatchi, puis rampa sur le sol. Le crave la vit arriver et s'efforça de ne pas regarder dans sa direction. Il entendit le frottement de la lame sur les cordes.

C'est alors qu'un incendie se déclara sur la piazza. L'absence de pluie depuis plusieurs semaines avait fait sécher l'herbe et le feu se propagea rapidement vers les maisons. Les soldats sonnèrent l'alarme. Les chaînes humaines se formèrent en quelques minutes afin de plonger les seaux dans les puits et dans la fontaine et de les passer de main en main.

Ayarcoutec dégagea rapidement deux tiges de bambou, ce qui permit à Azcatchi de se faufiler dans l'espace étroit qu'elle avait créé. Sur ses quatre pattes, Cherrval surgit devant eux. Ils eurent tout juste le temps de s'accrocher à sa crinière et de grimper sur son dos qu'ils étaient emportés à vive allure vers l'océan. L'homme-lion galopa aussi longtemps qu'il le put sur la plage. Des lances se mirent alors à siffler de chaque côté d'eux et se fichèrent dans le sable. Dès que Cherrval aperçut le boisé qui s'avançait dans la baie et qui lui bloquait la route, il le contourna en se jetant dans l'eau, ce qui ralentit considérablement sa course.

Ayarcoutec pouvait entendre les cris de leurs poursuivants qui les rattrapaient, puis ce fut le silence. Inquiète, elle tourna la tête. Les guerriers itzamans se prosternaient sur le sol ! Elle chercha à savoir pourquoi et sursauta en apercevant un grand nombre de cavaliers ipocans à sa droite, leurs tridents bien en vue. « Est-ce notre fuite qu'ils protègent ? » se demanda-t-elle.

Dès que la berge redevint praticable, Cherrval y grimpa et s'écroula sur le sol, à bout de souffle.

Deux des hommes-poissons s'approchèrent des fugitifs.

– Tu es la fille de Nashoba et de Napashni, n'est-ce pas ? fit l'un des cavaliers dont les longs cheveux rouges retombaient sur ses écailles bleutées.

– Oui ! s'empressa de répondre Ayarcoutec, avec un air de fierté.

– Pourquoi vous pourchassent-ils ?

– Ce n'est qu'un malentendu. Personne n'a voulu m'écouter. Tout ce que je veux, c'est retrouver mon père, parce qu'un dieu méchant s'est emparé de son château.

– Les derniers échos que nous avons eus de lui provenaient du pays des Hidatsas.

– De quel côté est-ce ?

– Venez.

Ayarcoutec reconnut le tridacne géant tiré par des hippocampes qui s'avançait sur les flots. Elle y avait déjà pris place avec sa mère lorsque son père était à la recherche de Cornéliane. Azcatchi aida Cherrval à se relever et à monter dans l'embarcation ipocane. Les cavaliers les accompagnèrent jusqu'à une petite crique en territoire hidatsa.

– Poursuivez votre route vers le nord et vous trouverez leurs habitations, indiqua l'Ipocan. Je suis certain que vous y trouverez ce que vous désirez. Mais ce soir, dormez dans les hauteurs. Il y a une plateforme dans cet arbre qu'utilisent les chasseurs lorsqu'ils doivent passer la nuit dans cette région. Ne partez que lorsque le soleil sera levé.

– Merci beaucoup.

Les deux hommes se courbèrent devant elle et retournèrent auprès des autres cavaliers. Ils enfourchèrent leur hippocampe et disparurent dans la mer. Ayarcoutec plaça ses mains sur ses hanches.

– Vous l'avez entendu? fit-elle sur un ton de commandement en s'adressant à ses compagnons d'aventure.

De nouveau, Azcatchi aida le Pardusse à se déplacer, mais une fois rendu à l'arbre en question, il le laissa utiliser ses puissantes griffes pour se hisser jusqu'à l'abri dans les hautes branches.

19

RÉVÉLATIONS

De retour à Shola, Kira s'était mise à arpenter sa chambre devant son mari qui, assis sur le lit, se contentait de la suivre des yeux. Elle était si furieuse que ses oreilles se collaient sur sa chevelure mauve.

Depuis l'incident du pot de miel, lorsque Lassa avait dû lui couper les cheveux très courts, ceux-ci avaient enfin repoussé et lui touchaient les épaules.

– Je n'arrive pas à croire que notre fille est mariée, soupira-t-il.

– Moi, je n'arrive pas à croire qu'elle est enceinte ! Nous lui avons pourtant transmis toutes nos belles valeurs !

– Il y a une chose à laquelle nous n'avons pas pensé, Kira.

La Sholienne s'immobilisa et darda son regard sur son mari.

– Elle est peut-être réellement amoureuse de Nemeroff, avança Lassa.

– Ou elle est en son pouvoir, tout comme Swan l'était.

– Je n'ai décelé aucune emprise magique sur elle.

Il serra Kira contre sa poitrine.

– Moi aussi, j'ai été très contrarié lorsque nous avons été invités à cette cérémonie à la dernière minute, mais Kaliska a raison : il y a toujours deux côtés à une médaille. Nemeroff n'a pas été très aimable avec nous lorsque nous vivions à Émeraude, mais il a changé et je suspecte que notre fille est responsable de sa nouvelle attitude.

– Tu ne vas pas me faire un sermon sur le pouvoir de l'amour ?

– S'il le faut. Tu n'as pas vu les étoiles dans les yeux de Kaliska ? Aucune sorcellerie ne peut les faire apparaître sous la contrainte. Nous devons nous faire à l'idée que notre fille est devenue la Reine d'Émeraude et qu'elle est heureuse avec Nemeroff.

– J'ai déjà de la difficulté à l'imaginer et là tu me demandes de l'accepter ?

– C'est exactement ce que je te demande...

Kira resta silencieuse dans ses bras, toujours aussi tendue.

– Nous allons être grands-parents... chuchota-t-il dans son oreille.

Elle poussa un cri de rage et se défit de lui. Au lieu de se fâcher, Lassa éclata de rire.

– Tu trouves ça drôle, en plus ? se hérissa Kira.

– Tu devrais voir la tête que tu fais, ma chérie.

– Maman ? fit une petite voix hésitante.

La Sholienne aperçut le visage inquiet de Kylian sur le seuil de sa chambre.

– Que se passe-t-il, mon poussin ? répondit-elle d'une voix plus calme.

– Est-ce que tu es fâchée ?

– Juste un brin contrariée.

Elle alla cueillir son fils dans ses bras et l'embrassa dans le cou.

– Je suis désolée de t'avoir effrayé, Kylian. Quand je parle de choses qui me tiennent à cœur, il arrive que j'élève la voix, mais je ne suis pas forcément en colère pour autant.

Ses jumeaux étaient si différents. Maélys, elle, se serait placée entre ses parents et les aurait sommés de faire la paix.

– Nous commençons à avoir faim, gémit l'enfant.

– Ta grand-mère, ta tante et tes cousines ne vous ont pas offert à manger ? s'étonna-t-elle.

– Elles ne sont pas là.

Troublés, Kira et Lassa s'empressèrent de descendre à la cuisine. Seule Maélys s'y trouvait, debout sur un échafaudage de chaises, afin d'attraper le sac de céréales sur la plus haute tablette. Lassa la descendit de son perchoir malgré ses cris de protestation.

– Mais où sont tous les autres ? s'étonna-t-il.

Kira avait déjà commencé à les chercher avec son esprit.

– Lazuli, Marek et les filles sont dehors avec le Prince Daghild, l'informa-t-elle. Myrialuna est dans la chambre des bébés et ma mère est dans la crypte...

– Je m'occupe de les sustenter, vas-y.

La grande trappe du sous-sol était ouverte. Kira dévala l'escalier. Un seul balayage de son esprit lui indiqua que Fan était dans l'atelier d'Abnar. « Mais qu'est-ce qu'elle fait là ? » se demanda Kira. Elle s'y rendit et aperçut sa mère debout devant un énorme livre de magie.

– Il a été écrit par les moines d'autrefois, déclara Fan.

– C'est ce qui vous a attirée ici, Mama ?

– J'avais besoin de m'isoler pour démêler les sentiments que j'éprouve encore pour Kimaati.

– Après ce qu'il a fait à Abnar ? s'étonna Kira.

– L'amour a ses raisons que le cœur ignore...

– Tiens donc. C'est la deuxième fois que j'entends cette phrase, ce matin.

– Je sais bien qu'il a assassiné le mari de ta sœur et qu'il a failli tuer ton fils, mais ce sont les émotions du passé qui surgissent en moi. À l'époque, j'étais très seule, même si j'étais mariée au Roi Shill. Comme tous les Argentais, il se préoccupait en priorité de son image et de ses affaires. Sa femme passait en dernier. Alors, lorsque j'ai trouvé Kimaati errant sur la plaine enneigée, je l'ai recueilli dans mes quartiers souterrains et je l'ai soigné. Le reste, c'est de l'histoire ancienne. Du moins, c'est ce que je croyais.

– Donc, vous l'aimez encore ?

– Une partie de moi aimerait retrouver ce court bonheur, mais l'autre me recommande la prudence.

– Mama, je pense que c'est une malédiction qui touche toutes les femmes de notre famille.

Fan s'approcha de sa fille à pas feutrés.

– Tu penses à Sage, n'est-ce pas ?

– Je suis parfaitement heureuse auprès de Lassa et de nos enfants, mais il m'arrive de regretter ce que j'ai vécu avec mon premier mari, surtout depuis que je sais qu'il vient encore de tout perdre.

– Dans ce cas, nous arriverons sans doute à nous consoler mutuellement.

Kira prit la main de sa mère et l'entraîna vers l'escalier pour qu'elle ne s'enlise pas davantage dans ses vieux souvenirs.

✳ ✳ ✳

De retour chez les Anasazis, Onyx se perdit dans ses pensées. Il était plutôt fier de l'homme qu'était devenu Nemeroff. Il aurait certes aimé passer plus de temps avec lui, mais sa femme l'avait convaincu de le laisser au moins profiter de sa lune de miel.

– Il est vraiment le roi que je pressentais en lui, se réjouit-il.

– Tu as toujours eu un faible pour ton aîné, se rappela Napashni, qui était en train d'allaiter Kaolin.

– C'est le seul qui affichait du potentiel, à l'époque.

– Parce que tu ne t'intéressais pas aux autres. Tu n'avais d'yeux que pour Nemeroff.

Onyx, qui détestait qu'on lui fasse des reproches, se leva et quitta la longue maison. « Certaines choses ne changeront jamais », songea la guerrière, découragée.

Il marcha le long de la rivière. Il avait grandi près d'un cours d'eau au sud du Royaume d'Émeraude, et l'eau était devenue synonyme de réconfort dans son esprit. À sa gauche, il aperçut Wellan qui apprenait une danse anasazi avec Anoki et Jaspe. « Tant que ce n'est pas celle de la pluie », se dit l'empereur, amusé. Il allait enlever ses vêtements pour se purifier dans la crique lorsqu'il vit sa fille assise sur une grosse branche qui surplombait la rivière. Cornéliane lui sembla morose. Onyx grimpa dans l'arbre avec autant de facilité que lorsqu'il était enfant. Il s'avança sur la branche et s'assit à califourchon derrière la princesse. Sachant que c'était son père, elle s'appuya contre sa poitrine en toute confiance.

– Qu'est-ce que tu fais ici, toute seule ?

– Je réfléchissais à ma vie.

– Tu as des regrets ?

– Je me demandais si Azcatchi s'était remis de ses blessures et si Ayarcoutec s'occupait bien de lui.

– Tu te soucies de la santé d'un dieu sanguinaire qui a tué la moitié de sa famille ?

– Tout le monde peut changer.

– Mais pas ton frère ?

– Nemeroff ? S'il change, je pense que ce sera pour le pire !

– Que puis-je faire pour vous réconcilier, tous les deux ?

– Rien. Il m'a poursuivie dans le grenier du palais sous sa forme de dragon pour me dévorer et ensuite, il m'a attaquée dans le cromlech derrière le château.

– Que faisais-tu dans le cromlech ?

– Je m'entraînais à lancer des rayons incendiaires pour pouvoir le déloger de mon trône !

– Alors, ce que tu es en train de me dire, c'est que tu avais le droit de t'en prendre à lui, mais que lui ne pouvait pas se défendre ?

– Quand j'étais petite, tu m'as dit qu'on combattait le feu par le feu.

– C'est vrai, mais ma véritable question, c'est pourquoi n'as-tu pas d'abord cherché à devenir son amie plutôt que son ennemie ?

– Parce que mes frères étaient persuadés que c'était un imposteur qui se faisait passer pour Nemeroff dans le seul but de s'emparer de la couronne.

– Et si moi je te disais maintenant que ce n'en est pas un ?

– En es-tu vraiment certain ? hésita Cornéliane.

– Tu connais ma puissance, ma perle. Je sais reconnaître les énergies que je perçois et je me souviens parfaitement de celle de mon fils aîné. Son âme ne peut évidemment pas être dans son corps d'enfant de neuf ans, dont tous les os ont été broyés lors de l'effondrement de la tour, mais c'est bien elle qui anime celui qu'il a choisi.

– Mais il est méchant et hypocrite !

– C'est justement cette image que tu t'es faite de Nemeroff que j'aimerais changer.

– En plus, il a épousé ma meilleure amie !

– Tu ne sais sans doute pas encore ce qu'est l'amour, mais je te jure qu'ils sont profondément épris l'un de l'autre.

– Pourquoi veux-tu absolument que je fasse la paix avec mon frère ?

– Pour tenter de tenir une promesse que j'ai subtilement faite à ta mère...

– Tu aimerais que nous redevenions une vraie famille, c'est ça ?

– C'est ce qu'elle désire, en effet.

– Bon... je vais y penser... mais je ne promets rien.

Onyx referma les bras sur elle et se laissa tomber dans le vide. Cornéliane poussa un cri de terreur avant de plonger dans l'eau avec son père.

* * *

Dans la longue maison, Fabian avait profité de l'absence des garçons et de sa sœur pour s'entretenir en privé avec sa mère. Elle venait tout juste de coucher Obsidia dans son berceau. Maintenant que les deux bébés avaient bu, Napashni en profitait pour manger les fruits, le fromage et les petits pains ronds fourrés au miel qu'Onyx avait fait apparaître dans une écuelle à son intention. Assis de l'autre côté du feu, Fabian l'observait avec circonspection.

– Tu ne t'habitues pas à mon visage, on dirait, constata la prêtresse.

– J'ai connu ma mère plus longtemps que Cornéliane, Anoki et Jaspe.

– C'est pourtant moi qui se trouve sous cette nouvelle apparence, Fabian.

– J'entends ta voix et je reconnais ton discours, mais...

– Tu t'y feras, avec le temps. Dis-moi, pourquoi Shvara n'est-il pas avec toi ? Il te suivait comme ton ombre.

– Il a décidé de rester à Émeraude. J'imagine qu'il ne peut plus voler, lui non plus. Alors, je ne le reverrai que si j'y retourne un jour.

– Ton père, lui, a conservé toutes ses facultés, alors il ne lui sera pas difficile de t'y conduire, si c'est ton vœu.

– Oui, c'est vrai, mais je ne suis pas pressé. En fait, je voulais juste te dire... Je suis content que vous soyez de nouveau ensemble. Vous êtes faits l'un pour l'autre, c'est évident.

« Il ne reste plus qu'à le faire comprendre à Onyx », songea-t-elle.

– Où sont tes frères ?

– Au centre du village avec Wellan, en train d'apprendre la danse du soleil.

– Quelle brillante initiative, commenta Napashni. De cette façon, nous aurons du beau temps jusqu'à la fin de notre mission.

* * *

Onyx et Cornéliane sortirent de la rivière en riant et marchèrent vers leur longue maison, les vêtements dégouttant sur le sol.

Ils passèrent près des jeunes gens du village qui apprenaient la danse la plus importante de leur nation. Il n'était pas difficile de repérer Wellan dont la taille le faisait dépasser tous les autres.

– Nous partons demain ! lança Onyx. Fais tes adieux !

– C'est vrai ? s'égaya Cornéliane.

– Je ne parle jamais en l'air, ma puce. Toutefois, je ne sais pas encore si je mettrai ma famille en sécurité quelque part ou si je l'emmènerai avec moi.

– Il n'est pas question que tu partes sans moi !

– Je ne sais pas ce qui nous attend dans les dernières contrées que je dois visiter.

– C'est justement ça qui m'attire.

– Ce pourrait être dangereux.

– Je ne suis plus un bébé !

– Mais tu n'es pas non plus une guerrière.

– C'est archi faux ! Je sais me servir de toutes les armes auxquelles tu peux penser et je n'ai pas peur de me battre.

– Tiens donc... On dirait moi, quand j'avais ton âge, la taquina Onyx.

– Je suis très sérieuse ! Procure-moi une épée double et tu verras bien ce que j'ai appris à faire !

– Tu me montreras ça plus tard.

Ils entrèrent dans la maison.

– Est-ce qu'il pleut ? s'inquiéta Napashni en voyant leurs vêtements trempés.

– Non. Papa m'a jetée dans la rivière.

– J'ai glissé, prétendit Onyx.

– Ce n'est pas vrai. Tu l'as fait exprès.

Onyx commença à ôter sa tunique.

Embarrassée, la princesse alla se cacher derrière un paravent de peaux pour enfiler une autre tenue.

– Il est temps de partir, annonça l'empereur. Nous devons décider maintenant si tout le monde nous accompagne ou si je mets la marmaille en lieu sûr pour continuer seul.

– Moi, je te suis ! s'exclama Cornéliane.

– Les Anasazis prétendent que les Elladans sont civilisés, indiqua Napashni. Ils disent aussi que nous n'avons rien à craindre non plus des Ressakans et des Djanmus. Là où les choses risquent de se corser, c'est chez les féroces Madidjins, qui sont constamment en guerre entre eux. Les Anasazis ne savent rien des Simiusses et des Pardusses, mais j'ai déjà eu affaire à eux par le passé. À part quelques rares sujets amicaux, ils n'aiment pas du tout les humains. Rappelle-toi que les hommes-fauves ont jadis vendu Liam à des araignées géantes.

– Est-ce que je parle à Swan ou à Napalhuaca ? demanda Onyx, car les événements qu'elle mentionnait faisaient partie de la vie respective des deux femmes.

– À Napashni. En conclusion, nous pourrions t'accompagner encore quelque temps, mais cesser de te suivre quand tu iras chez les Madidjins.

Elle s'approcha d'Onyx et déposa une serviette sur ses épaules pour qu'il se sèche un peu avant de passer une autre tunique.

– Il y a longtemps que tu ne m'as pas embrassée, lui fit-elle remarquer.

– Je ne sais plus à qui...

Napashni ne le laissa pas terminer sa phrase. Elle plaqua ses lèvres contre les siennes. Onyx commença par résister, puis se laissa gagner par la familiarité de l'étreinte. Les yeux fermés, il retrouva l'énergie de la prêtresse mixilzin, mais aussi celle de Swan qui lui rappela leurs premières années de vie commune. L'arrivée bruyante d'Anoki et de Jaspe mit fin aux baisers.

– Où est Wellan ? s'inquiéta Napashni, car celui-ci devait les surveiller.

– Il a des adieux à faire, répondit Anoki. Est-ce que c'est vrai qu'on part ?

– À la première heure demain, affirma Onyx. Commencez à rassembler vos affaires.

* * *

Puisqu'il n'avait jamais ouvertement repoussé les avances de Kayenta, Wellan crut nécessaire d'aller lui annoncer son départ. Il avait donc poussé les garçons d'Onyx en direction de leur longue maison et s'était mis à la recherche de la jeune femme. Il la trouva sur le bord de la rivière en train de laver des vêtements sur une grosse pierre. En le voyant arriver, ses compagnes s'empressèrent de ramasser leurs paniers et d'aller s'installer plus loin afin de leur donner un peu d'intimité. Toutefois, ce n'était pas une déclaration d'amour que le grand Chevalier s'apprêtait à faire.

– Mon cœur espère que tu resteras chez les Anasazis, mais mes yeux me disent bien que non, s'attrista Kayenta.

– Je suis certain que tu rendras un vaillant guerrier très heureux, mais ce ne sera moi, car le destin m'appelle ailleurs. Je ne crois pas revenir sur ces terres un jour, puisqu'il y en a tant d'autres à explorer.

– C'est dommage.

– Merci de m'avoir offert ton amitié, Kayenta. Je ne t'oublierai jamais.

Wellan la quitta sans rien ajouter pour ne pas la faire souffrir davantage. Il fit le tour de toute la communauté pour témoigner sa reconnaissance à plusieurs de ses membres et termina par Ankti, la matriarche.

– Je savais que ce jour viendrait, soupira-t-elle. J'aurais bien aimé vous persuader de rester et faire de vous des membres de notre grande famille.

– Si nous n'avions pas une importante mission de paix à accomplir, nous aurions accepté avec plaisir, vénérable Ankti.

– Je t'aime bien, Wellan des terres de l'ouest.

La vieille femme lui offrit alors en gage d'affection une magnifique pipe ornée de plumes et de petites franges perlées.

– Tu penseras à nous lorsque tu l'utiliseras.

– J'en prendrai le plus grand soin.

Il baissa respectueusement la tête et retourna auprès des siens. Après un copieux repas de poulet rôti et de petites pommes de terre rissolées qu'Onyx avait dérobés à Émeraude, tous se mirent au lit afin d'être frais et dispos pour le grand voyage qu'ils allaient entreprendre.

Onyx fut le premier à se réveiller au petit matin. Il entendit alors babiller et s'approcha des berceaux. À sa grande surprise, Obsidia était assise et suçait son poing.

– Depuis quand les bébés naissants sont-ils capables de s'asseoir ?

Il s'accroupit devant sa fille et l'examina attentivement. Le duvet sur sa tête s'était transformé en cheveux noirs luisants qui commençaient à couvrir ses oreilles. Le père jeta ensuite un œil à Kaolin qui, lui, ne semblait pas avoir changé.

– C'est quoi cette manie de vouloir à tout prix éluder l'enfance ? demanda-t-il en pensant à son fils Nemeroff qui était passé de bébé à adulte en quelques mois.

Comme pour répondre à sa question, Obsidia poussa un cri aigu qui réveilla sa mère. Tout comme Onyx, elle s'étonna de la voir dans cette position.

– J'ai l'impression qu'elle n'a pas fini de nous étonner, laissa-t-elle tomber.

Dès que toute la famille fut debout et prête à partir, Onyx expliqua qu'ils ne pourraient pas utiliser son vortex, puisqu'il n'avait jamais foulé le territoire des Elladans.

– Ce sera long et épuisant, précisa-t-il. Je ne veux pas vous entendre vous plaindre avant que nous nous arrêtions pour dresser notre campement.

– Et à ce moment-là, on pourra se plaindre ? le taquina Fabian.

– Seulement les enfants.

Onyx se chargea de Kaolin, qui était plus lourd que sa sœur, tandis que Napashni prenait Obsidia dans ses bras, tout en tendant la main à Jaspe. Wellan, Fabian, Cornéliane et Anoki chargèrent les affaires de la famille sur leurs épaules et sortirent de la maison. Quel ne fut pas leur étonnement de trouver à l'extérieur, devant leur porte, la presque totalité de la tribu. Derrière Ankti, des guerriers tenaient la bride de cinq chevaux pie.

– Où sont les nôtres ? s'étonna Wellan.

– La nation anasazi aimerait vous offrir ces montures plus robustes afin de faciliter votre voyage, annonça la matriarche.

– C'est un cadeau fort généreux, la remercia Napashni en voyant que son mari était trop surpris pour réagir.

Deux femmes s'approchèrent des nouveaux parents et leur offrirent des porte-bébés, qui étaient en fait des berceaux lacés que les mères portaient sur leur dos. Elles enseignèrent à Napashni la façon d'y installer ses petits et les accrochèrent aux épaules d'Onyx et de la prêtresse. Ceux-ci se hissèrent prudemment à cheval, puis le reste de la famille les imita. Wellan prit Jaspe avec lui et Fabian se chargea d'Anoki.

Kayenta et ses amies leur remirent alors des sacoches de cuir remplies de pemmican, de fruits frais et de tabac.

– Qu'Abussos vous protège, leur souhaita Ankti.

Un sourire de reconnaissance illumina le visage d'Onyx. Il talonna son cheval et prit la tête de la caravane familiale.

20

UNE ÉTONNANTE DÉCOUVERTE

Au pays des Hidatsas, les chauds rayons du soleil léchaient le visage des trois fugitifs qui dormaient sur une plateforme construite dans les branches d'un séquoia. Ayarcoutec fut la première à ouvrir les yeux. Elle se redressa et regarda autour d'elle. Entre les feuilles, elle pouvait apercevoir la mer d'un côté et une immense sylve de l'autre. Afin de s'orienter, elle s'agrippa au tronc et grimpa vers les hauteurs comme elle avait appris à le faire avec les autres enfants mixilzins. Légère comme une plume, elle réussit à se hisser jusqu'au-dessus du feuillage. Les Ipocans avaient dit vrai : au nord, des volutes de fumée s'élevaient au-delà de la grande forêt. Ayarcoutec redescendit prudemment et secoua ses compagnons. L'homme-lion se réveilla, puis Azcatchi.

– Comment te sens-tu, ce matin, Cherrval ?

– J'ai recouvré mes forces, petite fleur.

– Tu nous as sauvé la vie, merci.

– J'ai seulement tenu la promesse que j'ai faite à tes parents.

La princesse se tourna alors vers le dieu-crave, qui semblait affligé.

– Pourquoi t’es-tu laissé capturer sans combattre ? voulut savoir l’enfant.

– Je méritais le châtiment que ces hommes voulaient m’imposer.

– Tu voulais mourir, après tous nos efforts pour te sauver ?

– Je ne comprends pas pourquoi vous vous êtes entêtés à soigner un assassin.

– Parce que chaque créature est importante aux yeux d’Abussos ! clama Ayarcoutec. Il t’a lui-même laissé la vie pour que tu puisses expier tes fautes, pas pour que tu te laisses abattre.

– À mon avis, l’aide qu’Azcatchi nous a apportée lors de notre évasion en a déjà effacé une partie, affirma Cherrval.

– Cornéliane a aussi vu autre chose en toi, ajouta-t-elle.

– Je veillerai à ne pas me faire tuer, promit Azcatchi pour qu’elle arrête de l’embêter.

– Nous avons bien failli être bloqués chez les Itzamans, hier. Il ne faut plus que ça se reproduise.

– Tu parles comme une petite guerrière, la taquina le Pardusse.

– Mettons-nous en route, car il est certain que mon père ne restera pas longtemps au même endroit.

Cherrval descendit le premier de l’arbre et s’assura qu’il n’y avait aucun danger avant de laisser la princesse en faire autant. Dès qu’elle fut près de l’homme-lion, Azcatchi sauta sur le sol.

– Le nord, c'est de ce côté, indiqua-t-il.

Le Pardusse prit les devants.

– Que peut-on manger, dans cette région ? s'enquit Ayarcoutec, affamée.

Cherrval flaira le vent.

– Notre présence a fait fuir le petit gibier, mais je pense que nous pourrons trouver des fruits dans les buissons.

Tout comme il l'avait prédit, les trois voyageurs tombèrent sur des fraisiers et des framboisiers quelques minutes plus tard. Ils se régalèrent en poursuivant leur route. Ils trouvèrent également des groseilles et des myrtilles au milieu de la journée. Lorsque le soleil commença à décliner, ils étaient toujours en plein cœur de la forêt.

– Il n'y a plus de plateforme, s'inquiéta Ayarcoutec en regardant vers la cime des séquoias.

– Nous pouvons dormir sur de grosses branches, la rassura Cherrval. Grimpez dans cet arbre. Je vais aller chercher un peu de nourriture.

Azcatchi laissa passer la fillette et monta derrière elle. Quelques mètres au-dessus du sol, ils découvrirent un croisement de branches qui aurait été parfait pour la construction d'un abri.

– Je crois que c'est assez haut, évalua Ayarcoutec.

– Que ferons-nous si nous ne te retrouvons pas ton père ? demanda le dieu-crave.

– Quand nous désirons suffisamment quelque chose, nous finissons toujours par l'obtenir. Nous le trouverons.

Cherrval les rejoignit quelques minutes plus tard avec un gros régime de bananes.

– Oh ! s'exclama joyeusement Ayarcoutec. J'en mangeais quand je vivais dans les volcans ! Il n'y en a pas à Enkidiev.

Une fois rassasiés, ils se collèrent les uns contre les autres tandis que la nuit enveloppait la forêt.

– Qu'avons-nous à craindre, ici, Cherrval ?

– Je ne crois pas que les Scorpenas s'aventurent aussi loin vers l'est, mais il y a des félins qui chassent la nuit.

Au matin, les trois aventuriers se remirent en route sans rencontrer de prédateurs. Lorsqu'ils arrivèrent devant une rivière au courant très faible, ils commencèrent par se désaltérer, puis se rafraîchirent en la traversant. Puisque la petite avait de l'eau par-dessus la tête, Azcatchi la grimpa sur ses épaules.

Ils allaient choisir un nouvel arbre pour dormir lorsque Cherrval capta une odeur familière.

– Il y a un campement de ce côté, indiqua-t-il. Je vais aller voir s'il s'agit d'amis ou d'ennemis. Attendez-moi ici.

L'homme-lion disparut entre les arbres.

– J'espère que c'est mon père... murmura Ayarcoutec.

Azcatchi garda le silence jusqu'au retour du Pardusse.

– Venez, les invita-t-il.

– Donc, ce sont des amis ?

– Oh oui, petite fleur.

Elle gambada gaiement entre les deux hommes et s'arrêta net en arrivant dans une grande clairière où non seulement brûlait un bon feu, mais où rôtissait un gros sanglier !

Son enthousiasme fit toutefois rapidement place à la déception lorsqu'elle aperçut les trois personnes assises autour des flammes.

– Approchez ! lança Hadrian.

– Mon père n'est pas avec vous ? s'attrista Ayarcoutec.

– Non, mais nous sommes sur sa piste.

– Vous le cherchez, vous aussi ?

En s'avançant, la fillette reconnut l'homme que Cornéliane avait ramené à An-Anshar.

– Rami ?

– Je suis ravi que tu aies pu t'échapper, toi aussi.

Ayarcoutec remarqua alors que l'ancien Roi d'Argent fixait Azcatchi avec étonnement.

– Onyx ?

– Non, ce n'est pas lui, soupira la fillette.

Elle prit la main du crave pour l'entraîner près du feu.

– Regardez ses yeux.

Ses pupilles bleues étaient en effet cerclées de rouge.

– C'est Azcatchi.

Meyah se cacha aussitôt derrière Hadrian.

– Que fais-tu avec lui ? s'alarma l'ancien roi en posant la main sur le poignard qui pendait à sa ceinture.

– Je te passe les détails. En gros, il a enlevé Cornéliane, puis elle s'est enfuie et il a perdu tous ses pouvoirs. En tentant de rentrer chez elle, elle est encore tombée sur lui, mais il a été attaqué par Solis et sauvé par mon père et ils l'ont ramené au château en même temps que Rami, raconta Ayarcoutec tout d'un bloc.

Le regard interrogateur de l'ancien monarque montrait bien qu'il n'avait rien compris à son récit.

– Si vous voulez bien partager notre repas, j'aimerais que tu me redises tout ça plus lentement.

– Avec plaisir, accepta-t-elle, tentée par l'odeur de la viande rôtie.

– Je vais par contre aller chercher ma propre pitance, annonça Cherrval, car je suis végétarien.

Tandis que le Pardusse s'enfonçait dans la forêt, la jeune guerrière prit place près de Hadrian et Azcatchi s'assit à côté d'elle. Elle recommença son exposé, mais à partir de l'arrivée de Kimaati, qui avait profité de l'absence d'Onyx pour s'emparer de sa forteresse.

– Rami m'a déjà parlé de cette prise de possession, fit l'ancien roi.

– J'étais à l'extérieur du château, précisa le jeune Madidjin. Quand j'ai vu la princesse gesticuler avec affolement sur le balcon, j'ai tout de suite compris que le colosse qui venait d'y entrer n'y était pas le bienvenu. Alors, je suis parti à la recherche d'Onyx pour l'avertir de ce qui se passait.

– Kimaati nous a enfermés dans la chambre où nous soignions les blessés, poursuivit Ayarcoutec. Il ne restait plus qu'Azcatchi, qui prenait du mieux. Puis, il a capturé Marek tandis qu'il s'enfuyait de chez lui. Nous avons tout de suite commencé à échafauder un plan d'évasion, mais Tayaress est venu chercher Marek.

– Qui ? demanda Hadrian.

– Le traître qui servait Abussos. Il est désormais à la solde de Kimaati.

– Qui nous arrive d'un autre monde, c'est bien ça ?

– Oui. Il veut dominer le nôtre. Si j'avais eu des pouvoirs, j'aurais immédiatement prévenu mon père, mais je n'en ai pas...

– Même si tu possédais la faculté de communiquer par télépathie, il y a de fortes chances qu'Onyx ne te répondrait pas, car il s'est coupé de nous tous.

– Alors, ça n'aurait rien donné. J'imagine que Rami le cherche pour lui dire la même chose que moi, mais vous ?

– C'est une affaire personnelle.

Ayarcoutec mordit dans un morceau de viande. Après avoir avalé quelques bouchées, elle tourna la tête vers la jeune femme qui accompagnait les deux hommes et qui n'avait pas dit un mot depuis son arrivée.

– Est-ce votre guide ? s'enquit-elle.

– C'est sa femme, répondit Rami avant que l'ancien souverain puisse ouvrir la bouche.

– Vous avez épousé une guerrière itzamane? s'étonna l'enfant.

– Pas volontairement... J'ai bu un peu trop d'alcool et j'ai participé sans m'en rendre compte aux rituels de séduction.

– Et là, vous ne pouvez plus vous débarrasser d'elle?

Hadrian réprima un sourire amusé.

– Tu es très perspicace pour une fillette de ton âge, la complimenta-t-il.

– Mon père me le dit souvent. Il me manque tellement...

– Meyah, je te présente Ayarcoutec, la fille de mon ami Onyx, ainsi qu'Azcatchi, le...

L'Itzamane recula avec frayeur.

– Il n'est pas dangereux! se fâcha Ayarcoutec.

– Cet homme n'est plus un dieu, Meyah, la rassura Hadrian. On lui a retiré tous ses pouvoirs.

La jeune femme le regarda tout de même avec méfiance.

– J'imagine que ce doit être difficile de tout perdre, fit l'ancien roi à Azcatchi.

– J'ai encore ma vie.

– Mais vous ne pouvez plus vous changer en oiseau ni utiliser votre magie.

– Je m'y habitue.

Hadrian l'observa pendant qu'il mangeait la chair du sanglier à petites bouchées et la mastiquait longtemps avant de l'avaler. Il se rappela comment il avait lui-même trouvé déroutant de recommencer à absorber de la nourriture après son long séjour dans le monde des morts. Azcatchi analysait chacun de ses gestes, comme s'il tentait de comprendre le mécanisme de ses nouveaux muscles.

L'ancien roi se tourna ensuite vers la petite Mixilzin. Il avait rarement vu autant de courage chez une enfant. Elle s'était fixé comme but d'avertir Onyx de la présence indésirable d'un autre dieu dans son nouveau château et elle était prête à affronter tous les dangers d'Enlilkisar pour y arriver. Heureusement, elle était protégée par un Pardusse, car le crave ne semblait pas en état d'assumer ce rôle. Dès que le repas fut terminé, Hadrian offrit sa couverture à Ayarcoutec, mais elle la remit aussitôt à Azcatchi.

– Je suis au chaud entre les pattes de Cherrval, affirma-t-elle.

Meyah partagea donc la sienne avec son mari. Quant à Rami, il dormait déjà dans son coin. L'homme-lion laissa la gamine s'installer dans la fourrure de son torse et posa la tête sur le sol. Alors que tout le monde commençait à s'endormir, Azcatchi pour sa part restait assis à regarder les flammes. « Pourquoi ne dort-il pas ? » se demanda Hadrian, qui le surveillait.

– Vous n'avez pas sommeil ? chuchota-t-il finalement.

– J'ai besoin de penser.

– Serait-il trop indiscret de vous demander ce qui vous tracasse ?

– Je songe à ce que je ferai une fois que la petite aura retrouvé son père.

– Plusieurs choix s'offrent-ils à vous ?

– Je n'en sais rien.

– Attendez d'atteindre la rivière avant de la franchir.

Azcatchi ne comprit pas ce qu'il voulait dire, mais il ne lui demanda pas de s'expliquer. Il s'allongea sur le sol et ferma les yeux.

Au matin, Ayarcoutec et Meyah allèrent cueillir de petits fruits sous l'œil vigilant de Cherrval, pendant que Rami éteignait le feu.

Immobile comme une statue, le dieu-crave ne perdait aucun de leurs mouvements. « Il apprend par l'exemple », comprit Hadrian. Ils venaient à peine de se mettre en route lorsqu'ils furent entourés par une bande de guerriers hidatsas à cheval.

– Que faites-vous sur nos terres et quelle est cette bête ?

Grâce au sortilège d'interprétation d'Anyaguara, Hadrian pouvait saisir les propos de quiconque s'adressait à lui, peu importe sa langue et, mieux encore, il pouvait également se faire comprendre.

– Nous cherchons Onyx et on nous a dit qu'il était chez les Hidatsas. Pour votre information, cette bête est un Pardusse.

Cherrval se releva sur deux jambes pour leur montrer qu'il n'était pas un animal.

– Il n'y en a pas comme lui par ici, se troubla le guerrier.

– Ce n'est pas parce vous n'avez jamais vu quelque chose que celle-ci n'existe pas. Dites-nous où nous pouvons trouver Onyx.

– Il a participé aux cérémonies du solstice sur les plaines, mais il a ensuite suivi le clan des cerfs, répondit l'un des jeunes gens.

– En faites-vous partie ?

– Non. Nous sommes du clan des chevaux.

– Pouvez-vous nous conduire jusqu'à celui des cerfs ?

– À pied, vous en avez encore pour au moins deux jours.

Les Hidatsas se consultèrent à voix basse et Hadrian n'arriva pas à entendre ce qu'ils se disaient.

– Nous allons vous faire monter à cheval avec nous et vous conduire au clan des hérissons, qui prendra le relais.

– C'est inutile, dans mon cas, affirma Cherrval en se laissant retomber à quatre pattes.

Les Hidatsas hissèrent donc Hadrian, Meyah, Rami, Azcatchi et Ayarcoutec sur la croupe de leurs chevaux et ne s'arrêtèrent qu'au milieu de la journée, lorsqu'ils arrivèrent sur le territoire de chasse du clan des hérissons. Leurs chasseurs acceptèrent de les emmener jusqu'à la frontière de celui des cerfs, qu'ils atteignirent à la tombée du jour.

Les guerriers de Cidadagi accueillirent les voyageurs dans leur campement et leur offrirent à manger.

Tandis qu'ils se régalaient, Hadrian remarqua que les Hidatsas observaient Azcatchi à la dérobée. « Ils se demandent si c'est Onyx », comprit-il finalement. L'ancien roi se souvint alors que le crave était le fils de Lycaon, lui-même fils des dragons dorés.

– Vous aimeriez savoir pourquoi il ressemble à Onyx ? lâcha Hadrian.

Les guerriers hochèrent vivement la tête.

– C'est qu'ils sont parents. Onyx est son grand-oncle.

– Quel est ton nom ? demanda un des guerriers.

Azcatchi dirigea un regard inquiet vers Hadrian.

– Il s'appelle Sardoine, répondit ce dernier, se rappelant que son ancien lieutenant affectionnait les pierres précieuses.

Rami et Ayarcoutec ne cachèrent pas leur surprise en entendant ce nom.

– Ça lui va plutôt bien, commenta Cherrval, qui mâchait des racines qu'il avait déterrées dans la forêt.

Ils se couchèrent autour du feu et dormirent en paix jusqu'au matin. Les guerriers les réveillèrent avant le lever du soleil et les firent remonter à cheval.

Au bout de quelques heures, les aventuriers arrivèrent enfin dans un immense village de tentes coniques, au bord d'une rivière, et furent conduits directement à celle de Cidadagi.

– On me dit que vous êtes des amis de l'empereur d'An-Anshar, fit le vieux chef.

– C'est exact. Je m'appelle Hadrian et voici mes compagnons Rami, Meyah, Ayarcoutec, Sardoine et Cherrval.

– Nous avions entendu parler des hommes-lions dans des légendes, mais c'est la première fois que nous en voyons un en chair et en os.

– C'est pour moi un honneur d'apprendre que nous faisons partie de votre folklore, s'enorgueillit le Pardusse.

– Onyx est-il encore parmi vous ? demanda Hadrian.

– Il est allé chez les Anasazis pour gagner leur allégeance. Le fils du dieu fondateur sera bientôt le chef incontesté de tout Enlilkisar.

« Il ne cessera donc jamais de m'étonner », songea l'ancien monarque.

– Comment a-t-il convaincu la nation hidatsa de le reconnaître comme empereur ? voulut-il savoir.

– Il possède une magie plus puissante encore que celle d'Ahuratar, que nous vénérions, et il a mis fin au carnage entre les dieux félins et les dieux rapaces, le jour du solstice, en s'attaquant à un aigle géant.

– Vraiment ?

– Je vous en prie, assoyez-vous et parlez-moi de vous.

– Nous sommes plutôt pressés de rattraper l'empereur.

– Vous partirez demain avec mes guerriers les plus rapides. Aujourd'hui, faites-moi le plaisir de votre compagnie.

– Allons-nous finir par le rejoindre ? murmura Rami à Hadrian.

À contrecœur, les voyageurs s'installèrent de chaque côté du vieillard qui, de toute évidence, était obnubilé par les exploits d'Onyx, puisqu'il se mit à leur raconter en détail l'affrontement qui avait eu lieu entre les divinités sans les laisser placer un seul mot.

21

LES HAUTS ELFES

À la demande du Roi Cameron, les Elfes de son village avaient profité d'une brève interruption du temps pluvieux pour se réunir dans la plus grande des clairières. Ils devaient décider du sort de Malika, qui avait attaqué la reine avec l'intention de la tuer.

L'enchanteresse Maayan, qui avait succédé à la défunte doyenne, continuait de sentir la magie de Moérie dans toutes les cellules du corps de Malika et, pour cette raison, voulait agir le plus tôt possible pour éviter d'autres tragédies.

Les Elfes avaient donc formé un grand cercle autour de leurs dirigeants et de la jeune accusée, que le chef des archers gardait à l'œil.

– Nous avons tout essayé, Votre Majesté, affirma Maayan. Nous n'arrivons pas à débarrasser Malika du sort que lui a jeté Moérie. Elle représente donc un grave danger pour la reine et pour vous.

Danitza la croyait sur parole, puisque la jeune enchanteresse s'en était déjà prise à elle. Toutefois, Cameron n'arrivait pas à admettre que sa petite sœur ait pu vouloir faire du mal à qui que ce soit.

– Que me suggérez-vous ? soupira-t-il, découragé.

– Éloignez-la du Royaume des Elfes jusqu'à ce qu'elle soit enfin libérée de l'envoûtement de la sorcière.

– Si je la renvoie chez mes parents, comme c'est leur vœu, elle s'enfuira dès que Moérie le lui ordonnera.

– Elle doit être exilée, Roi Cameron, c'est notre loi.

– Malika n'a que treize ans. Nous ne pouvons tout de même pas l'expédier seule sur des terres inhospitalières ! Pourquoi ne pas la confier à quelqu'un qui ne la quittera pas d'une semelle ?

Assise près des archers, l'accusée, en larmes, ne comprenait pas pourquoi tout le monde la craignait autant, car elle n'avait aucun souvenir de ce qu'elle avait fait. Elle ne se rappelait pas non plus avoir vu Moérie depuis des lustres.

– Jusqu'à ce que je règle le sort de Malika, elle sera sous la garde de Telemniel, décida finalement Cameron.

– Mais nous nous sommes réunis ici afin que vous trouviez une solution permanente, lui rappela Maayan.

– Je ne sais pas quoi faire ! s'exclama le roi, au bord de la panique.

– Nous avons des suggestions à vous offrir.

– Je sais déjà ce que vous allez me dire, mais il n'est pas question que je bannisse ma sœur ou que je la mette à mort !

– Ce serait en effet excessif, mais...

– Telemniel la tiendra éloignée de la famille royale jusqu'à nouvel ordre.

Le chef des archers saisit Malika par le bras et la força à se lever.

– Ne savez-vous pas de quoi Moérie est capable ? continua de protester la doyenne des enchanteresses.

Cameron fit la sourde oreille et se dirigea vers l'arbre où était juchée sa hutte.

– Aucun archer ne pourra empêcher la sorcière de se servir d'elle !

Il grimpa l'échelle en corde, aussitôt suivi de Danitza, qui voulait lui dire sa façon de penser, mais pas devant tout le clan.

Les Elfes demeurèrent interdits pendant de longues minutes. C'était la première fois que leur roi les convoquait pour rien.

– Je vous mets tous en garde, fit alors Maayan en pivotant sur elle-même pour que tous voient son visage sérieux. Il n'est pas impossible que la petite échappe à Telemniel. Moérie a plus d'un tour dans son sac. Ne faites surtout pas confiance à Malika si elle s'adresse à vous, même si elle vous semble en grande difficulté. Désormais, la sorcière voit par ses yeux et entend par ses oreilles. Tâchez de vous en souvenir.

Maayan s'enfonça entre les arbres avec les autres enchanteresses, sur un sentier opposé à celui que venaient de choisir les archers.

Cameron se hissa sur le plancher de son palais suspendu.

– Pourquoi as-tu hésité ? lui reprocha Danitza en arrivant derrière lui.

– Malika n'est pas une assassine.

– Tant qu'elle est sous l'emprise de Moérie, elle est parfaitement capable de tuer. J'en ai eu la preuve.

– Ma famille ne me le pardonnerait jamais si je l'envoyais vivre à l'autre bout du monde.

– Es-tu sous la domination de la sorcière, toi aussi ?

– Certainement pas !

– Alors, pourquoi sacrifies-tu tout ton peuple pour sauver une seule personne, sachant qu'elle est possédée par une méchante femme ?

– Ce qui lui arrive n'est pas sa faute.

– Tes parents, lorsqu'ils sauront ce qui s'est passé, ne seront pas très contents d'apprendre que tu n'as rien fait pour protéger les tiens.

Il se détourna et s'approcha de la fenêtre pour regarder dehors.

– Tu n'es plus le petit garçon nonchalant qui n'avait rien de mieux à faire que de jouer avec ses amis, Cameron. Tu es devenu le Roi des Elfes et tu as des responsabilités envers eux. Leur sauvegarde devrait passer avant le bonheur de ta petite sœur qui, je te le précise, est condamnée d'avance. Quand Moérie n'aura plus besoin d'elle, elle l'éliminera elle-même.

– Je ne suis pas sage et éclairé comme mon grand-père.

– Et tu ne le deviendras certainement pas en te cachant la tête dans le sable, en espérant que les problèmes se règlent d'eux-mêmes.

– Qu'attends-tu de moi, Danitza ?

– Que tu commences à te comporter comme un véritable roi.

Elle tourna les talons et redescendit par la trappe. « Si je reste plus longtemps, je vais le frapper », grommela-t-elle intérieurement. Les Elfes s'étaient dispersés, alors elle prit place sur un tatami et fit de gros efforts pour se calmer. « Quand le roi est incapable de prendre une décision, la loi de ce peuple permet-elle à la reine de le faire à sa place ? » se demanda-t-elle. Le vieux Tehehi habitait un village au sud. Sans doute pourrait-il la conseiller... Elle se mit donc en route avant d'être surprise par l'obscurité.

✳ ✳ ✳

Les archers avaient ramené leur prisonnière dans la section de la forêt où se dressaient leurs huttes, à un demi-kilomètre du palais de Cameron. Telemniel la fit monter chez lui, où il l'invita à s'asseoir sur un tapis tressé à l'intérieur de sa maison circulaire.

– Allez-vous m'exécuter ? hoqueta Malika, effrayée.

– Tu sais bien que je ne peux pas faire ça, répondit calmement Telemniel en déposant son arc et ses flèches contre le mur.

– Si Moérie a fait de moi son pantin, vous n'aurez peut-être pas le choix.

– Les Elfes ne tuent pas d'autres Elfes.

Sabrielle, la femme de l'archer, prépara un repas frugal et leur présenta des écuelles.

– Telemniel a raison, l'appuya-t-elle. Nous avons survécu sur ce continent en prenant soin les uns des autres.

– Même les criminelles comme Moérie ?

– Il n'y a jamais eu quelqu'un comme elle auparavant.

– Vous devriez m'attacher pour que je ne vous attaque pas durant votre sommeil.

– J'y ai pensé, avoua l'archer.

– De cette façon, Moérie ne pourra pas se servir de moi contre vous.

À sa demande, Telemniel lia les poignets et les chevilles de Malika à la tombée de la nuit.

* * *

Même s'il avait recommencé à pleuvoir, Danitza ne se découragea pas et atteignit le village de Tehehi avant la nuit. En l'apercevant, les sentinelles lui apportèrent une cape et la conduisirent à la hutte du vieil homme. Emmêlée dans les pans de sa robe trempée, la Reine des Elfes parvint à monter jusqu'à la trappe.

– Si je m'attendais à ça ! laissa tomber Tehehi en essayant de se lever.

– Je vous en prie, restez assis, le pria Danitza en se défaisant de sa cape.

– Vickielle, donne-lui des vêtements secs.

La jeune Elfe conduisit la reine plus loin et l'aida à enlever ses vêtements mouillés, puis à se sécher, avant de lui faire enfiler une tunique argentée. Tandis que Danitza allait prendre place devant l'ancien, Vickielle prépara du thé.

– Que venez-vous faire ici au beau milieu de la saison des pluies ?

– J'avais besoin de parler à une personne d'expérience, lui confia la reine.

– N'avez-vous pas des enchanteresses dans votre clan ?

– La question est trop épineuse.

– Dans ce cas, dites-moi de quelle façon je peux vous aider.

– Lorsque le Roi des Elfes est incapable de prendre une décision, sa reine doit-elle le faire à sa place ?

– S'il s'agit d'une affaire de vie ou de mort, j'imagine que oui.

– En fait, nous devons déterminer le sort d'une apprentie qui a été victime d'un sortilège et qui représente un grand danger pour notre communauté. Et puisqu'il s'agit de la sœur de Cameron, il n'arrive pas à faire taire son cœur et à agir pour le bien de tous.

– Un sortilège jeté par Moérie, je présume ?

– Je sais qu'elle est votre petite-fille, Tehehi, mais...

– Elle a trahi les siens en se liant à des personnes peu recommandables.

– C'est avec beaucoup de tristesse que je dois vous apprendre qu'elle a assassiné Sélène et qu'elle a manipulé Malika pour qu'elle me tue, moi.

– J'ai toujours craint que sa haine la pousse à commettre un meurtre, mais je ne pensais pas qu'elle tuerait les siens, s'attrista le vieillard. Mais revenons à votre question. À mon avis, vous avez parfaitement le droit d'intervenir lorsque votre mari se laisse envahir par ses émotions. Cela pourrait cependant vous causer des ennuis dans votre couple.

– Je sais, mais je suis d'avis que la protection du peuple passe avant notre bonheur conjugal.

– Vous êtes bien étonnante pour une humaine, Danitza de Zénor.

La reine ne put s'empêcher de rougir.

– La première qualité d'un bon souverain, c'est l'abnégation, ajouta-t-il.

– Je suis certaine que mon mari en est capable, à condition que sa famille ne soit pas en jeu. Je ferai ce que je dois.

– Mais il n'est pas question que vous partiez dans le noir sous ce déluge. Veuillez accepter mon humble hospitalité.

– Avec plaisir, Tehehi.

– Demain, je vous fournirai une escorte pour que vous arriviez chez vous sans embûches.

Danitza avait fort bien saisi le sous-entendu. Si Moérie était introuvable, c'était peut-être parce qu'elle se cachait sous leur nez.

– Et pendant que j'y suis, j'aimerais vous remercier pour ces nouveaux abris qui ne laissent pas passer l'eau tout en nous permettant de profiter de la fraîcheur du vent, ajouta Tehehi.

– Ce n'est pas moi mais Kaliska qui en a eu l'idée, après les dernières inondations.

– Nous aurions dû y penser il y a longtemps.

– Ce qui est important, c'est ce que nous avons maintenant.

La reine bavarda avec le vieux sage pendant une partie de la nuit, puis se coucha près de Vickielle, qui habitait avec son grand-père depuis la disparition de Moérie, pour s'assurer qu'il ne manque de rien.

* * *

Au matin, lorsque Sabrielle débarrassa Malika de ses liens, celle-ci lui apprit qu'elle n'avait pas été importunée par des cauchemars.

– J'ai même rêvé au Roi Hamil.

– Il te manque ?

– Plus que jamais.

L'apprentie mangea avec le couple en songeant qu'elle ne pourrait pas passer le reste de sa vie dans leur maison, surtout si Moérie rôdait encore dans la forêt. La seule solution, celle qu'écartait Cameron, c'était qu'elle disparaisse à tout jamais. Alors, dès qu'elle aurait gagné la confiance de Telemniel, Malika se jetterait dans l'un des étangs après s'être attaché une pierre autour du cou !

– On dirait qu'il y a de plus en plus d'éclaircies, remarqua Sabrielle en regardant dehors. Pourtant, cette saison ne tire pas encore à sa fin.

– Mon père nous a parlé d'une année où il avait à peine plu durant les mois maussades, lui apprit Telemniel. Je vais aller chercher des provisions.

Tout ce que les autres royaumes avaient fourni aux Elfes, après l'inondation, avait été entreposé dans des huttes qui n'étaient pas encore occupées. Chaque jour, les familles venaient y chercher ce dont elles avaient besoin et les gardiens des provisions en prenaient note mentalement afin que le roi puisse envoyer une missive à ses bienfaiteurs leur indiquant ce qui allait bientôt leur manquer. Puisque sa femme était aussi habile que lui avec un arc, Telemniel laissa sa prisonnière sous sa surveillance.

– Me laisserez-vous me rendre jusqu'aux étangs magiques ? demanda alors Malika en s'efforçant de conserver un visage innocent.

– Au retour des beaux jours, sans doute, et si le roi n'a pas décidé de te faire conduire ailleurs.

– Je ne vois pas où il pourrait m'envoyer, à part chez mes parents.

Pendant que Sabrielle veillait sur Malika, Telemniel traversa la forêt. Il n'avait pas apporté ses armes, car il aurait les bras bien chargés à son retour. C'est alors qu'il entendit une grande clameur en provenance de la clairière du palais. Craignant que Moérie ait une fois de plus frappé, il accéléra le pas. Lorsqu'il aboutit dans la trouée, Telemniel vit un groupe d'Elfes au pied du séquoia du roi. Certains de ses archers se trouvaient parmi eux.

– Je ne ressens pourtant aucun danger, chuchota-t-il à l'un de ses hommes.

– Les sentinelles du clan du rivage ont aperçu des embarcations au large.

– Des Tanieths ?

– Elles sont apparemment trop raffinées pour leur appartenir.

– Des explorateurs ?

– Elles ne le disent pas ouvertement, mais elles semblent penser qu'il s'agit de Hauts Elfes.

– Ici ?

Planté devant ses sujets, Cameron écoutait le rapport des guetteurs. Toutefois, la petite escapade de sa femme continuait de le préoccuper et il ne leur accordait pas toute son attention.

C'est à ce moment que Danitza sortit de la forêt.

– Mais où étais-tu passée ? s'exclama le roi, sans aucun tact.

– Je suis allée demander conseil à un sage, répondit-elle, souriante. Alors que se passe-t-il, cette fois ?

Les sentinelles lui répétèrent ce qu'elles venaient de raconter à son mari.

– Quand toucheront-ils terre ?

– Sans doute à la fin de la journée, si les vents se maintiennent, estima l'un des guetteurs.

– Alors, il faut leur organiser un bel accueil. Nous serait-il possible de dresser des pavillons pour les recevoir au sec ?

– Les Argentais nous en ont fourni au lendemain du débordement des eaux de Shola.

– Il faut retrouver ces toiles et les tendre au meilleur endroit pour un débarquement. Allez-y de ce pas, nous vous suivrons sous peu.

– À vos ordres, ma reine.

Les hommes décollèrent au pas de course, laissant Telemniel seul avec le couple royal.

– Les archers devraient-ils être présents ?

– Je crois que oui, balbutia Cameron, au cas où ce serait un piège.

– En effet, la prudence s'impose, l'appuya Danitza.

– Je vais les rassembler afin qu'ils vous servent d'escorte jusque sur le rivage, décida le chef des archers. Quand serez-vous prêts à partir ?

– Dans une heure.

– Nous serons de retour.

Telemniel s'empressa d'aller chercher de la nourriture avant de filer chez lui. Le roi et la reine se retrouvèrent donc enfin seuls au pied de leur séquoia.

– Pourquoi ne m'as-tu pas prévenu que tu serais absente toute la nuit ? grommela Cameron.

– J'étais si fâchée contre toi que j'aurais été de très mauvaise compagnie. De toute façon, j'avais besoin de questionner un ancien au sujet de mon rôle auprès des Elfes.

– Ah oui ?

– Il m'a dit que lorsque tu souffres d'hésitation, c'est mon devoir d'intervenir à ta place.

– Je ne le fais pas exprès pour hésiter.

– Tehehi est d'avis que tu finiras par t'aguerrir. Mais en attendant, il ne faut pas que le peuple se sente abandonné. As-tu mangé ?

– Pas encore.

– Allez, monte. Je meurs de faim.

Danitza poussa son mari vers l'échelle en corde. Elle prépara un repas, le partagea avec lui, puis s'apprêta à partir.

– Les archers seront bientôt ici.

– Comment arrives-tu à toujours faire preuve d'autant d'assurance ? se découragea Cameron.

– Si tu avais été élevé par Bergeau d'Émeraude et Catania de Zénor, tu serais exactement comme moi.

– Il est vrai que mon père pliait souvent devant ma mère, mais c'était surtout pour lui faire plaisir.

– Maintenant que nous savons que je suis parfaitement en droit de te seconder sans offenser nos sujets, je vais t'insuffler du courage.

Ils quittèrent leur maison et trouvèrent les archers rassemblés devant leur arbre. Pour ne pas laisser Sabrielle toute seule avec Malika, Telemniel avait décidé d'emmener l'adolescente avec lui. Danitza donna un petit coup discret dans le dos de son mari.

– Mettons-nous en route, ordonna Cameron.

Deux par deux, enveloppés dans leurs capes, les Elfes suivirent le sentier qui menait vers la mer. Ils marchèrent pendant des heures et aperçurent enfin les beaux pavillons bleus et argent tendus entre les arbres pour protéger les visiteurs des intempéries. Les membres du clan du rivage les avaient déjà accueillis et l'atmosphère était à la réjouissance. Derrière eux mouillaient trois magnifiques embarcations sculptées avec une grâce exquise. Elles ressemblaient à des oiseaux marins se reposant sur les flots.

– Grand-père ? s'étonna Cameron en le reconnaissant.

– Il était temps que vous arriviez ! lança joyeusement Hamil.

– Tu as donc trouvé Osantalt ?

– Doutais-tu de moi ?

– Bien sûr que non... mais vous êtes parti sans la moindre carte...

– Mon instinct m'a mené tout droit à la mère patrie.

– Vous me paraissez en pleine forme.

– C'est qu'on m'a bien traité, là-bas. Je suis content que vous soyez là, ma belle Danitza, mais n'était-ce pas un peu risqué de faire toute cette route dans votre état ?

– Quel état ? s'étonna Cameron.

– Vous ne le lui avez pas encore dit ?

– J'attendais le bon moment, se justifia la reine.

– De quoi parlez-vous ? s'enquit Cameron.

– Nous aurons bientôt un petit prince ou une petite princesse.

– Nous ?

– Il est désespérant par moment, n'est-ce pas ? plaisanta Hamil.

– Nous en reparlerons plus tard quand nous serons seuls, mon chéri, promit Danitza en embrassant son mari sur la joue.

Elle se tourna à nouveau vers l'ancien Roi des Elfes.

– Êtes-vous de retour pour de bon ?

– Ces lointains cousins, fit Hamil en leur pointant les Elfes d'Osantalt, voulaient voir ce que nous étions devenus. Quant à moi, je suis venu chercher ma petite-fille.

– Malika ? voulut s'assurer Danitza.

– J'ai rêvé qu'elle avait besoin de moi, alors me voilà.

L'apprentie échappa à la surveillance de Telemniel et courut se jeter dans les bras de son grand-père.

– Où voulez-vous l'emmener ? se méfia Cameron.

– Dès que nos invités auront satisfait leur curiosité, je la ramènerai avec moi sur la grande île.

– Mais elle est dangereuse, en ce moment.

– Nous lui ferons subir une conjuration contre le maléfice qui l'habite.

– Quel merveilleux dénouement ! se réjouit Danitza.

– Je vous présente donc mes compagnons de voyage : Daviel, Alaxel, Nicodi, Gaéti et le sage Matéo. Messieurs, voici mon petit-fils Cameron, le Roi des Elfes d'Enkidiev, et son épouse Danitza.

– Si nous commencions par leur faire visiter le village du clan du rivage ? suggéra la reine.

– Montrez-nous le chemin, ma belle dame.

Avec galanterie, Matéo offrit son bras à Danitza et ouvrit la marche.

22

MARIÉE UN JOUR...

Après avoir essayé au moins cent fois de se transformer en aigle, Aquilée fut finalement contrainte d'accepter que sa vie avait changé pour toujours. Prisonnière d'un corps physique et obligée de vivre parmi les humains, elle entendait cependant choisir les conditions de sa captivité. Dans le palais du Roi de Fal, des serviteurs lui procuraient tout ce qu'elle désirait, mais dès qu'elle aurait franchi les murailles, plus personne ne la nourrirait, ne laverait ses vêtements et ne préparerait son lit. Il lui fallait donc en apprendre le plus possible sur les coutumes d'Enkidiev si elle voulait survivre.

S'efforçant de se montrer aimable, Aquilée avait commencé à observer plus attentivement les autres habitants du château. Fan était déjà partie avec sa fille dans un endroit qui s'appelait Shola. Orlare cherchait surtout à apprendre à lire et à écrire tandis que Parandar ne sortait presque jamais de sa chambre. Elle se tourna donc vers Theandras, qui s'intéressait à la préparation des aliments. « Ça me sera plus utile qu'un livre », songea-t-elle.

Aquilée retrouva son chemin jusqu'aux cuisines et, tout comme elle s'y attendait, elle trouva la déesse du feu debout devant une table à pétrir une masse gluante.

– Qu'est-ce que c'est ? demanda l'aigle.

– De la pâte pour faire du pain. On l'obtient en mélangeant de la farine, du sel, de l'eau et de la levure.

– Et où trouve-t-on ces ingrédients ?

– Les marchands les vendent lorsqu'ils arrivent dans la cour des châteaux avec leur charrette. On les paie avec des pièces d'or ou on procède à un échange en leur offrant un autre produit dont ils ont besoin.

– Ces pièces, elles viennent d'où ?

– Il faut les gagner en effectuant un travail quelconque.

– Je trouve ça très compliqué juste pour manger du pain.

Theandras mit la pâte sur une pelle en bois qu'elle introduisit dans le four.

– Si j'ai bien compris ce qu'on m'a expliqué, fit la déesse du feu, les humains reçoivent une éducation dont la qualité dépend de la position sociale qu'occupent leurs parents. La plupart apprennent leur futur métier auprès de leur père ou de leur mère. Les autres s'adressent à un mentor. Au bout d'un certain temps, ces enfants grandissent et offrent leurs services à la communauté. Ils reçoivent des pièces d'or et achètent ce dont ils ont besoin pour vivre.

– Mais nous ne sommes plus des enfants.

– Ce qui ne nous empêche nullement de suivre le même parcours qu'eux. Ce sont les cuisinières du roi qui m'enseignent mon futur travail.

– Faire du pain ?

– Ainsi que des pâtisseries. Je serai boulangère.

– Au château ?

– Je n'en sais rien encore. Tous les royaumes ont besoin de pain.

– Il y a certainement autre chose qu'on peut faire pour gagner des pièces d'or.

– En effet. Je ne suis pas au courant de tout ce que ce monde a à offrir, mais jusqu'à présent, on m'a parlé de travaux reliés à la nourriture, à la confection de vêtements, à l'enseignement, à l'élevage des animaux, à l'agriculture et à la fabrication des meubles.

– Rien de tout ça ne m'attire...

– C'est en s'adressant aux gens d'ici qu'on en apprend davantage.

Aquilée n'était pas très portée sur la conversation, mais elle n'avait plus le choix. Elle poursuivit donc sa route et trouva Santo en train de suspendre au mur du salon de son logis une carte géante d'Enkidiev que ses fillettes avaient dessinée.

Orlare et Parandar étaient assis sur de confortables coussins, comme s'ils allaient assister à une leçon de géographie. La déesse-aigle décida donc de se joindre à eux.

– Je ne peux pas garantir la précision de cette illustration, mais les divisions entre les différents royaumes sont à peu près exactes, commença le guérisseur. Ce matin, je vais surtout vous dire quelques mots de ce que vous pourrez trouver dans chacun. Commençons par les pays côtiers. Celui qui se situe le plus au sud, c'est le Royaume de Zénor, un lieu historique pour les habitants d'Enkidiev, car il a connu les batailles les plus importantes. Les Zénorois sont éduqués, rusés, flamboyants, bruyants et exubérants. Ils sont plutôt indépendants, mais aussi très chaleureux. Ce sont des gens fiers, peu importe leurs moyens, courageux et non conformistes. Rien ne les presse jamais. Le Roi Vail est toujours le dirigeant de ce pays et il n'entend pas céder sa couronne à son fils Zach avant sa mort.

– Est-ce qu'il y fait chaud ? demanda Aquilée.

– Oui. Plus on remonte vers le nord, plus il fait froid.

– Qu'y mange-t-on ?

– Surtout du poisson.

Aquilée fit la grimace.

– Vient ensuite le Royaume de Cristal, une grande étendue de vallons, de lacs et de prairies où paissent de grands troupeaux de chèvres et de moutons.

– C'est déjà mieux, commenta la déesse-aigle.

– Les Cristallois sont prompts, combatifs, simples et sociables. Ils parlent beaucoup et aiment s'amuser. Ils adorent la musique, la poésie, les jeux d'esprit et les contes.

– Parlez-moi du prochain royaume.

– C'est celui d'Argent. C'est un pays qui commence à se relever des années de misère dans lesquelles l'avait plongé le Roi Draka. Il fait maintenant du commerce avec les autres royaumes, surtout depuis que les murailles ont été démantelées, mais la vie n'y est pas facile.

– Ensuite ?

– Il y a le pays des insouciantes Fées, mais elles ne permettent pas que des étrangers s'établissent sur leurs terres magiques. Vient ensuite celui des Elfes, des créatures sylvestres qui vivent dans les arbres.

– Ont-ils des ailes ?

– Non.

– Je veux en entendre parler, intervint Orlare avant que sa sœur insiste pour que le guérisseur passe au royaume suivant.

– Les Elfes sont arrivés de la mer et se sont établis sur un territoire que les Fées leur ont offert. Ils sont impénétrables, craintifs, pacifiques et n'aiment pas particulièrement les humains. Ils entretiennent des liens étroits avec la nature et surtout les arbres. Ils vivent dans des villages, ne travaillent pas la terre et n'élèvent pas d'animaux. Ils ne mangent que ce qu'ils trouvent dans leurs forêts. Ils ont désormais un roi qui est un demi-Elfe.

– Continuez, le pressa Aquilée, qui n'avait encore rien entendu qui lui plaise.

– À l'est du pays des Elfes se situe le Royaume de Diamant, où les habitants sont très attachés à leurs terres et à leur confort. Ils se sentent supérieurs aux autres, mais ne s'en vantent jamais. Ils adorent les débats intellectuels et les longs repas pendant lesquels ils échangent sur une foule de sujets. Ils se nourrissent surtout de gibier, d'aliments à base de farine et ils mettent du beurre sur tout ce qu'ils mangent.

– En dessous, c'est Émeraude ?

En fait, c'était le seul pays où Aquilée avait souvent mis les pieds.

C'était là également qu'elle avait séduit Fabian, le fils du roi. « Mais nous sommes mariés ! » se rappela-t-elle.

– C'est exact. Ce royaume est le plus riche d'Enkidiev et il a servi d'autorité centrale lors des invasions des Tanieths. Les Émériens sont des gens réalistes, travaillants et endurants. Généralement ouverts d'esprit, ils sont honnêtes et tolérants, et accueillent volontiers des ressortissants de partout ailleurs. Ils mangent ce qu'ils cultivent. D'ailleurs, le climat d'Émeraude est favorable à l'exploitation d'une grande variété d'arbres fruitiers et de vignes.

– J'aime bien, avoua la déesse-aigle, mais parlez-moi quand même des autres territoires.

– Le Royaume de Perle est reconnu pour ses élevages de chevaux, de porcs et de bovins. Les Perlois sont arrogants, méthodiques et ordonnés. Ils obéissent aveuglément aux règlements.

– Suivant, exigea Aquilée.

– Le Royaume de Turquoise est en fait une immense forêt. Ses habitants vivent au bord des rivières. Ils consomment du poisson et tout ce qu'ils font pousser dans leurs nombreux jardins. Ce sont des gens joyeux, passionnés, brillants et inventifs. Ils sont aussi très superstitieux et se barricadent dans leur maison la nuit.

La déesse-aigle leva les yeux au plafond.

– Je ne crois pas que le Royaume de Béryl vous intéresse, car c'est une immense montagne rocheuse, où la vie est très dure. Les Bérylois sont obligés de travailler toute leur vie pour survivre.

– Et juste au-dessus ?

– C'est le Royaume de Jade, surtout composé de grands champs de riz, de bambous et de mûriers pour l'élevage des vers à soie. Ses habitants passent le plus clair de leur temps au travail. Ce sont des gens simples, tranquilles, qui aiment les jeux d'esprit et les énigmes. Ils se contentent de peu et prennent bien soin de leur santé. Vient ensuite le Royaume de Rubis, l'antithèse du Royaume de Jade. Ce pays est recouvert de forêts. Les Rubiens sont des gens débordants de joie de vivre qui adorent manger, boire et chasser. Ils ne consomment que de la viande, qu'ils accompagnent d'énormes quantités de bière.

– Passons.

– Puisque vous savez déjà tout de la vie à Fal, il ne reste plus que le Royaume d'Opale. C'est un pays boisé où il fait toujours frais. La quasi-totalité des habitants vivent à l'intérieur des interminables murailles du château. Ils sont individualistes, fiers et obsédés par leur image. Très attachés à leurs biens, ils définissent leurs classes sociales en fonction de l'importance du patrimoine détenu par chacun. C'est un pays où les hommes dominent et les femmes doivent constamment prouver leur valeur.

– Et Shola ? demanda alors Orlare.

– Il n'y vit qu'une seule famille, qui trime dur pour se nourrir et se tenir au chaud.

– Alors, c'est décidé, laissa tomber Aquilée. J'irai vivre à Émeraude, où habite déjà mon mari.

– J'ignorais que vous étiez mariée.

– Albalys a dû fuir notre monde lorsque mon frère a commencé à décimer notre panthéon. Il sera si heureux de me revoir.

– Pour moi, ce sera les Elfes, décida la déesse-harfang.

Elle se leva et se dirigea vers la porte.

– Où vas-tu ? lui demanda Aquilée.

– Au cours de lecture de Bridgess, dans le hall.

Elle s'empressa de suivre Orlare.

Il ne resta plus devant Santo que Parandar, qui promenait son regard sur la carte géante.

– Rien ne vous intéresse ?

– J'aurais aimé trouver un endroit retiré, loin de la civilisation, où j'aurais pu méditer tout en me rendant utile jusqu'à mon dernier souffle.

– Il existe un monastère, creusé dans le roc d'une grande falaise, où les derniers survivants d'une race de mages anciens vivent en reclus.

– Croyez-vous qu'ils accepteraient un autre moine ?

– Si vous désirez passer le reste de votre vie au service d'Abussos, oui, bien sûr.

– Le dieu même qui nous a châtiés... ironique, vous ne trouvez pas ?

– Au prochain passage de Hawke ou de Briag à Fal, nous verrons ce que nous pouvons faire pour vous y faire admettre.

Dans la vaste salle du trône, Bridgess avait déjà distribué les ardoises aux enfants. Orlare s'installa parmi eux, alors qu'Aquilée restait debout à se demander si elle avait vraiment envie de s'abaisser au niveau de ces oisillons.

– Si tu veux participer à la leçon, tu dois t'asseoir, lui dit Orlare.

Pour ne pas avoir l'air ridicule, la déesse-aigle prit place sur un coussin et accepta le petit tableau bleu et la craie que lui tendait une fillette.

Au début, elle imita les autres, puis prit un réel plaisir à former les lettres que leur enseignait Bridgess.

Lorsque celle-ci renvoya finalement les enfants chez eux, Aquilée continua de travailler sur son ardoise comme si sa vie en dépendait.

– C'est terminé, lui dit gentiment la femme Chevalier.

– Au contraire ! Ça ne fait que commencer. Pourriez-vous me préparer à retrouver mon mari à Émeraude ?

– Votre mari ?

– Albalys. C'est un dieu rapace qui a longtemps vécu dans votre monde. Je suis certaine qu'il possède déjà une maison, un travail et une grande quantité de pièces d'or.

– Je vois. Que puis-je faire ?

– Les femmes d'Émeraude s'habillent-elles comme celles de Fal ?

– Pas du tout, mais je peux vous montrer à quoi ressemblent leurs vêtements. J'en ai gardé quelques-uns.

Aquilée s'empressa de suivre Bridgess chez elle. Celle-ci ouvrit ses malles et en retira plusieurs tenues.

– Voici ce que portent les Émériennes au quotidien : un bliaud par-dessus un chainse. Lors des grandes fêtes, elles y substituent une robe d'un tissu plus riche. Quand elles se marient, elles font coudre des perles ou des pierres précieuses sur le bustier.

– De quelles couleurs sont leurs vêtements ?

– Elles sont moins criardes qu'à Fal, c'est certain. Les couturières du palais ne confectionnent pas de robes semblables, mais peut-être accepteraient-elles de s'inspirer de celles-ci pour vous en coudre quelques-unes. De cette façon, vous pourrez mieux vous fondre à la population d'Émeraude.

– Je pense que ce serait une bonne idée. Et pour les cheveux ?

– Nous aimons tresser ou attacher nos cheveux. Les vôtres sont plutôt rebelles.

– Ce sont les seuls que j'ai.

Bridgess montra donc à Aquilée à prendre soin de ses cheveux en lui fournissant des produits qui les rendaient plus soyeux, des brosses et des peignes, puis à nettoyer sa peau avec des savons doux et des crèmes odorantes. Dès que les couturières eurent réussi à confectionner une première tenue émérienne, elle l'aida à se vêtir, noua ses mèches rousses avec une lanière de cuir sur sa nuque et la plaça devant la psyché de sa chambre.

– Vous êtes vraiment belle, la complimenta Bridgess.

– N’est-ce pas ?

– Vous allez reconquérir votre mari sans aucune difficulté.

– Quand pourrai-je partir ?

– Bientôt. La saison chaude commencera dans quelques semaines. À ce moment-là, vous serez en mesure de lire et d’écrire comme si vous étiez née ici.

Avec un large sourire de satisfaction, Aquilée suivit la femme Chevalier dans le hall du roi afin de poursuivre son éducation.

23

ELLADA

Sans se presser, Onyx et son cortège familial piquèrent vers l'ouest. Leurs amis Anasazis leur avaient indiqué l'entrée du seul canyon qui traversait entièrement la chaîne de montagnes qui séparait leur pays de celui des Elladans. Il faisait beau et chaud et les enfants étaient sages comme des images, du moins pendant les premiers jours du trajet le long de la rivière qui coulait au fond de la profonde gorge. Tous les soirs, Onyx allumait un feu magique autour duquel s'assoyaient les voyageurs et se reposaient les chevaux. Il empruntait une baignoire remplie d'eau chaude dans un château d'Enkidiev pour permettre à tous de se laver.

Un jour, ils arrivèrent à une série de petites chutes qui se déversaient dans la rivière. Wellan, Fabian et Cornéliane descendirent de cheval, firent boire les bêtes et sautèrent dans l'eau avec Anoki et Jaspe. Obsidia, qui avait mystérieusement commencé à marcher à quatre pattes, se mit à pousser des cris aigus.

– Tu veux y aller, toi aussi ? demanda Onyx, amusé.

Il la détacha du porte-bébé et dut la retenir par sa tunique pour l'empêcher de rejoindre les baigneurs par elle-même. Il lui enleva ses vêtements, puis ôta sa cuirasse, sa chemise et ses bottes d'une seule main, puisque l'autre était occupée à maintenir la petite en place, et l'emmena dans l'eau. Napashni avait également libéré Kaolin qui, lui, se comportait comme un véritable nouveau-né. Elle choisit un bassin différent pour lui tremper les pieds.

– Pourquoi Obsidia grandit-elle plus vite que Kaolin ? demanda Anoki en nageant vers Onyx.

– Nous n'en savons rien, avoua le père.

– Moi, je pense qu'elle possède de la magie et pas lui, avança Fabian.

– C'est une fille ! s'exclama Cornéliane. Il est tout naturel que son évolution soit plus rapide !

– N'oubliez pas que c'est aussi une déesse, intervient Wellan. Elle a le pouvoir de modifier son âge à volonté. Jenifael a fait la même chose.

Obsidia tapait des mains à la surface de l'eau et éclaboussait son père en riant.

– J'ai deux sœurs, maintenant, se réjouit la princesse.

– Et sept frères, lui rappela Fabian.

Lorsque l'empereur sortit finalement du bassin, la petite protesta de tous ses poumons, mais puisqu'elle avait les lèvres bleues, il n'était pas question de la laisser s'amuser dans l'eau froide une minute de plus.

Onyx la frotta pour la réchauffer et la rhabilla. Il alluma le feu et tenta de la garder assise entre ses jambes pendant que son esprit cherchait de la nourriture sur le continent.

Napashni venait de changer les langes de Kaolin et séchait maintenant Jaspe, qui adorait ce moment d'intimité avec sa mère. Un peu plus loin, Wellan était déjà absorbé dans l'écriture de son journal. Les repas se mirent alors à apparaître devant chaque membre de l'expédition.

– J'ai toujours rêvé de ce genre de vie, avoua Onyx en tendant un quartier de pomme à Obsidia, qui s'était tournée vers lui et avait ouvert la bouche comme un oisillon.

– Toi, le redoutable guerrier ? s'étonna Napashni.

– J'ai fait la guerre aux Tanieths parce que je n'avais pas le choix.

– Tu fais référence à la première invasion ? s'enquit Fabian.

– Oui, surtout à celle-là. La deuxième s'est échelonnée sur des années, alors que celle où j'ai combattu sous le commandement de Hadrian n'a duré que quelques mois.

– Les livres d'histoire prétendent que tu étais une machine à tuer.

– Tous les soldats ne le sont-ils pas ?

– Et que tu ne craignais rien.

– Ça, c'est encore vrai, commenta Napashni, qui donnait le sein à Kaolin. Il est impavide.

– Moi, je ne sais pas ce que c'est d'être impavide, avoua Fabian.

Wellan leva les yeux de son journal, affriandé par l'arôme de son écuelle.

– La peur n'existe pas, c'est un choix devant le danger qui lui, par contre, est bien réel, déclara Onyx.

– Et toi, Wellan ? demanda Fabian.

– J'ai connu l'angoisse qui précède les affrontements, mais comme le dit si bien ton père, il n'était pas question de reculer. Nous avions un continent à défendre.

– On dit que tu as tué des dragons avec tes mains nues, papa ! s'anima Anoki.

– Alors, là, les historiens ont exagéré. Je n'ai jamais affronté ces bêtes sans mon épée ou ma magie.

– Tu es un héros.

– Je ne suis pas prêt à dire ça.

– Même les personnages de légende ont un côté sombre, révéla Wellan.

Rassasiée, Obsidia refusa la bouchée suivante et échappa à son père. Elle se traîna en babillant jusqu'à son petit frère couché sur sa couverture et s'assit près de lui.

– Je suis un bon combattant, mais je suis également un homme exigeant envers les autres et envers moi-même.

– Ouais, on avait remarqué, le taquina Fabian.

– Mais je ne réclame jamais plus que ce que je suis capable de faire moi-même.

– Est-ce que tu obéissais aveuglément à tes parents ? voulut savoir Cornéliane.

– Oui, affirma Onyx, très sérieux.

– Tu as toujours fait ce que te demandait ton père ?

– Toujours. Je n'ai commencé à prendre mes propres décisions qu'après sa mort.

– Même quand ses ordres étaient déraisonnables ? insista la princesse.

– Il a toujours agi au meilleur de sa connaissance.

– T'a-t-il obligé à faire des choses contre ton gré ?

– Il m'a envoyé étudier à Émeraude pour que je puisse un jour gagner ma vie comme scribe, alors que je voulais devenir soldat. Il m'a aussi forcé à me marier avec la jeune fille de son choix.

– C'est donc pour cette raison que tu t'attendais à ce que nous t'obéissions sans discuter, comprit Fabian.

– Les pères savent ce qui est bon pour leurs enfants. Ils essaient de leur éviter des écueils et des déboires.

– Mais les enfants n'en font qu'à leur tête.

Obsidia se mit alors à frapper sur le ventre de Kaolin en poussant des cris aigus, ce qui déclencha les pleurs du bébé. Onyx se précipita pour arrêter son geste.

– On ne fait pas ça, l'avertit-il.

Il l'enveloppa dans sa couverture et la tendit à Napashni pour qu'elle l'allaite et tente de l'endormir.

Tandis que s'allumaient les étoiles dans le ciel d'encre, les membres de l'expédition diplomatique fermèrent l'œil les uns après les autres.

Ils se remirent en route au matin et atteignirent finalement Ellada deux jours plus tard. En descendant dans la vallée verdoyante, ils aperçurent une rivière qui serpentait vers le sud. Les Hidatsas prétendaient qu'en la suivant, on arrivait à la capitale de ce pays.

– Je ne ressens aucune agressivité, mais j'ai la nette impression qu'on nous épie, laissa alors tomber Wellan, qui avait laissé les rênes de son cheval à Jaspe, assis devant lui.

– Des guetteurs, confirma Napashni. Ils sont de l'autre côté de la rivière.

– Si j'avais encore le pouvoir de voler, je pourrais jouer à l'éclaireur, regretta Fabian.

– Ce sont des archers, précisa Onyx. Ils auraient tôt fait de t'abattre. Pour l'instant, ils sont surtout curieux.

– Est-il prudent de s'aventurer en terrain inconnu avec les petits ? s'inquiéta Cornéliane.

– Vous n'avez rien à craindre, affirma Onyx.

Les sentinelles elladanes continuèrent de les surveiller toute la journée. Ce fut seulement lorsque le groupe établit un campement sur le bord de la rivière qu'elles se manifestèrent enfin. Napashni ramena les deux bébés contre elle de façon protectrice, tandis que Wellan poussait doucement Jaspe et Anoki derrière lui. Quant à elle, Cornéliane se rapprocha de sa mère, prête à se transformer en guépard pour la défendre.

Fabian à ses côtés, Onyx se posta debout entre sa famille et les trois étrangers. Ceux-ci étaient armés de lances. Ils portaient une tunique brune, serrée à la taille par une large ceinture, des sandales lacées, des bracelets de cuir et un casque métallique qui descendait sur leurs joues.

– Qui êtes-vous et pourquoi foulez-vous ces terres ?

– Je suis l'Empereur Onyx d'An-Anshar et je me rends chez le dirigeant d'Ellada.

– Je m'appelle Pyrame, fantassin de la grande armée d'Érésos et voici mes compagnons, Cyriacus et Phinée. Nous pouvons vous conduire jusqu'à la cité d'Antessa, où vous trouverez le grand stratège Ariarathe.

– Nous vous en remercions.

– Cette nuit, permettez-nous de veiller sur votre sommeil. Nous partirons au matin. Mais nous allons commencer par vous nourrir en pêchant du poisson pour vous.

– Je crois que vous préférerez ce que j'ai à vous offrir, répliqua Onyx. Je vous en prie, venez vous réchauffer avec nous.

– Mais vous n'avez même pas de bois.

D'un geste de la main, Onyx alluma derrière lui un feu à partir de rien. Effrayés, les guetteurs adoptèrent aussitôt une posture défensive, lances pointées sur les étrangers.

– Personne ne fait apparaître des flammes de cette façon, se troubla Pyrame.

– J'en conclus donc qu'il n'y a aucun magicien à Ellada. Assoyez-vous.

Onyx s'installa près de sa femme sans se formaliser de l'attitude effarée des guetteurs. Au bout d'un moment, ils acceptèrent de prendre place de l'autre côté du feu.

– Est-ce une illusion ? demanda Pyrame.

– C’est de la magie.

Il approcha la main des flammes et ressentit leur chaleur.

– Mais comment...

– Je n’ai qu’à le vouloir.

Sagement assis près de Cornéliane, Fabian observait son père. « Il sait toujours comment épater la galerie », songea-t-il.

– Ce soir, je vais vous offrir des mets en provenance de mon pays natal, leur annonça Onyx.

– Où se trouve-t-il ?

– De l’autre côté des grands volcans.

– À des milliers de lieues d’ici ?

– C’est une bonne approximation.

Des écuelles fumantes remplies de poulet rôti, de carottes et de pommes de terre cuites se mirent à apparaître devant les membres de la famille impériale.

– Je ne comprends pas... bafouilla Pyrame, terrorisé.

– Comme je vous l’ai dit, c’est de la magie.

– Tous les habitants de votre pays s’en servent-ils ?

– Non, affirma Wellan, enfin, pas de cette façon-là.

– Êtes-vous des acteurs ou des guerriers ?

– Un peu les deux, plaisanta l’ancien commandant des Chevaliers en faisant rire ses amis.

Les Elladans touchèrent craintivement la nourriture du bout des doigts pour se convaincre qu'elle était bien réelle. Voyant que les voyageurs avaient commencé à manger, ils en firent autant.

– Parlez-nous de votre pays de magie.

Onyx fit signe à Wellan de mettre son savoir à bon usage. L'érudit leur parla donc de la géographie et des mœurs d'Émeraude pendant qu'ils dévoraient leur repas. Même la petite Obsidia l'écouta avec attention, comme si elle comprenait tout ce qu'il disait. Au moment de s'enrouler dans les couvertures pour dormir, Onyx indiqua par télépathie à Wellan et Fabian qu'ils prendraient tous les trois un tour de garde discret pour ne pas tomber dans un piège. *Après tout, nous ne connaissons pas ces gens,* ajouta-t-il.

Toutefois, la nuit se passa sans encombre et, au matin, les trois guetteurs marchèrent devant les chevaux le long de la rivière.

– À Ellada, nous avons une façon plus rapide de voyager, les informa Pyrame alors qu'ils approchaient de ce qui ressemblait à un poste de garde.

Wellan fut le premier à apercevoir le grand radeau attaché à des piquets sur la berge.

– Vous faites monter les chevaux sur une plate-forme flottante ? s'étonna-t-il.

– Le courant de la rivière Naupacte est très rapide. Nous atteindrons Antessa en moins de temps.

– Est-ce un moyen de transport suffisamment sûr pour des enfants ? demanda Napashni.

– Oui, madame, mais il faudra les empêcher de s'approcher du bord.

– Nous arrêterons-nous en cours de route pour dormir ou manger ? s'enquit Fabian.

– Normalement, nous nous rassasions dans les divers relais, mais avec votre magie...

Un large sourire apparut sur le visage de l'empereur.

– Vous me mettez au défi ?

– Onyx, n'y pense même pas, l'avertit Napashni.

– Mais tu sais à quel point j'aime les défis...

Ils entassèrent les chevaux dans l'enclos édifié au centre de la grande plateforme et prirent place tout autour.

– Je vous suggère de vous attacher aux poteaux du paddock, recommanda Onyx.

– Pourquoi ? s'étonna Pyrame. Le courant est fort, mais pas suffisamment pour renverser le radeau.

– Faites ce qu'il vous dit, leur conseilla Wellan.

Dès que toutes les cordes furent passées autour de la taille des dix passagers, les gardiens du poste dénouèrent les amarres.

– Tenez-vous bien ! lança l'empereur.

L'embarcation décolla comme la foudre, affolant les chevaux qui se pressèrent les uns contre les autres en hennissant. Quant aux humains, ils se cramponnèrent même s'ils étaient attachés.

Concentré sur l'enchantement, Onyx était immobile comme une statue malgré les soubresauts du radeau.

La seule qui semblait adorer cette expérience, c'était Obsidia, qui manifestait sa joie en tapant dans ses mains. Le visage de Napashni, par contre, avait commencé à pâlir.

Ce fut Wellan qui proposa finalement une pause au bout de plusieurs heures de descente à toute vitesse sur la rivière. Onyx mit fin à son intervention magique et même si la plate-forme continuait d'avancer sur les flots, il leur sembla à ce rythme qu'elle était presque immobile.

– C'est l'heure du goûter ? plaisanta l'empereur.

– Pas pour moi... gémit Napashni.

Onyx lui transmit aussitôt une vague de santé qui lui redonna des couleurs.

– Allons-y pour le repas préféré d'Ayarcoutec, décida-t-il.

Il fit apparaître un grand bol d'épis de maïs que les Itzamans venaient de faire cuire, ainsi que de petits bols de divers condiments pour les assaisonner.

– C'est délicieux, avoua Pyrame.

– J'imagine que les gardiens qui nous ont vus passer à toute vitesse doivent encore être en état de choc, plaisanta Wellan en se léchant les doigts.

Dès que tous furent rassasiés et que les chevaux eurent bu l'eau que leur offrait Fabian dans le grand bol vide, Onyx fit disparaître les vestiges du repas et relança l'embarcation sur la rivière.

Tenant Obsidia d'une main, il appuya l'autre sur la cuisse de sa femme pour qu'elle ne vomisse pas le peu de nourriture qu'elle avait ingurgité.

« En plus, il arrive à utiliser deux types de magie en même temps », s'émerveilla Fabian, qui redécouvrait son père. Malgré le vent qui leur emmêlait les cheveux et le rythme effréné du radeau, la plupart des passagers réussirent tout de même à dormir. Cependant, Onyx garda les yeux bien ouverts, ce que Wellan remarqua toutes les fois qu'une secousse le réveillait.

Aux premières lueurs de l'aube, lorsque l'empereur fit ralentir son vaisseau, les premières images d'Antessa lui apparurent. C'était une cité immense qui partait de la rivière et s'étendait sur des kilomètres jusque sur le flanc des montagnes, où était juché un immense temple à colonnades. Le seul immeuble immaculé qu'Onyx avait vu durant sa vie était le palais de son ami Hadrian, mais à Ellada, tous les bâtiments étaient blancs.

– C'est d'une beauté à couper le souffle, murmura Wellan.

Les guetteurs reprirent le contrôle du radeau et, à l'aide de longues perches, le menèrent en direction d'un grand quai qui accueillait ce type d'embarcations. De jeunes hommes l'amarrèrent et en firent descendre les chevaux, qui avaient encore plus hâte que les humains de poser les sabots sur un sol qui ne bougeait pas. Les visiteurs les suivirent.

– Si notre plan était de nous mêler à la population, c'est raté, murmura Wellan en passant près d'Onyx.

En effet, les membres de l'expédition, jusqu'aux bébés, portaient des vêtements sombres ou de couleurs très vives, alors que les Elladans étaient tous vêtus de blanc. Seules leurs ceintures étaient de différentes teintes.

– Soyez les bienvenus dans la plus belle ville d'Enlilkisar, fit Pyrame. Je vais vous conduire chez le stratège.

Ils remontèrent à cheval et suivirent leurs guides au pas. S'il n'avait pas eu Jaspe devant lui, Wellan aurait certainement sorti son journal pour y dessiner ce qu'il voyait. Ils longèrent une large allée dont le sol était recouvert de magnifiques mosaïques représentant des scènes de la vie quotidienne des citadins ou des paysages marins. Les maisons avaient pour la plupart deux ou trois étages et étaient décorées de frontons surbaissés ou entrecoupés soutenus par des colonnes sculptées de mille et une façons.

– Il est difficile de croire que nous sommes à Enlilkisar, lança Wellan, étonné.

Toutes les civilisations qu'ils avaient découvertes jusqu'à présent étaient bien primitives en comparaison de celle-là.

– Ils ont tout simplement évolué de façon différente, répliqua Onyx.

– Ça ne ressemble pas non plus aux villes madidjins, commenta Cornéliane.

– Ni à rien de ce que nous avons à Enkidiev, ajouta Fabian.

Là-haut, le temple dominait la vie du peuple. On pouvait le voir peu importe où on se trouvait. Les habitants d'Antessa regardaient passer les étrangers, mais ne s'arrêtaient pas pour les dévisager. Pyrame atteignit finalement une maison semblable à toutes les autres. Il s'adressa à la jeune femme sur le point d'y entrer, un panier de pain sur la hanche, puis se retourna vers Onyx.

– Le stratège est absent, mais il sera bientôt de retour. La servante va vous conduire à l'atrium.

– Merci, Pyrame.

– Laissez-nous vos chevaux. Nous les conduirons à l'écurie d'Ariarathe, où vous pourrez les reprendre quand bon vous semblera.

La servante fit donc entrer les visiteurs et leur versa du vin.

– Je les aime déjà, badina Onyx.

– Comment vous appelez-vous ? demanda Napashni à la jeune femme.

– Agathe, madame. Je vais aller chercher ma maîtresse.

Elle recula en baisant la tête et les quitta. Wellan regardait déjà partout avec curiosité. Un trou au milieu du plafond laissait entrer la clarté du jour dans cette pièce rectangulaire.

– Comment se fait-il que tous les peuples d'Enlilkisar parlent notre langue ? demanda Fabian.

– Ils utilisent tous leur propre langue, répondit Onyx. Vous les comprenez parce que j'ai réussi à décortiquer le sort d'interprétation d'Anyaguara et que je l'ai étendu à toute la famille.

– Wellan en fait maintenant partie ? le taquina Cornéliane.

– J'ai été envoûté avant de me joindre à vous, expliqua le Chevalier.

Une belle femme dans la force de l'âge se présenta dans l'atrium. Elle portait un chiton blanc et ses cheveux noirs étaient coiffés en une multitude de tresses serrées autour de sa tête.

– Soyez les bienvenus dans la maison d'Ariarathe, les salua-t-elle. Je suis Danaé, son épouse.

Onyx présenta toute sa bande et la complimenta sur son vin.

– Mon mari possède son propre vignoble.

– Est-il le Roi d'Ellada ?

– Non. La monarchie a été abolie il y a des centaines d'années et a été remplacée par un gouvernement démocratique.

– Qu'est-ce que c'est ? fit Wellan, intéressé.

– Une assemblée composée de plusieurs magistrats élus par le peuple, qui prend les décisions politiques et économiques en son nom.

– Tu n'aimerais pas ça, souffla Fabian à son père.

– Mon mari en fait partie. Il est à la fois stratège et magistrat et son jugement sûr est recherché.

– Donc, il n'est qu'une seule personne parmi plusieurs à gouverner Ellada, comprit Onyx, découragé par le temps qu'il perdrait à parler à toutes les têtes dirigeantes.

Ariarathe rentra chez lui à la fin de l'après-midi. Napashni était en train de dire à Onyx que Kaolin semblait commencer à grandir aussi rapidement que sa sœur. Danaé lui présenta aussitôt ses invités, dont elle avait habilement retenu tous les noms.

– Qu'espérez-vous trouver à Ellada ? fit le stratège, sans détour.

– Un appui à mes efforts pour devenir l'Empereur d'Enlilkisar, avoua Onyx.

– Mes compatriotes ne sont pas très favorables à la souveraineté.

– Je ne leur demande pas de changer leurs structures de pouvoir, mais seulement de reconnaître mon autorité.

– Dans quel but désirez-vous acquérir tous nos territoires ?

– Afin d'y assurer la paix pour toujours.

– Sommes-nous le premier pays du continent que vous approchez ?

– Non. Les Itzamans, les Tepecoalts et les Mixilzins sont devenus un seul peuple sous mon aile.

Ariarathe ne cacha pas sa surprise.

– Les Agéniens, les Hidatsas et les Anasazis répondent désormais de moi, eux aussi, tout comme les Ipocans.

La mention de ces derniers ébranla le stratège, car même ses plus puissants hoplites craignaient les cavaliers des profondeurs.

– Dans ce cas, demain, je vous laisserai parler à l'assemblée, décida l'Elladan. D'ici là, veuillez accepter mon hospitalité. Danaé va vous conduire à notre pavillon d'amis. Avant le repas du soir, que nous prendrons tous ensemble, nous irons bavarder dans mes thermes.

Séparée de la résidence principale par un magnifique jardin, la villa secondaire était presque aussi vaste.

Napashni coucha les deux bébés sur un lit pour leur sieste de l'après-midi et apprit avec déplaisir que les femmes ne pouvaient pas fréquenter les bains.

– Voilà quelque chose que tu devras changer lorsqu'ils feront partie de ton empire, dit-elle à son mari avant qu'il suive Ariarathe en compagnie de Wellan et de Fabian.

Elle resta donc dans la maison avec les enfants et en profita pour bavarder avec Anoki et Cornéliane. Jaspe, pour sa part, s'était endormi dans ses bras. Lorsque les hommes furent de retour, ils s'habillèrent et furent conduits avec toute la famille à la table du maître des lieux. Mystérieusement, durant son sommeil, Kaolin avait rattrapé la croissance de sa sœur et il pouvait lui aussi rester assis sans appui. Napashni s'occupa de le faire manger, alors qu'Onyx se chargeait d'Obsidia, qui était beaucoup plus agitée.

Ils écoutèrent avec intérêt ce que le stratège leur relata sur l'histoire de son peuple, qui avait réussi à renverser un monarque sanguinaire et à rétablir le culte de Parandar. Onyx lui parla alors d'Abussos et de sa grande mission d'unification d'Enkidiev, d'An-Anshar et d'Enlilkisar. Ils ne quittèrent la table d'Ariarathe que lorsque les bébés commencèrent à montrer des signes de fatigue.

Le lendemain matin, Onyx, Wellan et Fabian accompagnèrent leur hôte au théâtre circulaire à ciel ouvert creusé dans un flanc de montagne en bordure de l'océan.

Le vent salin réconforta aussitôt l'âme de l'empereur.

– Habituellement, nous nous rassemblons à l'agora du peuple, mais lorsqu'un étranger désire s'adresser à la nation, il est préférable d'utiliser le théâtre, qui peut contenir plus de vingt mille personnes.

Armé de son journal, Wellan s'assit sur un banc de marbre et se mit à dessiner l'endroit, pendant qu'Onyx arpentait le centre de cette immense construction. Il comprit, lorsque la foule commença à arriver, que l'acoustique architecturale assurerait une bonne propagation du son. Il pouvait entendre des conversations à des mètres de lui sans utiliser ses facultés magiques.

Dès que les portes du théâtre furent fermées, les Elladans se turent graduellement jusqu'à ce que le silence envahisse la vaste enceinte.

– Citoyens, vous avez été convoqués ce matin afin d'entendre la proposition de l'Empereur Onyx d'Enlilkisar. Il a déjà rallié les pays du sud sous sa protection et désire étendre sa domination sur tout le continent. Montrez-lui que nous sommes des gens civilisés en écoutant jusqu'au bout ce qu'il a à dire.

Onyx se planta donc au centre du plancher circulaire et mit les mains sur ses hanches. Il était le seul homme complètement vêtu de noir dans la mer de chitons blancs.

– J'ai été investi d'une mission de paix par mon père, le dieu Abussos, commença-t-il.

Sa voix se répercuta partout autour de lui.

– Tu prétends être un dieu? lança quelqu'un dans l'auditoire.

Des nuages noirs se massèrent au-dessus d'Onyx, arrivant de tous les côtés du ciel et jetant le théâtre dans l'obscurité. Puis, d'un léger mouvement de la main, l'empereur alluma une dizaine de feux magiques sur le pourtour de l'orchestre.

– J'en suis un ! tonna-t-il.

Il se changea en un loup énorme et marcha lentement derrière les flammes pour que tous le voient avant de reprendre sa forme humaine. Terrifiés, les Elladans comprirent qu'ils étaient pris au piège dans cet endroit qui ne comprenait que deux sorties.

– Et pour que cette paix règne partout, poursuivit Onyx d'une voix forte, une autorité centrale doit pouvoir régler rapidement tout conflit en puissance sans qu'une seule goutte de sang soit versée.

D'un autre geste de la main, il fit disparaître les nuages.

– Je ne désire en aucune façon refaire le monde. Je n'ai exigé aucune modification des gouvernements que j'ai déjà approchés. Je leur ai tout simplement demandé qu'ils reconnaissent ma suprématie et mon pouvoir d'intervenir pour rétablir l'harmonie. Ils ont accepté.

– Et comment forceras-tu tout un peuple à se plier à ta volonté ?

– Ma magie devrait suffire, sinon, j'ai l'appui de plusieurs grandes armées.

Onyx sortit le médaillon en forme d'hippocampe de sa cuirasse.

– Ce talisman me permet de faire appel à celle d'Ipoca.

Les Elladans craignaient les seigneurs de la mer, qui avaient le pouvoir de les empêcher de faire du commerce avec les pays de l'est.

– Cependant, mon but n'est pas de vous effrayer ni de vous imposer ma souveraineté par la force. Je veux que vous compreniez que mon offre n'est pas frivole. Un empereur n'est pas un vieux roi capricieux qui maltraite ses enfants, mais un père qui en prend soin et qui s'assure qu'ils vivent en paix et en harmonie. Il n'intervient que si ça va mal.

– Quel serait le prix à payer ?

– Votre loyauté et votre bonne volonté.

Un murmure d'étonnement s'éleva des gradins.

– Et vous n'êtes pas obligés de me répondre maintenant.

Ariarathe s'approcha alors d'Onyx.

– Les magistrats aimeraient vous rencontrer en privé à l'agora du conseil, chuchota-t-il à son oreille. Ils désirent obtenir plus de précisions quant à votre rôle et au nôtre si nous acceptons votre proposition.

– Avec plaisir, accepta l'empereur.

Onyx promena son regard une dernière fois sur son auditoire, puis suivit le stratège vers la sortie. Wellan et Fabian s'empressèrent de leur emboîter le pas.

24

FASCINATION

Ayant décidé d'aller vivre chez les Elfes, Orlare avait questionné tous les habitants du Château de Fal à leur sujet, surtout Santo et Bridgess qui les avaient souvent côtoyés durant la guerre. Elle s'était d'ailleurs intéressée au travail des enchanteresses peu de temps avant l'intensification des hostilités entre les dieux rapaces et les dieux félins, et leur façon de penser rejoignait la sienne : apprendre à utiliser les plantes afin de guérir les maladies et même de les prévenir.

Tous les matins, la déesse-harfang se hâtait à la fenêtre de sa chambre pour voir s'il pleuvait encore.

Il lui tardait de partir à la découverte de sa nouvelle vie. Toutefois, tous étaient d'avis que le soleil ne reviendrait pas avant encore plusieurs semaines.

Ce fut finalement Liam qui lui redonna de l'espoir, tandis qu'elle avait été invitée à manger chez lui avec Mali et la mignonne Kyomi.

– Pour mettre mes fers à l'épreuve, il m'arrive souvent de faire galoper les chevaux à l'extérieur de la forteresse, raconta-t-il en découpant le pain chaud sur la table.

– Ce n'est pas dangereux ? s'effraya Orlare.

– Seulement la nuit, parce que c'est à ce moment-là que les bêtes les plus redoutables sortent de leur cachette. C'est surtout le matin que je sors les chevaux.

– N'y a-t-il que du sable, dans ce pays ?

– C'est ce qu'on pourrait penser quand on regarde au loin depuis les passerelles de la muraille, mais il y a plusieurs oasis qui abritent de nombreuses familles. J'ai même vu un cromlech, l'an passé. Ce doit être un endroit sacré, puisque malgré la présence d'un important point d'eau, personne ne s'y est installé.

– Un cercle de hautes pierres dressées ? voulut s'assurer Orlare.

– Exactement. Il y en a un semblable dans la forêt derrière le Château d'Émeraude.

– J'aimerais bien voir celui de Fal. Où se situe-t-il ?

– À quelques kilomètres au nord-est. Je pourrais te montrer son emplacement exact sur une carte, si tu veux.

Orlare n'en reparla plus du reste du repas, mais un plan avait commencé à germer dans son esprit. Le lendemain, elle attendit que Liam revienne de la forge et lui demanda où elle pourrait trouver une carte du royaume. Il la conduisit à la petite librairie du palais et déroula le précieux document sur l'unique table au milieu de la pièce.

– Voici la falaise et le château, ainsi que toutes les oasis répertoriées pour la dernière fois il y a cinq ans. J'ai vu le cromlech juste ici.

Le forgeron appuya l'index entre deux grandes concentrations de tentes.

– Et personne n’y va jamais ? l’interrogea Orlare.

– Il n’y a là aucune âme qui vive.

– C’est bien dommage.

– Ces constructions remontent à des siècles et plus personne ne sait à quoi elles servaient, alors les gens s’en méfient.

Tandis que Liam retournait chez lui, la déesse aux cheveux aussi blancs que la neige et aux grands yeux orangés demeura assise devant la carte pour en mémoriser chaque détail. Elle n’avait pas dit toute la vérité au forgeron, car elle savait pertinemment que les cromlechs étaient utilisés par les premiers habitants de cette planète pour communiquer avec les dieux ou pour se déplacer d’un village à un autre. « Abussos m’a enlevé mes pouvoirs divins, mais qu’en est-il des facultés que j’ai acquises au contact des anciennes magiciennes ? » se demanda-t-elle. Il n’y avait qu’une façon de le savoir.

Elle rassembla ses maigres possessions dans une besace et se procura une cape. Puis, pour n’alarmer personne, elle se joignit comme prévu à ses nouveaux amis dans le grand hall pour le repas du soir et ne manqua pas de témoigner sa reconnaissance à chacun.

– C’est quoi cette soudaine effusion de remerciements ? lui demanda finalement Aquilée, agacée.

– Puisque je n’ai pas l’intention de finir mes jours à Fal, je veux profiter du temps qu’il me reste pour leur dire à quel point ils ont réussi à me redonner du courage.

– Il y a anguille sous roche...

– Pourquoi es-tu toujours aussi négative, ma sœur ?

– Parce que je suis passée maître des manœuvres secrètes et suspectes.

– Alors, sache que mes intentions sont pures. J'ai passé suffisamment de temps aux crochets du magnanime Roi de Fal. Il est temps pour moi de gagner ma pitance.

– Tu ne peux pas partir sous cette pluie.

– Un peu d'eau n'a jamais tué personne.

– As-tu perdu la tête ?

– C'est possible. Cet air nouveau que nous respirons est enivrant. Je souhaite de tout mon cœur que tu retrouves Albalys, mais rappelle-toi que si tu veux le garder, il faudra que tu sois gentille avec lui.

– C'est inutile, puisque nous sommes mariés.

– Il s'est bâti une autre vie après sa fuite du monde aviaire, Aquilée. Si tu veux en faire partie, tu devras lui prouver qu'il a besoin de toi.

Dans un geste spontané, Orlare embrassa la déesse-aigle sur la joue. Celle-ci recula brutalement comme si elle l'avait brûlée.

– Il faudra aussi que tu t'habitues aux baisers, la taquina Orlare.

– Je n'aime pas qu'on me touche !

– Ça fait pourtant partie du quotidien des humains, surtout ceux qui sont mariés. Bonne chance, ma sœur.

Orlare se retira dans sa chambre et se mit tout de suite au lit. Elle se leva un peu avant l'aube et s'habilla. Puisque Liam lui avait déjà dit que l'eau abîmait le cuir, elle avait rangé ses sandales dans sa besace. Elle se rendit aux cuisines sans faire de bruit, avala des galettes et en mit aussi dans son sac. En bavardant avec Santo et Bridgess, elle avait appris que les sentinelles n'ouvraient les grandes portes des murailles que pour laisser passer les marchands. Mais Liam lui avait révélé qu'il y avait une autre façon de quitter la forteresse dans le plus grand secret : par une petite porte dissimulée derrière une belle tapisserie dorée, dans l'antichambre du Roi Fal.

Tel un spectre, Orlare longea les murs et entra dans la pièce sombre. Elle repéra facilement le levier au ras du sol. Le seul ennui, c'est qu'on ne pouvait utiliser cette porte que dans un seul sens. Une fois dehors, la déesse-harfang n'aurait plus la possibilité de revenir au château. Mais sa décision était prise.

Malgré la pluie qui tombait, elle parvint à s'orienter et se mit à marcher, pieds nus, dans le sable froid et trempé. Pour ne pas être interceptée par les sentinelles des oasis, elle fit bien attention de conserver son cap afin de les contourner de loin.

Quelques heures plus tard, ses efforts furent récompensés lorsqu'elle aperçut enfin de grands menhirs dressés au milieu d'un lit de végétation tropicale. « Si je n'arrive pas à faire fonctionner le cromlech, alors j'irai me réfugier dans la famille la plus proche », se dit-elle. Elle entra au centre du cercle de pierres qui, comme tous les autres monuments mégalithiques du même genre, était protégé des intempéries par la magie. Orlare remit ses sandales, enleva sa cape et posa sa besace sur le sol bien sec. « Maintenant, voyons s'il se laissera faire... »

Elle se mit à marcher en rond, touchant chaque rocher avec sa paume tout en récitant l'incantation que lui avait enseignée une enchanteresse des centaines d'années auparavant. Sans se décourager, elle la répéta une dizaine de fois en se disant que ce lieu n'avait peut-être pas servi très souvent et qu'il était tout simplement rouillé. Lorsqu'une belle lumière blanche commença à relier les menhirs entre eux, la déesse retint un cri de joie. Mais la partie n'était pas gagnée. Elle poursuivit ses efforts et fut bientôt enveloppée dans un halo éclatant.

– Chez les Elfes ! ordonna-t-elle en visualisant leur cromlech.

La soudaine activité dans le cercle de pierres de la forêt des enchanteresses sema la panique parmi elles, car elles crurent que c'était Moérie qui revenait pour poursuivre ses funestes desseins. Deux apprenties foncèrent dans la forêt pour aller chercher de l'aide tandis que les magiciennes se rassemblaient pour recevoir la meurtrière avec toutes les incantations de protection qu'elles connaissaient. Elles entourèrent le cromlech en faisant bien attention de ne pas trop s'approcher de l'énergie qui courait à la surface des rochers, et en bloquèrent toutes les issues.

Les archers arrivèrent quelques minutes plus tard et demandèrent aux femmes de reculer davantage tandis qu'ils prenaient leur place entre les menhirs. Ils encochèrent une première flèche, tendirent leur corde et s'immobilisèrent, prêts à tirer. La lumière qui tourbillonnait dans le cromlech disparut, révélant une femme aux cheveux blancs, vêtue d'une robe bleue. Orlare aperçut tout de suite les pointes de flèches dirigées sur elle.

– Je ne vous veux aucun mal, affirma-t-elle sans faire un geste.

– Qui êtes-vous ? ordonna Telemniel.

– Je suis Orlare, fille de Lycaon, autrefois déesse-harfang des neiges.

– Où sont vos plumes ?

– On me les a enlevées.

Maayan posa la main sur le bras de Telemniel pour qu'il abaisse son arc.

– Elle dit vrai.

La doyenne des enchanteresses entra dans le cercle de pierres et s'approcha de l'étrangère.

– Même sous votre apparence humaine, je peux sentir vos origines divines.

– Pourtant, j'ai aussi perdu mes facultés déesse.

– Êtes-vous venue seule ?

– Oui.

– D'autres vous suivront-ils plus tard ?

– Non. Très peu de dieux ont survécu aux derniers événements célestes. Je suis la seule à avoir choisi de venir vivre chez les Elfes.

– Suivez-moi.

Après avoir remercié les archers, Maayan ramena Orlare dans sa hutte. Elle lui versa du thé et s'assit devant elle sur le plancher de bois recouvert de tatamis. La déesse se réchauffa aussitôt les mains sur le gobelet de bois.

– Racontez-moi ce qui s'est passé.

– Les dieux rapaces et les dieux félins se sont entretués et les reptiliens ont subi une attaque mortelle. Ceux qui n'ont pas été anéantis ont été rejetés dans votre monde par Abussos, aussi démunis que des oisillons. Ils se cherchent une raison de vivre.

– Et vous êtes la seule à avoir exprimé le désir d'habiter avec nous ?

– Oui, car vous me ressemblez.

– Mais vous êtes un oiseau de proie.

– Je suis née ainsi, mais je n'ai jamais partagé les valeurs guerrières de mes semblables, ce qui m'a valu bien des insultes et des brusqueries. J'ai souvent tenté d'apaiser les tempéraments belliqueux de ma sœur aigle et de mon frère crave, en vain.

– Vous ne désirez plus vivre avec eux ?

– Non. Je ne trouverai jamais la paix à laquelle j'aspire auprès d'Aquilée. J'ai fait tout ce que j'ai pu pour ma sœur. Maintenant, c'est à son tour de s'occuper d'elle-même.

– Désirez-vous participer à la vie des Elfes ou à celle des enchanteresses ?

– Sans magie, j'imagine que je ne pourrais rien apporter à ces dernières.

– Si votre vœu est de faire partie de notre communauté, vous devrez commencer par devenir apprentie. J'aimerais vous former moi-même.

Pendant que la magicienne déroulait un matelas qui servirait de lit à la nouvelle venue, Orlare examina l'intérieur de la hutte.

– Ces logis sont beaucoup plus confortables et semblent plus étanches que les anciens, constata-t-elle.

– Un cadeau fort apprécié qui nous vient de la déesse Naalnish.

– Heureusement qu'elle vous les a offerts avant que son père éclate de colère.

Maayan examina les vêtements légers d'Orlare.

– Votre tenue ne vous protégera pas du froid et de l'humidité de ce royaume, Orlare. Je vais vous fournir ce qu'il vous faut. Je m'appelle Maayan et j'ai succédé à Sélène, la doyenne, qu'une de nos sœurs a lâchement assassinée.

– Je suis vraiment navrée...

– Pas autant que nous. Moérie nous a toutes trahies.

Orlare ôta sa robe faloise et enfila la longue tunique grise que lui tendait Maayan.

– Elle est d'une douceur exquise.

– Tissée avec des fibres végétales selon un procédé qui nous vient de nos ancêtres. Nos vêtements sont moins voyants que ceux des humains et des Fées, mais ils sont mieux adaptés à notre réalité. En plus de nous garder au chaud, ils nous permettent de passer inaperçus dans la forêt.

– Comment vous occupez-vous durant la saison des pluies ?

– Les enchanteresses perfectionnent leurs incantations. Quant au reste de la population, nous n'en savons rien.

– Je suis prête à commencer quand vous voudrez.

– Je dois d'abord signaler votre arrivée au roi. C'est notre loi.

Maayan lui tendit une cape à capuchon. Dès qu'Orlare l'eut jetée sur ses épaules, elle suivit la magicienne dans l'échelle en corde. Elles traversèrent la forêt en silence et arrivèrent dans une clairière.

– Comment savez-vous où habitent les gens ? demanda la déesse. Toutes ces habitations se ressemblent.

– On finit par connaître leur emplacement.

L'enchanteresse s'arrêta sous l'échelle d'un gros séquoia.

– Votre Majesté, je requiers une audience.

La trappe s'ouvrit dans le plancher de la hutte perchée à plusieurs mètres au-dessus du sol. Ce fut d'abord Danitza qui descendit à la rencontre des deux femmes. Cameron la suivait de près.

– Que puis-je faire pour toi, Maayan ? demanda le roi.

– J'ai le plaisir de vous présenter un nouveau sujet du royaume. Voici Orlare, qui désire devenir une enchanteresse. Elle nous arrive tout droit du ciel.

– Quoi ?

– Je suis l'une des rescapées d'un grand massacre, sire.

– La déesse-harfang ? s'étonna Cameron.

– Elle-même, pour vous servir.

– Comment pourrais-je lui refuser asile ? Soyez la bienvenue parmi nous, Orlare.

Les deux enchanteresses s'inclinèrent et repartirent dans la forêt.

– Si je m'attendais à ça, ce matin, laissa tomber Cameron.

– Ce sont les événements inattendus qui rendent la vie si excitante, mon amour.

– Comme le retour d'un grand-père qui ne voulait que soustraire Malika à sa sentence ?

– Arrête d'en vouloir à Hamil de ne pas être resté avec toi quelques jours. En réalité, il t'a rendu un grand service en prenant ta sœur avec lui.

– J'aurais eu besoin de ses conseils.

– C'est en régnant que tu apprendras à régner, Cameron. Tu dois arrêter de demander à tout le monde ce que tu dois faire et y réfléchir toi-même. D'ailleurs, si c'était si important d'avoir un mentor pour te montrer à diriger ton peuple, tu aurais dû rester auprès de lui au lieu de parcourir le monde quand tu étais jeune.

– Mais je ne t'aurais jamais rencontrée !

– Je sais et c'est justement parce que je me sens coupable de t'avoir détourné de ton devoir que je vais continuer de t'aider à régner. Ce que Hamil désire, c'est que tu deviennes un grand roi par toi-même, Cameron. Tu dois commencer à t'affirmer. Maintenant, remontons dans la hutte avant d'être trempés jusqu'aux os.

– Tu ne dois pas prendre froid non plus avec le bébé.

– Surtout !

Elle se mit à grimper l'échelle.

– J'ai bien hâte de me voir faire ça quand j'aurai un énorme ventre ! plaisanta-t-elle.

Ils s'abritèrent au sec en attendant la belle saison.

25

LE PAYS DU NORD

Même s'il était revenu dans son pays de naissance, Sage n'y retrouvait rien de familier. Toutes les fermes avaient été incendiées et les maisons rebâties selon la fantaisie de deux Immortels qui n'y avaient jamais mis les pieds autrefois.

La cité se trouvait à un kilomètre à peine de la rampe en pierre que Kira avait façonnée pour permettre aux Espéritiens de fuir le climat de leur pays devenu trop froid.

Les nouveaux logis à deux étages se ressemblaient tous. Ils partaient de la place centrale, où se trouvait le puits, et formaient huit longues rangées bien droites. Celui que Dylan et Dinath avaient choisi pour lui était situé complètement au nord. De la fenêtre de sa chambre, il pouvait apercevoir les immenses remparts de glace qui avaient empêché son peuple de s'affranchir du joug de Nomar.

Puisque le feu que Lassa avait allumé dans son âtre avant son arrivée était magique, il continuait de brûler sans que Sage ait à trouver du bois pour l'alimenter. Il n'avait même pas consommé le quart de ses provisions qu'Anyaguara lui en apportait déjà d'autres, mais ce ne fut pas son seul cadeau. En lui servant son premier repas à Espérita, la déesse-panthère entreprit de l'ausculter avec la paume allumée de ses mains.

– Je vois que tu as commencé à traiter cette vieille blessure toi-même, mais tu as encore besoin de soins plus intenses, mon jeune ami.

– J'ai tout le reste de ma vie pour m'en remettre, madame.

– Appelle-moi Anyaguara et laisse-moi t'aider.

– Pourquoi faites-vous tout cela pour moi ?

– Parce que je suis d'avis que les rapaces et les félins peuvent devenir amis.

Tous les matins pendant une semaine, elle le soumit à une longue session de rayons éclatants, jusqu'à ce qu'elle soit satisfaite du résultat de ses efforts.

– Je ne sais pas comment vous remercier, avoua timidement l'ancien rapace.

– En devenant un citoyen productif de la nouvelle cité ?

– Si ce n'est que ça.

– Va vers tes voisins et offre-leur tes services.

– Mes services ?

– Tu connais bien cet endroit et tu peux aider toutes ces jeunes familles à survivre dans ce pays isolé du reste du continent.

Sage prit le temps de réfléchir aux paroles de la sorcière de Jade. Puisqu'il se sentait beaucoup mieux, il s'enveloppa dans une cape et sortit pour la première fois de sa maison. Le temps était doux et les flocons de neige qui tombaient sur tous les pays du nord se changeaient en une fine pluie qui nourrissait le sol.

Au lieu d'explorer la cité, il se dirigea plutôt vers les anciens pâturages, là où il avait grandi. Les clôtures avaient disparu, mais il se rappelait exactement où elles s'élevaient jadis. Il marcha jusqu'à l'endroit où son père avait bâti sa maison. Il n'avait jamais été heureux à Espérita...

Un cri aigu lui fit lever la tête vers le ciel. Le faucon plongea vers lui et se posa sur son bras en faisant bien attention de ne pas lui enfoncer ses serres dans la peau.

– Ça me rassure que tu ne t'attendes pas à ce que je te nourrisse, lui dit-il. Je n'ai plus d'arc et, de toute façon, il n'y a pas de gibier par ici.

Sage caressa doucement le poitrail du rapace.

– Est-ce mon ancienne appartenance au monde aviaire qui t'a fait venir jusqu'à moi ou mon intolérable solitude ? D'où viens-tu ? Que fais-tu à Espérita alors qu'il y a de grands territoires de chasse au sud ?

Il continua de marcher, persuadé que le faucon s'envolerait, mais il resta sur son bras. Au lieu de tourner les yeux de tous côtés, il regardait l'homme qui lui servait de perchoir. Sage se rendit jusqu'à la muraille de glace que Nomar avait créée pour enclaver Espérita. Il la longea et ne s'arrêta que lorsqu'il trouva l'entrée du tombeau d'Onyx. « C'est là où tout a changé », se rappela-t-il. S'il n'avait pas touché aux armes de son ancêtre, Enkidiev aurait connu un destin différent. Onyx n'aurait pas pu revenir à la vie. Il n'aurait pas repoussé les horribles créatures volantes d'Akuretari. Il ne serait pas non plus devenu le Roi d'Émeraude. Il n'aurait pas participé à la défaite des hommes-insectes et il n'aurait sans doute jamais découvert qu'il était un dieu.

– Et je n'aurais pas connu Kira... murmura-t-il.

Les ossements du renégat gisaient dans la même position que lorsqu'on l'avait déposé dans son sépulcre gelé, mais le puissant sorcier n'en avait plus besoin. Afin que les enfants ne viennent pas jouer dans ce lieu sacré, Sage tendit le bras et fit jaillir des flammes de sa paume. Effrayé, le rapace s'envola.

L'ancien Chevalier fit fondre la glace jusqu'à ce qu'elle recouvre complètement l'ouverture. Il se rendit ensuite à l'endroit où il avait sculpté un escalier dans la muraille immaculée afin d'aller explorer le monde. Puisqu'elle représentait un danger pour les jeunes, Sage le détruisit également.

N'ayant rien de mieux à faire, il poursuivit sa route jusqu'au tunnel qui menait à Alombria. C'était à cet endroit que sa mère l'avait remis à son père pour lui sauver la vie. Dans ses moments de désespoir, Sage avait souvent pensé qu'il aurait mieux fait de mourir. Il marcha dans le couloir que les pierres magiques continuaient d'éclairer, même si leur lumière ne servait plus à personne. Le sort de chaleur des deux Immortels ne s'étendait pas jusqu'à ce monde souterrain, puisque, au bout de quelques minutes, Sage dut resserrer sa cape sur son corps pour se protéger du froid. Quelques pas encore et il dut faire demi-tour, car il avait commencé à grelotter. « J'explorerai ce monde quand je me serai procuré des vêtements de fourrure », décida-t-il.

Il revint à la ville et huma l'air. Quelqu'un préparait du pain. Il se rendit au puits, où de jeunes femmes étaient en train de remplir leurs seaux.

– Bonjour, je m'appelle Ariela, se présenta l'une d'elles.

– Sage.

– Mon mari, Nilo, est cordonnier.

– Et moi, je suis Farah. Je suis couturière. Élek, mon mari, aimerait élever du bétail, mais il faudra commencer par construire des clôtures. Nous aurions besoin de bois, par contre.

– Il n'y a pas beaucoup d'arbres dans la prairie, les informa Sage.

– Êtes-vous celui qui a déjà vécu ici ?

– Oui, c'est bien moi.

– Je suis certaine qu'Élek serait enchanté de discuter avec vous. Accepteriez-vous de manger avec nous, ce soir ?

Les longues années que Sage avait passées chez les dieux rapaces lui avaient fait oublier que les humains aimaient se fréquenter. Il accepta d'un mouvement timide de la tête et tourna les talons.

– Nous savons où vous habitez, lança Farah. Nous irons vous chercher.

Épuisé par la longue marche, l'ancien dieu rentra chez lui et s'allongea sur son lit. D'après ses calculs, il y avait cent soixante maisons dans la cité et seulement vingt et une d'entre elles étaient habitées. Pour qu'Espérita redevienne autosuffisante, elle avait besoin d'une plus importante population. Il eut alors l'idée de s'adresser à ses anciens compagnons d'armes, qui s'étaient établis un peu partout sur le continent. Sans doute quelques-uns d'entre eux auraient-ils envie de tenter l'aventure dans le nord.

Mes frères et sœurs Chevaliers, c'est moi, Sage. Il y a longtemps que je ne me suis pas adressé à vous, car j'évoluais dans un univers séparé du vôtre. La cité d'Espérita a été rebâtie et elle a besoin de bras vigoureux pour la faire prospérer. Si le cœur vous en dit, je vous invite à relever le défi.

Les soldats magiciens n'en crurent pas leurs oreilles. À part Lassa et Kira, qui savaient que le dieu-épervier avait échappé au massacre, la plupart n'avaient pas eu de nouvelles de lui depuis la chute de l'empire d'Amecareth. Nogait demanda aussitôt à Amayelle si elle voulait déménager et essuya un refus catégorique. Ils avaient travaillé bien trop fort pour faire fructifier de nouveau leur ferme. Il n'était pas question qu'ils l'abandonnent encore une fois.

Maïwen s'était également tournée vers Kevin en hésitant. Elle était heureuse sur leur propriété parsemée de fleurs, mais les Fées pouvaient en faire pousser n'importe où. Sage et son mari avaient été si proches, autrefois... Kevin avait gardé le silence, mais elle vit dans son regard qu'il voulait y réfléchir.

Ne recevant aucune réponse télépathique, l'Espéritien crut qu'il avait perdu sa faculté de communiquer avec son esprit. Il cessa donc d'y penser et s'employa à faire la connaissance de la vingtaine de familles éparpillées dans les huit longues rangées de logis. Un soir, alors qu'il rentrait chez lui après un repas chez le forgeron, cette fois, Sage s'étonna de trouver quelqu'un assis devant sa cheminée.

– Je t'attendais, Sparwari, lui dit une voix qu'il ne reconnut pas tout de suite.

L'intrus se retourna. Il ressemblait à Onyx.

– Je ne te blâme pas de ne pas me reconnaître, le rassura Nemeroff, toujours fasciné par les yeux de cet homme dont l'iris réfléchissait la lumière des flammes à la façon d'un miroir.

Nous ne nous sommes rencontrés qu'une seule fois, alors que des hommes-renards tentaient de me capturer.

– Le dieu-dragon...

– Nemeroff, fils d'Onyx d'Émeraude et de Swan d'Opale. Enfin, c'est plus compliqué encore, mais restons-en là.

– Oui, je me souviens, fit l'Espéritien en se tirant une chaise devant son visiteur. Toutefois, je ne m'appelle plus Sparwari. Depuis que j'ai perdu toutes mes facultés divines, j'ai repris le nom de Sage.

– Alors soit. Je suis ici, cette nuit, car je tiens à faire quelque chose pour toi, moi aussi.

– J'ai tout ce qu'il me faut... sauf l'amour de ma vie.

– Rien ne m'est impossible, Sage.

– Je ne veux pas que vous l'envoûtiez pour qu'elle s'éprenne à nouveau de moi. Ce serait malhonnête de ma part et désastreux pour son mari et ses enfants qui l'adorent.

– Je ne partirai pas d'ici avant que tu me dises comment je peux te remercier de m'avoir sauvé la vie. Y a-t-il quelque chose que tu aimerais posséder, un pouvoir que tu voudrais ravoir ?

– Pourrait-il aussi s'agir d'une faculté que je n'ai jamais possédée ?

– Pourquoi pas ?

– Je rêve depuis toujours de pouvoir former un vortex qui me permettrait de visiter mes amis quand bon me semble. Lorsque je me transformais en oiseau, je pouvais me déplacer sans problème, mais maintenant, sans ailes et sans cheval, je suis cloué à Espérita.

– Tends tes mains.

Sage lui obéit sans hésitation.

– Avant que je te transmette ce don, sache que tu ne pourras jamais l'utiliser pour te rendre dans un endroit où tu n'as jamais mis les pieds.

– Je n'ai pas l'âme d'un explorateur, de toute façon.

– Il te suffira de visualiser dans ton esprit le lieu où tu désires aller, de placer les mains au milieu de ta poitrine et de dire intérieurement : je veux y être, maintenant.

– Ça ne me semble pas trop difficile.

– Un dernier conseil : fais quelques essais sur de courtes distances avant de t'aventurer plus loin.

– J'y songeais déjà.

Un éclair aveuglant jaillit des mains de Nemeroff et remonta le long des bras de Sage pour se loger au milieu de son corps. Il se serait écroulé sur le plancher si le Roi d'Émeraude ne l'avait pas solidement retenu par les bras.

– Le même sang circule dans nos veines, Sage. Si tu as besoin de moi, tu n'as qu'à m'appeler.

– Merci, Nemeroff. Vous ne savez pas à quel point c'est rassurant.

Le jeune souverain lui donna l'accolade et quitta le logis. Encore ébranlé, l'Espéritien le suivit et mit le pied dehors juste à temps pour le voir se transformer en un énorme dragon. Heureusement, il était très tard et sa maison était éloignée de celles qu'habitaient les colons, alors ces derniers ne l'avaient certainement pas vu. Il revint à l'intérieur et n'eut aucune difficulté à trouver le sommeil.

À son réveil, après avoir avalé un peu de pain et de saucisse, Sage se dirigea vers la petite rivière qui traversait la prairie d'Espérita. Il se purifia, se sécha de son mieux malgré la bruine qui tombait sur la région et enfila une tunique propre.

Après s'être assuré qu'il était seul, il décida de mettre son nouveau pouvoir à l'essai. Il s'enveloppa dans sa cape, se doutant que le temps était maussade à Émeraude, puis visualisa la maison de son ami Nogait. « Je veux y être, maintenant », murmura-t-il en appuyant ses mains jointes sur son plexus solaire. En l'espace d'un instant, il se retrouva exactement à l'endroit qu'il avait imaginé. « C'est une expérience vraiment exaltante », se réjouit-il. Comme il s'y attendait, il pleuvait à torrents dans le sud, alors il courut s'abriter sous le porche et frappa quelques coups sur la porte.

Puisque personne ne fréquentait ses voisins durant la saison froide, Nogait alla répondre en se demandant qui ce pouvait bien être. Il savait que sa fille Malika, qui avait fait une fugue, avait finalement été retrouvée au Royaume des Elfes. Quelqu'un avait-il décidé de la ramener chez elle ? Quelle ne fut pas sa surprise d'apercevoir son vieil ami Sage.

– Je ne veux surtout pas te déranger... s'excusa l'ancien Chevalier.

Pour toute réponse, Nogait l'étreignit à lui rompre les os, puis le tira à l'intérieur, où il faisait bon et chaud. Amayelle cessa son travail de reprisage et jeta un regard sombre à leur visiteur.

– Ne me dis pas que tu as voyagé sous ce déluge ? s'exclama enfin Nogait.

– Non. J'ai hérité d'un nouveau don, même si j'ai perdu la plupart des autres. Je possède désormais mon propre vortex.

– Ce qui signifie que nous allons nous revoir souvent ?

– Seulement si tu veux... Je me rends bien compte que j'ai été longtemps absent.

– Parce que tu vivais chez les dieux, petit plaisantin. Viens t'asseoir près du feu. C'est Kevin qui va être content de te revoir.

– Pourquoi n'allez-vous pas chez lui ? suggéra Amayelle, qui ne voulait pas que l'enthousiasme des deux hommes réveille son petit dernier, qui dormait encore.

– Tu n'as que de merveilleuses idées, mon amour, la remercia Nogait. Je ne serai pas parti longtemps.

Il se tourna vers Sage avec un sourire espiègle.

– Mais qu'est-ce que tu attends, l'oiseau ?

– Je pense que tu dois mettre ta main sur mon épaule ou quelque chose comme ça.

Les deux amis disparurent d'un seul coup et se matérialisèrent devant la maison du troisième membre de leur trio. Ils coururent aussitôt jusqu'à la porte. La maison ne possédant pas de porche, ils étaient trempés jusqu'aux os lorsque Maïwen finit par leur ouvrir.

– Nogait ? Sage ?

– Est-ce qu'on pourrait entrer avant d'être emportés par la pluie torrentielle ? répliqua Nogait.

– Mais oui !

Elle les laissa passer.

– On dirait que je suis en train d'avoir un déjà-vu.

– N'est-ce pas ? acquiesça Nogait.

Assis à table avec ses filles, Kevin était en train d'enfiler de petites billes de couleurs pour confectionner des bracelets.

– C'est ça que tu fais pendant la saison froide ? s'exclama Nogait, moqueur.

– Des colliers, aussi ! répondit Opaline.

Kevin se leva lentement en fixant son ami Sage droit dans les yeux.

– Je suis de retour, l'informa l'Espéritien. Je sais bien que ce ne sera jamais tout à fait comme avant, mais...

Kevin contourna la table et alla étreindre son vieux compagnon d'armes.

– Évidemment que ce ne sera pas comme avant, affirma Nogait. Il n'y a plus de guerre !

– Nous allions justement préparer le premier repas de la journée, intervint Maïwen.

– Pas encore des trucs de Fées, fit mine de maugréer Nogait.

– Nous avons des galettes ! s'égaya Maiia.

– Et du miel ! ajouta sa petite sœur.

Les trois hommes bavardèrent plus qu'ils ne mangèrent, puis, après s'être promis de se revoir plus souvent, Sage alla reconduire Nogait chez lui et rentra à Espérita. Il était content d'avoir renoué avec ses vieux amis. Il allait se faire chauffer du potage lorsqu'on frappa à sa porte. Intrigué, il ouvrit et trouva tous ses voisins dans la rue.

– Que se passe-t-il ? s'inquiéta l'hybride.

– Nous voulions vous remercier pour le bois, lui dit Ariela.

– Quel bois ?

Il les suivit sans même prendre le temps de se protéger de la pluie. À quelques pas seulement de chez lui étaient empilés des centaines de piquets et de planches pour construire des clôtures.

– Ce n'est pas moi qui l'ai transporté jusqu'ici, avoua-t-il. Mais je me doute que c'est un cadeau du Roi d'Émeraude.

– Comment a-t-il su que nous en avions besoin ? s'étonna Farah.

– Il a dû le lire dans mes pensées...

– Dans ce cas, nous allons lui écrire une belle lettre pour lui témoigner notre reconnaissance.

Sage revint chez lui et prépara son repas. Lorsqu'il monta pour dormir, son faucon était déjà couché dans le nid qu'il s'était fait sur son chiffonnier.

Au matin, une autre surprise l'attendait. En mettant le pied dehors, il se réjouit de voir briller le soleil entre les nuages gris. Il se dirigeait vers les pâturages pour examiner de près le présent de Nemeroff lorsqu'il entendit une étonnante clameur en provenance du centre de la cité. Il tourna aussitôt les talons et s'empressa de s'y rendre. Comme il s'était battu la moitié de sa vie, il crut qu'un ennemi attaquait Espérita !

Lorsqu'il arriva en vue du puits, il ralentit le pas en tentant de comprendre ce qu'il voyait. Six grosses charrettes couvertes tirées par de puissants chevaux étaient arrêtées devant les habitants de la ville. « D'autres pionniers », comprit-il. Il s'approcha pour leur souhaiter lui aussi la bienvenue. C'est alors qu'il discerna certains des nouveaux visages.

– Milos ?

– C'est bien toi ! s'exclama le Chevalier en sautant sur le sol.

Il serra les bras de l'hybride avec affection.

– Lorsque nous avons reçu ton message, nous avons d'abord pensé que c'était une farce de Nogait.

– Nous ?

– Ma femme Ursa et moi avions besoin d'un changement de décor. Alors, nous voilà.

Sage reconnut ensuite les autres.

– Mais...

– Romald, Odélie, Rainbow et moi arrivons de Rubis, fit Madier.

L'Espéritien apprit aussi que Zerrouk, Émélianne, Francis et Tara avaient quitté le Royaume de Diamant pour venir s'installer dans le nord, tout comme Brannock et Akarina qui venaient de Jade.

– Vous ne pouvez pas avoir fait tout ce trajet en aussi peu de temps et surtout dans la boue ! s'exclama finalement Sage.

– Bien sûr que non, affirma Zerrouk. Il nous est arrivé quelque chose d'incroyable ! Dès que nos affaires ont toutes été placées dans nos charrettes, nous avons grimpé dedans et nous nous sommes instantanément retrouvés ici, comme si quelqu'un nous avait happés dans un vortex !

– Dépêchez-vous de choisir votre maison avant le retour de la pluie. Nous éclaircirons ce mystère plus tard.

Les habitants d'Espérita donnèrent un coup de main aux Chevaliers, si bien qu'en quelques heures à peine, toutes les voitures avaient été déchargées et les meubles transportés dans les maisons, ainsi que les malles. Ils avaient choisi de vivre dans six maisons contiguës.

– Que faisons-nous des chevaux ?

Un grand boum les fit tous sursauter.

– Ça provenait de là-bas ! indiqua Madier.

Ils coururent sur l'allée nord et s'arrêtèrent net devant un grand bâtiment qui n'était pas là quelques secondes plus tôt.

– Par tous les dieux, s'étrangla Brannock.

Romald se risqua prudemment à l'intérieur et réapparut quelques secondes plus tard.

– C'est une écurie !

Pendant que les Chevaliers détachaient leurs chevaux et que les citadins alignaient les charrettes le long d'un mur du bâtiment, Sage resta sur place, inquiet. *Moins seul, maintenant ?* fit la voix de Nemeroff dans son esprit.

26

LES CHASSEURS-HYÈNES

Kimaati était paresseusement assis devant l'âtre colossal du hall d'An-Anshar, à boire du vin avec son meilleur ami, Auroch, et à l'écouter lui énumérer les progrès de leur armée. Soudain, il capta une présence un peu trop familière.

– Tayaress ! appela-t-il.

L'Immortel apparut devant lui.

– Une centaine de créatures approchent, fit ce dernier.

– Ce sont des chasseurs-hyènes, l'informa le dieu-lion. Mon père les croit invincibles.

Il éclata d'un grand rire qui se répercuta dans la vaste pièce.

– Elles escaladent le flanc sud du plateau, ajouta Tayaress, qui ne comprenait pas ce que son maître trouvait si hilarant.

– Allons leur montrer à qui ils osent s'attaquer, décida Kimaati en se levant.

Flanqué d'Auroch et de Tayaress, le colosse traversa le hall, puis le vestibule, avant de franchir les grandes portes du palais.

Une fois dehors, Kimaati ferma les yeux et huma l'air.

– C'est Saonic. Tuez tous les autres, mais laissez-lui la vie. Je veux qu'il rampe honteusement aux pieds de mon père pour lui raconter la défaite de ses hyènes. Il est temps qu'Achéron comprenne que je ne retournerai jamais dans son univers.

Kimaati s'avança jusqu'à la fontaine et se tourna vers les vignerons, qui ne comprenaient pas encore qu'ils étaient en grave danger.

– Allez vous mettre à l'abri, ordonna-t-il. Ne sortez de chez vous sous aucun prétexte jusqu'à ce que la bataille soit terminée.

Espérant secrètement que c'était Onyx qui revenait chez lui, les hommes laissèrent tomber leurs outils et coururent s'enfermer dans leurs maisons, adossées au mur du château.

– On fonce ou on attend ? demanda Auroch.

– Laissons-les approcher.

– Il serait plus facile de les expédier à leur mort au pied du volcan, fit remarquer Tayaress.

– Ce n'est pas ma façon de me débarrasser de mes ennemis.

Auroch se transforma en un énorme taureau noir aux cornes dorées, tandis que Kimaati adoptait son apparence de lion géant. Quant à Tayaress, il avait fait apparaître des poignards dans ses mains.

An-Anshar se trouvant au-dessus des nuages, il n'y pleuvait pas souvent. À la droite du trio s'étendait un interminable tapis de nuages noirs, dans lesquels zigzaguaient des éclairs éblouissants. À sa gauche, le ciel était si clair qu'on pouvait presque voir l'île de Pélécar.

Les hyènes atteignirent finalement le plateau et s'avancèrent tel un mur de fourrure tachetée, Saonic à leur tête.

– Rends-toi, Kimaati, et tous les habitants de ton château seront épargnés.

– Voyez-vous ça... On dirait que tu ne connais pas ta place dans la hiérarchie divine, Saonic. Il est donc de mon devoir de te la rappeler.

Le lion émit un rugissement retentissant et fonça sur ses ennemis. Le taureau protégea son flanc droit, tête baissée, tandis que Tayaress en faisait autant à gauche, bien contre son gré. Ses couteaux quittèrent ses mains à une vitesse foudroyante, se plantant dans la gorge de deux charognards. Il n'eut pas le temps de voir que de son côté, Auroch les embrochait un par un avec ses cornes.

Le style de combat de Kimaati était plus fluide. Les muscles puissants de ses pattes lui permettaient de bondir sur ses adversaires et de leur planter ses crocs dans le corps. Il savait très bien qu'Achéron le voulait vivant et que les chasseurs n'avaient pas reçu l'ordre de le tuer. Il leur arrachait donc la tête et leur déchiquetait les membres en évitant de son mieux leurs griffes électrifiées.

Tandis qu'elle tentait de se détendre dans une grande baignoire remplie d'eau odorante, Moérie entendit le tumulte de cris et de rugissements à l'extérieur. Agacée, elle s'enveloppa dans un peignoir et sortit sur le balcon de la chambre royale. Tout en bas luttaient une centaine d'animaux dans un bain de sang. « Mais qu'est-il en train de faire, cette fois-ci ? » se découragea-t-elle. Elle pensa tout de suite à une sorte de rituel barbare ou à une offrande que lui faisait quelque peuple primitif vivant à l'est des volcans. Si Kimaati avait eu la décence de la prévenir de ses intentions, elle aurait volontiers participé à cette partie de plaisir. Mais il ne lui disait jamais rien... « Il me prend pour une servante », grommela-t-elle intérieurement.

Moérie ne savait plus comment se frayer un chemin jusqu'au cœur de son amant. Kimaati ne semblait intéressé que par ce que les gens pouvaient lui apporter, jamais par les gens eux-mêmes. « Que fera-t-il lorsqu'il n'aura plus besoin de moi ? »

Les combats ne durèrent pas plus d'une heure. Lorsque Saonic, le chef des hyènes, fut le dernier survivant du carnage, Tayaress et Auroch s'immobilisèrent, laissant le dieu-lion décider de son sort.

Kimaati s'approcha à pas lents de sa victime, comme s'il avait l'intention de bondir sur elle à la dernière seconde. Saonic n'était pas un lâche, mais quelqu'un devait prévenir Achéron de ce que son fils venait de faire, encore une fois. Il disparut donc avant que la terrible mâchoire du fauve se referme sur sa tête. À bout de force, Kimaati s'écroula sur le sol en poussant un rugissement de victoire qui se répercuta dans les volcans.

– C'est tout ce que tu as dans le ventre, Achéron ? hurla-t-il. Croyais-tu vraiment qu'une poignée de chasseurs viendraient à bout du puissant Kimaati ?

Il dodelina de la tête et perdit connaissance. Tayaress et Auroch s'élancèrent en même temps, marchant sur les corps mutilés, éparpillés sur le plateau.

– Il est blessé, constata le taureau. Je vais le charger sur mes cornes.

– Je connais un moyen plus rapide de le ramener dans la forteresse, répliqua Tayaress.

Il posa une main sur le lion et l'autre sur Auroch, et les transporta instantanément devant la cheminée du grand hall. Là, il examina son maître à l'aide de la lumière qui venait d'apparaître dans sa paume.

Une griffe électrifiée s'était logée dans la fourrure de Kimaati et lui causait d'atroces souffrances. « Comment la retirer sans qu'une de ses décharges ne me ravisse mes pouvoirs ? » se demanda Tayaress. Kimaati avait pu continuer de se battre jusqu'à la fin parce que ces dispositifs magiques s'attaquaient à ses facultés divines, pas à sa force physique.

Possédant un cerveau moins complexe que celui de l'Immortel, Auroch ne se posa même pas la question. Il empoigna solidement la partie de la griffe qui dépassait à peine de l'épaule du lion et tira. Kimaati poussa un grondement féroce, mais ne s'attaqua pas à celui qui venait de le secourir. Toutefois, ses plaies continuaient de saigner abondamment.

– C'est à votre tour, maintenant, indiqua le taureau en lançant la griffe dorée sur le plancher.

– Je suis un assassin, pas un guérisseur. Je vais aller chercher la sorcière.

Tayaress se dématérialisa et réapparut à l'entrée de la chambre, où Moérie brossait ses longs cheveux blonds.

– Le maître a besoin de vous.

– Tiens, ça c'est nouveau...

– Il est dans le hall.

L'Immortel tourna les talons, la laissant se débrouiller pour se rendre jusqu'au dieu-lion. Moérie enfila une tunique et descendit le grand escalier. Elle ne cacha pas son découragement en apercevant les centaines de plaies sur le pelage du lion.

– Il serait plus facile de te traiter si tu reprenais ta forme humaine, lui conseilla l'enchanteresse.

– Si ce n'est que ça... haleta Kimaati sans perdre une seule once de sa fierté.

Il se transforma en humain. Voyant que la magicienne s'occupait de son ami, Auroch se dirigea vers les cuisines pour demander du vin, car il savait que le dieu-lion en réclamerait dès qu'il serait en mesure de s'asseoir.

Moérie referma d'abord les entailles les plus profondes, puis s'attaqua aux moins graves. Malgré ses traits crispés, son amant lui souriait de toutes ses dents.

– On dirait que tu aimes souffrir, remarqua-t-elle.

– Ça me confirme que je ne suis pas mort, plaisanta-t-il.

Il lui saisit les poignets, la colla contre son torse couvert de sang et l'embrassa à pleine bouche. « Il est issu d'un monde barbare », songea Moérie, qui se laissa faire pour ne pas s'attirer sa colère.

– Du vin pour célébrer ma victoire ! s'écria-t-il en se redressant.

– Tu ferais mieux de te laver d'abord, conseilla l'Elfe.

– Je croyais que tu aimais les vrais mâles, la taquina Kimaati.

– Ils sont plus attirants quand ils sont propres.

En l'espace d'un instant, toute trace de violence disparut du corps de son amant.

– Tu étais capable de te soigner toi-même? se hérissa-t-elle.

– Je suis un dieu, Moérie.

Il éclata d'un rire sonore. Vexée, l'enchanteresse le repoussa brusquement et quitta la pièce en se retenant de lui jeter un sort foudroyant. Elle croisa Auroch qui, ayant repris sa forme humaine, revenait, les bras chargés de cruches de vin.

– Je ne partage certainement pas tes goûts en ce qui a trait aux femmes, dit-il à son ami en lui tendant une buire.

– Elle peut encore me rendre service, Auroch. Buvons!

Kimaati avala le vin d'un seul trait et s'assit dans l'un des moelleux fauteuils.

– J'en veux encore!

Les deux combattants vidèrent plusieurs cruches avant d'apaiser leur soif.

– Il y a longtemps que je ne me suis pas aussi bien senti, avoua le dieu-lion.

– Nous aurons sûrement d'autres occasions de nous battre.

Le visage réjoui d'Auroch redevint sérieux.

– Cependant, je ne peux pas rester plus longtemps avec toi, car mon absence finira par être remarquée.

– Tu reviendras?

– Achéron a fait installer une porte dans la brèche entre les deux mondes. Pour l'instant, elle est gardée par un serpent que je connais bien. Je vais m'assurer que ton père ne le remplace pas.

Kimaati se leva pour étreindre le taureau avec affection.

– Je serai bientôt de retour, mon maître et ami, mais cette fois, je serai accompagné de deux mille guerriers qui veulent te voir à la tête de cette planète.

– Tu vas me manquer. Ne perds pas de temps.

Auroch se dématérialisa sous les yeux du dieu-lion.

Assis devant le feu, celui-ci continua de boire en se perdant dans ses pensées. Il ne saisissait pas toujours très bien les stratégies de son père rhinocéros, mais il savait qu'il faisait toujours preuve de prudence, même lorsqu'il était furieux. Achéron voulait le capturer, mais il ne désirait pas causer de frictions avec Abussos.

En titubant, Kimaati retourna dehors. Le soleil disparaissait lentement à l'ouest et l'air frais lui fit le plus grand bien.

Pendant un moment, il contempla les cadavres qui gisaient entre la fontaine et les jardins, puis leva la main. Ils s'enflammèrent d'un seul coup. Au matin, le vent aurait dispersé leurs cendres et les vignerons pourraient reprendre leur travail.

– Achéron en enverra d'autres, fit une voix derrière lui.

Un sourire se dessina sur les lèvres de Kimaati.

– Je sais, Tayaress...

– Possède-t-il des guerriers plus efficaces ?

– Ses fidèles taureaux, les frères d'Auroch. Je ne crois pas qu'il les enverrait ici, cependant. Ils gardent le palais et font régner l'ordre dans la citadelle. Il ne pourrait pas s'en passer.

– D'autres hyènes en plus grand nombre ?

– Ce n'est pas impossible, mais ces créatures ne réussiront jamais à me capturer, car elles ne sont pas magiques.

Kimaati se tourna vers Tayaress, qui se tenait quelques pas plus loin, dans l'ombre.

– Qui vivra, verra, conclut-il.

Il passa devant l'Immortel et retourna dans le palais, où les Hokous l'attendaient.

– Je n'ai pas très faim, leur dit-il en poursuivant sa route vers le grand escalier.

Lorsqu'il arriva dans sa chambre, il trouva Moérie assise sur le sol. De la vasque devant elle montaient des volutes de fumée.

– Qu'est-ce que tu fais ? se méfia le dieu-lion.

– Je purifie la pièce.

– Pourquoi a-t-elle besoin d'être purifiée ?

– Pour que les âmes de ceux qui sont morts aujourd'hui ne s'y attardent pas.

– Quand on meurt, on va directement sur les grandes plaines de lumière, l'informa-t-il. On ne perd plus son temps dans le monde des vivants.

– C'est vraiment ce que tu crois ?

– Tu mets en doute les connaissances d'un dieu ?

– Je n'aime pas courir de risques, alors, oui, je me méfie de tout ce qu'on me dit.

– Je ne connais personne qui te ressemble dans mon monde.

Il marcha vers le lit, mais elle lui pointa la baignoire.

– Tu ne vas pas recommencer avec ça, maugréa-t-il.

– Ça fait partie des rituels de nos guerriers et je viens de faire réchauffer l'eau.

Kimaati se plia à ses exigences en grommelant son mécontentement. Fan de Shola ne lui avait jamais rien imposé lorsqu'il était avec elle. Étanna avait été plus exigeante que la princesse, mais jamais autant que Moérie. Il se détendit donc dans le bassin, puis en ressortit lorsqu'il en eut assez. Laissant une rivière d'eau derrière lui, il s'arrêta devant sa maîtresse et la souleva dans ses bras. Moérie regretta aussitôt la douceur de Corindon. Le dieu-lion lui arracha sa tunique et la plaqua sur son lit où il lui fit l'amour, sans lui demander si elle en avait envie. Encore une fois, l'enchanteresse supporta avec patience ses manières sauvages, mais dès qu'il fut endormi, elle le quitta pour aller procéder à ses rituels secrets dans une salle où personne n'allait jamais.

– Tu vas tomber comme tous les autres, jura-t-elle entre ses dents.

Elle ouvrit la main au-dessus du chaudron qui bouillonnait et y laissa tomber les cheveux blonds qu'elle avait réussi à arracher au dieu-lion pendant leurs ébats. Un sourire cruel apparut alors sur le visage de la magicienne.

27

ANTESSA

À la demande d'Ariarathe, Onyx avait accepté de rencontrer les magistrats en privé à l'agora du conseil de la capitale d'Ellada. Pendant que ceux-ci s'y rendaient, l'empereur exigea de retourner à la maison du stratège afin de s'assurer que ses enfants avaient tout ce dont ils avaient besoin.

Lorsqu'il arriva, Obsidia et Kaolin faisaient une sieste. Napashni en profitait pour bercer Jaspe, qui commençait à regarder d'un mauvais œil l'arrivée des deux plus petits. Anoki était assis plus loin sur le plancher avec Cornéliane. Ils jouaient avec les belles billes colorées que leur avait offertes Danaé.

– Tout va bien ? demanda Onyx en allant chercher un baiser sur les lèvres de sa femme.

– Je t'aurais appelé à mon secours si ça n'avait pas été le cas, répliqua-t-elle.

– Les magistrats vont me recevoir dans quelques minutes.

– Dans la maison d'Ariarathe ?

– Non, dans ce qu'ils appellent l'agora.

– Alors, pourquoi es-tu revenu ici ? Tu aurais pu me poser ta question par télépathie.

– Oui, c'est vrai, mais je voulais voir les enfants.

– Qui aurait pu croire en te voyant à l'œuvre sur un champ de bataille que tu avais la fibre paternelle ? le taquina-t-elle.

– Je suis ainsi depuis des centaines d'années. Ce n'est pas maintenant que je vais changer.

Installé près de Wellan, Fabian voyait pourtant une légère différence dans le comportement de son père.

– Le conseil veut vous voir seul, annonça Ariarathe en entrant dans la pièce.

– Ça ne te fait rien d'y aller sans nous ? s'enquit Wellan.

– Je suis un grand garçon, plaisanta l'empereur.

De toute façon, si je devais avoir besoin de vous, je vous appellerai par télépathie. Toutefois, je ne prévois pas avoir d'ennui. Les Elladans sont civilisés. Napashni fronça aussitôt les sourcils. *N'avons-nous pas pensé la même chose en arrivant à Agénor ?*

Onyx ne se rappelait que trop bien les intentions meurtrières de la Reine Saïda lorsqu'il s'était présenté à sa cour pour lui demander de l'aider à trouver sa fille. *J'espère que nous n'en arriverons pas là,* se contenta-t-il de répondre.

Avant qu'il puisse demander à Fabian et à Wellan de veiller sur sa famille, ce dernier lui annonça qu'il voulait visiter la ville. *Je resterai,* fit Fabian pour rassurer Onyx. *On ne peut pas empêcher notre érudit d'aller contenter sa curiosité, n'est-ce pas ?*

S'il survient un problème, j'accourrai, promit Wellan. *De toute façon, il s'ennuierait, ici,* ajouta Napashni pour convaincre son mari de le laisser partir. *Restez tous aux aguets,* leur recommanda Onyx avant de se tourner vers son hôte.

– Je suis prêt à vous suivre.

– L'agora du conseil se situe sur la colline, non loin du temple. Mettons-nous en route maintenant.

Onyx embrassa Napashni une dernière fois et quitta la maison avec Ariarathe. Ils marchèrent dans les rues sinueuses en grimpant toujours plus haut.

– Les magistrats ne sont pas aussi larges d'esprit que le peuple, l'avertit le stratège. Ce sont des vieillards qui n'aiment pas vraiment le changement.

« Comme bien des gens », songea Onyx.

– Pourtant, les espèces qui survivent sont celles qui s'y adaptent, répliqua-t-il avec un sourire espiègle.

– Ils auront beaucoup de questions à vous poser.

– Dans ce cas, je tenterai de les contenter.

Ils arrivèrent enfin devant l'édifice tout blanc qui ressemblait beaucoup au temple juché sur la montagne, sauf qu'il était plus petit.

– Normalement, ceux qui entrent ici doivent porter la toge, mais ils ont accepté de faire une exception puisque vous êtes un empereur.

Onyx se souvint qu'il n'avait porté du blanc que quelques fois durant sa vie. Lorsqu'il avait pris possession du corps de Farrell, celui-ci avait revêtu des tuniques immaculées pour donner ses cours.

Ariarathe le fit passer devant lui.

Le lieu de rassemblement des principaux décideurs d'Ellada était en fait un grand rectangle agrémenté de colonnes adossées à ses quatre murs. Devant elles s'alignait un interminable banc de marbre blanc, où étaient assis une dizaine d'hommes d'un âge vénérable. Des fenêtres percées dans la partie supérieure des murs laissaient entrer la lumière du jour.

– Soyez le bienvenu, Empereur Onyx, fit l'un des conseillers en se levant. Je suis Hélénos.

Le stratège laissa son invité se tenir seul au milieu de la pièce et prit place avec les politiciens.

Sans aucune gêne, Onyx promena son regard sur chacun des visages crispés par la crainte.

– Nous avons beaucoup de mal à croire ce que nous ont raconté les citoyens qui ont assisté à votre présentation à l'assemblée.

– C'est plutôt vague, fit Onyx, sur ses gardes, même s'il ne décelait pas la présence d'armes dans les plis des amples manteaux qui drapaient les épaules des Elladans.

– Ils nous ont dit que vous maîtrisez les éléments.

– Je n'ai pourtant que rassemblé quelques nuages au-dessus de ma tête. Je suis capable de bien plus que ça.

L'angoisse céda la place à l'incrédulité sur les traits des magistrats.

– Toutefois, je ne suis pas venu à Ellada pour faire montre de mes pouvoirs, ajouta Onyx.

– S'agit-il de vulgaires trucs de prestidigitation ? demanda un autre homme.

– Je crains que non. Qui adorez-vous ?

– Mais Parandar, bien sûr.

– Que savez-vous de la hiérarchie céleste ?

– Nous vous avons convoqué pour vous interroger, pas pour répondre à vos questions, précisa Hélénos.

– Il n'y a aucun mal à lui avouer que nous ne la connaissons pas, intervint Ariarathe.

Pour que les choses soient bien claires dans l'esprit des politiciens, Onyx fit apparaître, sous forme d'hologrammes, les visages des dieux sur divers niveaux avec des flèches lumineuses pour indiquer les relations entre eux. Les vieillards écarquillèrent les yeux et faillirent tomber du long banc.

– D'où viennent ces images ? s'effraya le plus âgé.

– Comment font-elles pour tenir dans les airs sans votre aide ?

– Laissez-le parler, exigea Ariarathe.

– Il s'agit d'une magie inoffensive que nous utilisons pour éduquer nos enfants, expliqua Onyx. Tout en haut se trouvent les dieux fondateurs, Abussos et Lessien Idril, mes parents. En dessous, leurs huit enfants : Nayati, Lazuli, Aiapaec, Aufaniae, Nashoba, Nahélé, Napashni et Naalnish. Je suis Nashoba.

Onyx remercia silencieusement Wellan d'avoir pris le temps de lui expliquer tout cela.

– Au troisième degré, je n'ai placé que les enfants d'Aiapaec et d'Aufaniae, parce que Parandar en fait partie. Il est leur premier-né.

– Il est donc votre neveu ? se risqua l'un des vieillards.

– Exactement.

Le tableau en trois dimensions disparut.

– Si je sillonne Enlilkisar en ce moment, c'est pour vous annoncer que le seul dieu que vous devez vénérer ce n'est pas moi, mais mon père, Abussos.

– Le dieu des Ipocans ?

Onyx hocha doucement la tête.

– Maintenant que vous savez qui je suis, je suis prêt à répondre à vos questions.

– Êtes-vous en mission de conquête ?

– Oui, mais sans aucune arme. Mon but est de séduire le cœur de tous les habitants de ce continent pour qu'ils vivent enfin en paix.

– Nous ne sommes pas belliqueux. Notre dernier affrontement armé remonte à une époque lointaine, lorsque les Agéniens ont tenté de s'approprier toute la péninsule. Nous les avons promptement refoulés sur leurs propres terres.

– Agénor a été le premier pays à se ranger sous mon aile, leur apprit Onyx.

Par contre, il n'avait pas l'intention de leur expliquer les circonstances de cette adhésion forcée.

– Vous les avez conquis sans armée ?

– Je n'en ai pas vraiment besoin.

– Êtes-vous un guerrier ou un politicien ?

– Les deux.

– Avez-vous déjà tué ceux qui s'opposaient à vous ?

– Avec l'aide de mon armée, j'ai en effet éliminé les milliers d'ennemis qui tentaient de s'emparer du continent d'Enkidiev.

– Pourquoi n'avez-vous pas séduit leur cœur ? le piqua un autre magistrat.

– Parce qu'ils n'en avaient pas.

Onyx fit apparaître à ses côtés un Tanieth armé de sa lance, semant une fois de plus la terreur dans la salle.

– Il n'est pas véritablement ici, s'empressa-t-il de mentionner pour les apaiser.

Pour leur montrer qu'il disait vrai, il passa la main au travers du corps de l'insecte humanoïde plus grand que lui.

– C'est une image destinée à vous faire comprendre mes propos.

– Vous vous êtes heurté à des milliers de ces monstres ? s'étonna Ariarathe.

– Et nous les avons vaincus. Il est facile de faire appel à la raison d'un être humain, mais les Tanieths sont des créatures qui ne pensent pas. Leur seul but est de tuer.

– Pourraient-ils s'en prendre aussi à Enlilkisar ?

– Je n'en sais franchement rien, avoua Onyx. Le monde est vaste. Il y a d'autres territoires au-delà de l'océan et, même si je suis un dieu, je ne sais pas qui les habite.

Il fit disparaître l'homme-insecte, ce qui détendit aussitôt l'atmosphère.

– Pouvez-vous vraiment protéger tous les peuples qui se sont ralliés à vous ?

– C'est la première responsabilité d'un empereur. Celui-ci ne veille pas seulement à conserver l'harmonie entre les pays sur lesquels il règne. Il lui incombe aussi de les défendre contre tout ennemi qui fondrait sur eux, qu'il vienne du ciel, de la mer ou de la terre.

– Ce serait donc là votre rôle principal ?

– Puisque vous ne possédez pas la faculté de communiquer entre vous à l'aide de votre esprit...

– Et vous pouvez le faire ?

– Comme tous les soldats sous mes ordres. Mais je suis conscient que ce don n'a pas été donné à tous les hommes, alors chaque année, je visiterai les régents des pays sous ma garde pour entendre ce qu'ils ont à me dire.

– Mais comment le saurez-vous si quelqu'un nous attaque ?

– Faites-moi confiance. Je sais exactement tout ce qui se passe autour de moi. Je ne suis peut-être pas capable de vous décrire ce qui se trouve de l'autre côté de l'océan, mais je peux vous dire qu'un grand nombre de personnes marchent vers cet édifice en ce moment même.

– Savez-vous qui et pourquoi ? s'étonna Hélénos.

– Ce sont des citoyens et ils veulent vous forcer la main.

– Quoi ?

Le stratège les quitta momentanément pour aller vérifier ses dires et se retrouva face à une foule de centaines de personnes, qui réclamait l'entière collaboration des magistrats avec cet étranger qui les avait impressionnés à l'assemblée. Ariarathe les calma en leur apprenant que leurs dirigeants penchaient déjà en faveur d'une régence de style souple.

– Nous voulons voir de la magie !

– Rassemblez-vous sur la plage, ce soir. Pour l'instant, l'empereur n'a pas terminé son entretien avec le conseil.

* * *

Pendant qu'Onyx tentait de convaincre les Elladans du bien-fondé de sa démarche, Wellan était sorti de la maison d'Ariarathe afin d'explorer Antessa. Il ne savait pas très bien par où commencer, alors il resta sur place un instant à regarder à gauche, puis à droite.

Quelqu'un lui effleura le bras et il vit que c'était Agathe, la servante de Danaé.

– Quand j'ai su vos plans, j'ai demandé à ma maîtresse de me laisser vous accompagner afin que vous ne vous perdiez pas.

– C'est vraiment gentil de votre part.

– Surtout que les Elladans, même s'ils ne sont pas agressifs, ne parlent pas spontanément aux étrangers. Je serai sûrement un meilleur informateur qu'eux. Venez.

Alors qu'ils marchaient vers le port, Wellan demanda à Agathe de lui relater l'histoire d'Ellada en quelques lignes.

– Nous n'avons pas toujours vécu dans de belles cités comme Antessa. Au début des temps, les Elladans étaient regroupés dans des villages de pêche sur la côte. C'est en faisant du commerce avec les Ressakans et les Madidjins que nous avons éprouvé le besoin de changer notre mode de vie. Nous avons appris à bâtir des maisons en pierre, à irriguer nos terres cultivables et à améliorer notre hygiène grâce à un système souterrain d'évacuation des eaux usées. Plus important encore, nous avons commencé à nous intéresser à l'art. Nous adorons le théâtre, qui nous raconte notre passé, la musique, qui nous rapproche des dieux, et la sculpture, qui fige les formes dans le temps.

– Vous êtes le seul pays de tous ceux que j'ai visités qui n'est pas dirigé par un roi ou une reine.

– Nous l'étions, jadis, mais le peuple n'était plus d'accord avec les décisions de ses souverains, alors il a cherché une autre façon de se gouverner. Nos magistrats proviennent des dix cités d'Ellada. Ils représentent ainsi les intérêts de toute la population.

– Et l'assemblée ?

– Elle permet à tous les citoyens d'exprimer leurs idées et leurs commentaires. Un ou deux membres du conseil y assistent pour écouter ce que nous avons à dire.

Ils arrivèrent au port d'Antessa, qui bourdonnait d'activité. Des barques à fond plat chargées de marchandise arrivaient ou partaient des quais couverts de caisses et de sacs de toutes dimensions.

Comme une marée de fourmis, de jeunes hommes vidaient le contenu des vaisseaux tandis que d'autres embarquaient les cargaisons sur ceux qui étaient vides.

– Nous cultivons tout ce dont nous avons besoin pour nous nourrir, poursuivit Agathe. Chaque région produit des denrées différentes et envoie ses surplus aux autres en échange de ce qui lui manque.

– Quelles sont-elles ?

– Du blé, des olives, de l'orge, des figues, du miel, du vin, des fromages de chèvre, de la viande de mouton. Nous les troquons également contre l'or, l'argent et les fibres textiles des autres pays.

Agathe emmena ensuite Wellan dans le quartier des artisans, où il observa le travail des potiers, des tisserands, des menuisiers, des tanneurs, des cordonniers, des armuriers et des tailleurs de pierre.

– Les Elladans vivent-ils tous dans les cités ?

– Non. Après les dernières maisons commence la campagne. C'est là où les champs sont défrichés et cultivés, où sont bâtis les bâtiments agricoles et les fermes. Les paysans vivent dans des villages qu'ils ne quittent que pour venir échanger leurs produits en ville.

– Et au-delà des villages ?

– On trouve les forêts et les montagnes, qui sont le domaine des chasseurs.

Wellan suivit Agathe sur une large avenue qui remontait vers le nord d'Antessa.

– C'est ici que résident et s'entraînent les soldats. Ils consacrent toute leur vie à la défense d'Ellada, même s'il n'y a pas eu de guerre depuis des lustres. Ils sont nourris par l'État, qui pourvoie à tous leurs besoins. Ils apprennent l'endurance, la discipline et le maniement des armes, mais ne s'intéressent malheureusement pas à l'art ni à la littérature.

Le grand Chevalier observa les combats des guerriers entre eux. Ils portaient des jambières, une cuirasse de bronze et un bouclier qu'ils tenaient sur leur avant-bras. Certains s'exerçaient à la lance, d'autres à l'épée. Agathe glissa la main dans celle de Wellan pour le détourner de ce spectacle qu'elle n'appréciait pas.

Ils poursuivirent leur ascension jusqu'au temple entouré d'une double rangée de colonnes, au sommet de la plus haute colline. S'il semblait modeste vu d'en bas, plus on s'en rapprochait et plus on se rendait compte que ses dimensions étaient colossales.

– Je ne peux malheureusement pas vous en montrer l'intérieur, se désola la jeune femme, puisque ni les femmes, ni les étrangers n'y sont admis.

Elle laissa toutefois Wellan en admirer la façade et surtout les bas-reliefs de la frise.

– Il n'y a rien qui ressemble à ceci chez moi, avoua-t-il, émerveillé.

Ils redescendirent et passèrent devant l'agora du conseil, puis devant le théâtre, que le Chevalier avait déjà vus, pour finalement s'arrêter à l'agora du peuple, où les citadins pouvaient se procurer toutes les denrées imaginables en échange de leurs propres produits. Agathe laissa Wellan s'arrêter devant les étals des marchands, où il touchait et humait tous les produits. Ils y passèrent donc le reste de la journée.

Lorsqu'ils revinrent enfin à la maison d'Ariarathe, Onyx était rentré de son entretien avec les magistrats et le repas venait tout juste d'être servi. Wellan remercia Agathe de sa gentillesse et rejoignit ses amis à la table.

– Wellan, tu seras content d'apprendre que nous allons au théâtre, ce soir, lui dit Onyx.

– Nous ?

– Juste les adultes, grommela Anoki, mécontent.

– Et juste les hommes, ajouta tristement Cornéliane.

– Donc, encore Fabian, toi et moi, comprit Wellan.

– Mais n'as-tu pas promis aux habitants de faire de la magie sur la plage ?

– Je les contenterai tout de suite après.

Ils se régalèrent de pain de blé, de galettes d'orge, de poisson frit, d'olives, de fèves, de poireaux et de fromage, le tout arrosé de vin.

– Qu'est-ce que c'est ? demanda Wellan en soulevant un petit bol de granules blancs.

– C'est du sel, répondit Danaé. On l'utilise tout aussi bien pour conserver la nourriture que pour l'assaisonner.

Curieux, il en versa un peu sur son poisson et prit une bouchée.

– Ç'aurait pu aussi être du poison, le taquina Fabian.

– On n’en offre pas à nos invités ! s’exclama Danaé, insultée.

– C’est une plaisanterie de mauvais goût, s’empressa de la rassurer Wellan. J’aime bien la saveur amère du sel.

Après le repas, les hommes se mirent en route pour le théâtre. Comme c’était la coutume, les étrangers furent assis dans la deuxième rangée, derrière les magistrats. Installés dans l’orchestre, des musiciens jouèrent pendant de longues minutes, puis un acteur apparut enfin sur la scène, qui était en fait le toit d’un petit bâtiment construit au fond de l’orchestre.

– Nous aurons une tragédie, ce soir, chuchota Ariarathe.

– Comment le savez-vous ? s’enquit Wellan.

– Le chiton du narrateur lui arrive à la cheville.

L’homme portait aussi un masque doré qui remplissait une double fonction, soit celle de cacher son visage et celle de faire porter sa voix davantage. Son rôle était d’expliquer sommairement ce que les spectateurs allaient voir et de les plonger dans l’ambiance de la pièce. Dans une alternance de scènes parlées, de chants et de danses, les acteurs présentèrent les derniers jours du règne du Roi Boréas.

Ayant décidé dès les premières minutes de la représentation qu’il n’aimait pas le théâtre, Onyx explora plutôt la cité avec son esprit. Ses longues années dans l’armée l’avaient rendu très méfiant et il ne voulait surtout pas être victime d’une nouvelle trahison.

Les rues étaient calmes, mais l’empereur sentait une grande agitation parmi les milliers de personnes rassemblées dans le théâtre... et ce n’était pas la tragédie inspirée par leur dernier monarque qui les titillait. « Ils ont hâte de me voir faire de la magie », comprit-il au bout d'un moment.

La foule se mit alors à applaudir et Onyx devina que la pièce était terminée. Il imita les autres en faisant mine d'avoir apprécié le spectacle. C'est alors que la foule se mit à scander son nom. La seule fois où il s'était retrouvé dans une situation pareille, c'était dans la cour du Château d'Émeraude, après avoir abattu les créatures volantes d'Akuretari.

Malgré lui, Onyx fut entraîné jusqu'à la plage, à moins de un kilomètre du port d'Antessa. Fabian et Wellan se firent un devoir de le talonner, même s'ils le savaient parfaitement capable de réduire en cendres des centaines d'hommes sans leur concours. À la manière de bons élèves disciplinés, les Elladans s'assirent en rangs d'oignons sur le sable.

Que comptes-tu faire ? demanda Wellan, inquiet. *C'est à mon tour de me donner en spectacle,* ricana Onyx. « Ma mère a raison : il est absolument incorrigible », ne put s'empêcher de penser Fabian en prenant place en première ligne.

Le visage rayonnant, l'empereur se tourna vers son public. Il faisait très sombre et les rayons de la lune éclairaient à peine le visage des Elladans, mais s'il voulait leur offrir un beau numéro, il ne pouvait pas illuminer la grève.

– Pour ceux qui n'étaient pas à l'assemblée, je suis l'Empereur Onyx d'An-Anshar, déclara-t-il en amplifiant magiquement sa voix, mais je porte aussi un autre nom, celui de Nashoba. Je suis le fils du dieu fondateur Abussos. J'imagine que très peu d'entre vous ont déjà vu mon père.

Habituellement, Onyx n'avait pas besoin de battre un seul cil pour créer des visions très convaincantes, mais ces gens aimaient le théâtre. Il leva donc la main vers le ciel. Aussitôt, au-dessus de la baie apparut la représentation géante de la divinité à demi-hippocampe et à demi-humaine, arrachant un murmure d'émerveillement aux Elladans. Ils ne virent cependant pas le sourire espiègle qui venait de se dessiner sur les lèvres de l'empereur. L'hologramme d'Abussos ouvrit les bras comme s'il voulait étreindre le peuple tout entier.

– *Je suis le créateur de toutes choses !* résonna sa voix dans la nuit. *Mon vœu est que vous viviez tous dans l'harmonie, la paix et l'entraide !*

Des centaines d'Ipocans émergèrent alors des flots sur leurs destriers marins pour acclamer le seul dieu qu'ils adoraient depuis le début des temps. Onyx se concentra davantage et provoqua une prodigieuse pluie d'étoiles filantes qui illumina le ciel autour de la silhouette d'Abussos. Au bout de quelques minutes, l'image s'évapora. Les cavaliers ipocans poussèrent un cri d'allégresse et disparurent sous les flots.

Sans avertissement, Onyx fit ensuite apparaître des flammes dans ses mains et les transforma en rayons ardents qui jaillirent vers la voûte céleste. Puis, tout comme Abussos, il disparut sous les yeux de son public.

28

LE PRINCE DE ZÉNOR

Lorsque Kimaati se réveilla, Moérie n'était plus avec lui. Elle avait sans doute recommencé ses ridicules rituels de magie qui lui donnaient l'impression d'être aussi puissante que les dieux.

Il s'étira paresseusement et se mit à songer à sa situation. Il savait que son père organiserait un autre assaut contre lui, mais pas avant plusieurs semaines, voire plusieurs mois.

« Un roi a besoin d'une famille et de sujets », se dit-il. Ce n'était pas l'enchanteresse qu'il voulait voir à ses côtés, mais la jolie Princesse de Shola. Il lui était reconnaissant de lui avoir redonné goût à la vie lorsqu'il était arrivé sur cette planète. « Je vais récupérer les enfants qui me restent et enlever Fan de la façon la plus romantique possible », décida-t-il.

Il quitta son lit et sortit sur le balcon. Les vignerons étaient de retour au travail et les Hokous continuaient de s'occuper des jardins comme si rien ne s'était passé la veille. An-Anshar n'était pas tout à fait le pays sur lequel il voulait régner. Il n'y avait que des pics rocheux tout autour de sa forteresse. La seule verdure poussait sur le plateau devant ses portes et elle n'était même pas originaire de la région. « Pourquoi l'ancien maître des lieux a-t-il choisi un endroit pareil ? Quel était son plan ? »

Kimaati avait localisé sa fille eyra, dont il ne se rappelait déjà plus le nom, mais Anyaguara, sa fille panthère, était continuellement en mouvement. Il avait aussi un fils jaguar... Se souviendrait-il de lui ? Solis était encore jeune lorsqu'il avait été forcé de fuir le monde céleste des félins.

Déterminé à changer son destin, le dieu-lion fit apparaître sur son corps musclé une tunique bordeaux, une ceinture noire et des bottes de cuir. Il descendit aux cuisines pour avaler des galettes avant de se mettre en route. La cuisine sucrée des Hokous lui plaisait beaucoup. Là d'où il venait, tout était salé à outrance. Les femmes le laissèrent prendre ce qu'il voulait et lui tendirent une cruche de vin. « J'adore vraiment cet univers », songea-t-il, avec un optimisme béat.

Repu, il se rendit dans son grand hall et songea à sa destination. Avant de se diriger vers Shola, il voulait d'abord revoir Solis. Il ratissa donc méthodiquement Enkidiev et le repéra à Zénor.

– J'ai toujours rêvé de visiter ce royaume, laissa-t-il tomber, comme pour s'en convaincre.

– Il n'est pas prudent d'y aller seul, s'opposa Tayaress en tombant du plafond juste devant lui.

– C'est une réunion de famille, mon ami. Il n'est pas question que je m'y présente avec un garde du corps, tout de même !

– Achéron pourrait en profiter pour vous tendre un piège.

– Il est vengeur, c'est vrai, mais aussi lent qu'une limace. Nous n'avons rien à craindre avant longtemps. Au lieu de me suivre comme mon ombre, veille sur mon palais et si son propriétaire y revient en mon absence, fais-le attendre. Je veux l'affronter moi-même.

– Si c'est ce que vous voulez.

Kimaati se transforma en un mistral tourbillonnant et fila à la vitesse de l'éclair à travers les épais murs de la forteresse, puis en direction du sud-ouest.

Lorsqu'il aperçut enfin le Château de Zénor, il ralentit son allure et en fit le tour plusieurs fois.

Il choisit de se matérialiser sur un balcon qui donnait sur une vaste pièce richement décorée. Il y pénétra et, sentant l'approche du dieu-jaguar, alla s'asseoir dans une large bergère. Il croisa sa jambe gauche sur la droite et attendit qu'il arrive.

Solis entra dans son salon privé, un gros livre sur les bras. Comme il ne remarqua pas tout de suite son visiteur, ce dernier eut le temps de bien l'examiner. Il avait les mêmes cheveux et les mêmes yeux que lui...

– Tu es devenu un solide gaillard ! se réjouit Kimaati.

Le prince laissa tomber l'ouvrage et se transforma en un farouche jaguar, prêt à attaquer l'intrus.

– Mais tu as hérité de la méfiance de ta mère, on dirait.

Voyant qu'il ne s'agissait que d'un seul homme, Solis reprit son apparence humaine.

– Qui êtes-vous et que faites-vous chez moi ?

– C'est ainsi que tu reçois ton père ?

– Kimaati ?

– Oui, c'est bien moi. Si tu veux vraiment le savoir, je ne peux plus retourner dans mon propre monde, alors me voilà condamné à vivre dans celui-ci.

– Vous désirez vous installer dans mon palais ?

– Pas du tout. J'ai le mien. Et si je me fie aux informations que je tire de ce château, tu n'en es pas le propriétaire.

– C'est exact. Il appartient à mon père, le Roi Vail.

– Ton père ?

– Celui qui m'a élevé, en fait. J'ai quitté le monde d'Étanna lorsque son mari l'a abandonnée avec ses petits.

– Mais que t'a-t-elle raconté pour que tu sois si fâché contre moi ?

– Elle n'a pas eu besoin de me dire quoi que ce soit. Je l'ai suffisamment vue pleurer pour comprendre, même si j'étais adolescent, que vous ne reviendriez jamais.

– Est-ce que tu me détestes, Solis ?

– Je suis devenu indifférent à votre sort.

– J'aimerais tout de même t'expliquer pourquoi j'ai dû partir subitement.

– Pour tout vous dire, ça ne m'intéresse pas le moins du monde.

– Je peux te le raconter maintenant ou plus tard, lorsque nous serons dans ma forteresse.

– Dans votre forteresse ? répéta le dieu-jaguar, étonné.

– Je veux reprendre ma vie là où je l'ai laissée.

– Vous arrivez trop tard, puisque le panthéon félin a été anéanti par une sorcière. Votre femme se trouve désormais dans le monde des disparus.

– Je suis au courant et je connais celle qui a massacré notre famille.

– Alors, dites-moi où la trouver pour que je lui fasse payer son crime.

– Chaque chose en son temps, Solis. Commence par venir t'établir chez moi avec tes enfants.

– Mon fils Kirsan est devenu un poisson et il sert un autre roi.

– Ouais, on m'a raconté ça. Mais tu en as d'autres.

– Ma fille Cornéliane est quelque part dans le nouveau monde et mon fils Marek vit avec sa mère.

– J'ai rencontré l'intraitable Marek et mesuré l'attachement de la femme mauve qui l'a mis au monde, mais je ne connais pas Cornéliane.

– Ils ont des parents qu'ils ne quitteront pas.

– C'est dommage. Toutefois, tu as encore une sœur sur cette planète, la belle Anyaguara, ma petite boule de poils noire.

– Vous risquez de ne pas la reconnaître.

– Après t'avoir installé dans mon palais, car tu n'as plus rien à espérer ici, j'irai aussi la chercher, ainsi que ma fille eyra, douce comme de la soie. Puisque Étanna n'est plus, je me tournerai donc vers une autre femme que j'ai aimée presque autant qu'elle et nous redeviendrons une famille de nouveau.

– C'est le vin qui vous fait divaguer ainsi, père ? Je peux le sentir dans votre haleine.

– Je n'ai jamais eu les idées aussi claires.

Kimaati se transforma en un énorme lion et bondit sur Solis. Celui-ci n'eut pas le temps de réagir que le fauve refermait ses mâchoires sur son torse et disparaissait avec lui.

Quelques minutes plus tard, ils se matérialisèrent dans le grand hall d'An-Anshar. Kimaati laissa tomber son fils sur le sol, devant la cheminée.

– Mais qu'est-ce qui vous a pris ? se fâcha Solis en s'éloignant du dieu-lion.

– Te voilà désormais dans ton nouveau pays. Inutile de tenter de t'échapper, du moins de façon magique, car je t'ai retiré le pouvoir de te déplacer. Fais comme chez toi. Je serai bientôt de retour avec le reste de la famille.

– Je...

Kimaati s'effaça sous ses yeux avant qu'il puisse protester contre cet enlèvement. Furieux, Solis poussa un cri de rage et courut vers la porte. Il s'arrêta net lorsqu'un homme tout de noir vêtu tomba du plafond pour lui bloquer la route.

– Pourquoi ne pas profiter de son absence pour vous détendre ? lui conseilla Tayaress.

– Ôtez-vous de mon chemin !

Deux lames étincelèrent dans les mains de l'Immortel.

– Allez vous asseoir sagement devant le feu.

Détectant dans le ton de la voix de Tayaress qu'il n'entendait pas à rire, Solis recula. Il se promit cependant de faire une nouvelle tentative d'évasion dès qu'il en aurait l'occasion.

* * *

S'y prenant de la même façon, Kimaati réussit enfin à localiser Anyaguara au nord du continent, non loin du royaume où habitait l'élue de son cœur. Elle marchait dans une grande prairie, aux côtés d'un homme dont il ne reconnaissait pas l'énergie. Sa présence ne retarda nullement ses plans.

Il apparut devant le couple, sous son apparence humaine, et se croisa les bras jusqu'à ce que sa présence soit remarquée.

– Êtes-vous un nouveau colon ? lui demanda Danalieth. Je ne me souviens pas de vous avoir vu en ville.

– Je viens juste d'arriver, en effet, l'informa le dieu-lion avec un sourire moqueur.

– Vous êtes-vous égaré ?

– Pas du tout. Je suis venu chercher ma fille.

– Vous êtes Kimaati... le reconnut enfin Anyaguara.

– Je suis flatté que tu te souviennes de moi.

– Je ne suis plus le bébé que vous avez laissé dans le monde des félins et je n'ai aucune bonne raison de vous accompagner où que ce soit.

– Nous allons redevenir une famille, ma petite boule de poils.

– Je partage désormais la vie d'un homme avec qui j'entends passer le reste de mes jours. Partez, Kimaati, et ne revenez plus à Espérita. Ça vaudra mieux pour vous.

– Ta mère a donc oublié de te parler de mon irréductible détermination, répliqua le colosse avec un sourire amusé.

Tout comme il l'avait fait pour Solis, il s'empara d'Anyaguara avant qu'elle puisse se transformer en fauve.

Danalieth tenta de la libérer de la gueule de l'énorme lion, mais fut brutalement happé à son tour. Il ne comprit pas ce qui venait de se passer, jusqu'à ce qu'il tombe sur le plancher d'une vaste pièce qu'il ne connaissait pas.

– Es-tu blessée ? demanda-t-il en aidant la femme qu'il aimait à se relever.

– Où sommes-nous ? s'exclama la déesse-panthère, furieuse.

Kimaati disparut sans lui répondre.

– Dans son nouveau royaume.

Danalieth et Anyaguara firent volte-face et aperçurent Solis assis dans une bergère, le visage rouge de colère.

– Toi aussi ?

– Il a décidé de rassembler sa famille sans se soucier de ce que nous en pensons, expliqua le dieu-jaguar.

– Oh non ! Myrialuna !

Anyaguara tenta de communiquer avec elle par télépathie, mais ses paroles ne franchirent pas les murs de la forteresse.

– J'ai essayé, moi aussi, soupira Solis. Ne perdez pas votre temps.

– Nous devons sortir d'ici.

– Son garde du corps ne vous laissera pas franchir les portes et, de toute façon, comme je l'ai découvert grâce aux serviteurs, nous sommes au sommet des volcans.

– À son retour, nous discuterons avec lui de notre remise en liberté, décida Danalieth.

* * *

Kimaati fila tout droit à Shola, fébrile à l'idée de revoir ses petits-fils. Comme à sa première visite, il se matérialisa dans leur chambre et se pencha sur chacun d'eux. Les trois bébés avaient ses yeux bleus étincelants.

– Vous allez devenir de redoutables fauves, se réjouit-il en remuant doucement les berceaux, à tour de rôle.

Myrialuna entra dans la pièce et aperçut le meurtrier d'Abnar en train d'amuser ses fils !

– Vous ! s'exclama-t-elle en se précipitant au secours des enfants.

– Ils sont magnifiques.

– Vous avez tué mon mari !

– Je t'ai débarrassée d'un bourreau. Tu devrais me remercier au lieu de me faire des reproches.

– Ce n'était pas un homme parfait, mais Abnar était le père de mes enfants !

– Ils en auront un autre plus digne d'estime.

– Pourquoi êtes-vous à Shola ?

– Pour vous offrir une meilleure vie.

– Quoi ?

Le dieu-lion commença à sortir les garçons de leur lit.

– Non ! hurla Myrialuna.

Elle fonça sur l'assassin, tandis qu'il pressait d'un seul bras les trois bébés contre sa large poitrine, et tenta de lui en arracher un premier. Le plancher céda sous elle et elle sentit l'autre bras de Kimaati lui entourer la taille. Elle voulut appeler à l'aide, mais aucun son de sortit de sa bouche. Brutalement, ses pieds touchèrent enfin le plancher, mais ce n'était plus celui de la pouponnière. Elle se défit de son ravisseur et regarda autour d'elle.

– Anya ?

– Il ne sert à rien de lui résister, du moins pour l'instant, gronda-t-elle.

– Il a pris mes bébés !

Kimaati les déposa doucement sur la fourrure devant la cheminée, puis disparut.

– Où est-il allé ? Que va-t-il nous faire ?

– Je ne crois pas me tromper en affirmant qu'il a l'intention de nous garder prisonniers, intervint Solis.

– Mais que faites-vous ici ?

– Il veut récupérer ce qui reste de sa famille.

– Mais il ne s'est jamais intéressé à moi avant maintenant.

– À nous non plus, précisa Anyaguara.

– Et où est-il passé ?

– À mon avis, il est allé chercher les filles.

Kira ! appela mentalement Myrialuna.

– Aucun de nos appels ne peut malheureusement franchir les murs de cet endroit, l'informa Solis. J'ai déjà tout essayé.

– Mais qu'allons-nous faire ?

✳ ✳ ✳

Kimaati se matérialisa dans le grand hall vitré du Château de Shola et huma l'air. Les filles se trouvaient dans une pièce du rez-de-chaussée. Il s'y rendit donc à grandes enjambées et s'arrêta su seuil de la cuisine. En apercevant le colosse, dont le corps bloquait entièrement la sortie, Ludmila poussa doucement Maélys sous la table en lui faisant discrètement signe de ne pas faire de bruit. À deux pas d'elle, Lavra fit la même chose avec Kylian.

– Approchez, ordonna l'étranger.

– Nous ne possédons rien, l'informa Léia.

– Votre mère a besoin de vous.

– Où est-elle ?

– Elle a été emmenée dans les volcans qui séparent votre continent du nouveau monde. Je peux vous y conduire immédiatement.

– Mais... protesta Lidia.

Sachant qu'elle allait déclarer que Larissa n'était pas parmi elles, Léonilla lui indiqua d'un seul regard de se taire.

– Si maman a besoin de nous, nous devons y aller, concéda plutôt Léia.

Kimaati leur tendit ses larges mains.

– Accrochez-vous à mes doigts.

Maélys bondit de sa cachette au moment où le dieu-lion s'évaporait avec ses cousines.

– Attendez-moi ! hurla-t-elle. Maman !

En entendant le cri de sa fille, Kira laissa tomber les jouets qu'elle ramassait et dévala l'escalier. Elle courut jusqu'à la cuisine, où elle captait l'énergie des jumeaux.

– Que se passe-t-il encore ?

Kylian sortit de sa cachette et commença à lui raconter en même temps que sa sœur ce qu'il avait vu. La cacophonie de leurs versions des faits empêcha Kira d'y comprendre quoi que ce soit. Elle s'accroupit aussitôt devant les enfants.

– Un à la fois ! exigea-t-elle.

Comme d'habitude, Maélys commença la première.

– Un homme aussi grand que la porte est parti avec les filles ! résuma-t-elle en quelques mots.

– Il a dit que Tati Mimi avait besoin d'elles, ajouta Kylian.

– Et ils ont disparu !

Un frisson d'horreur courut sur la peau de la Sholienne. Puisque la colère d'Abussos ne l'avait pas privée de toute sa magie, en raison de son appartenance au panthéon d'Achéron, elle rappela à son esprit le visage de celui qu'elle avait surpris au-dessus du corps d'Abnar dans la crypte et le projeta sur la porte d'une des armoires.

– C'est lui ! s'écrièrent en même temps les jumeaux.

Elle les cueillit tous les deux dans ses bras, quitta la cuisine et s'empressa de grimper l'escalier avec eux.

– Est-ce que tu as peur, maman ? s'étonna Maélys.

– Papa et moi allons tout arranger, promit-elle en tentant de se montrer convaincante.

Elle entra dans sa chambre, où Lassa était en train de lire, confortablement assis dans son fauteuil préféré. En apercevant les oreilles pointues de Kira collées sur son crâne, il crut que les petits avaient fait une terrible bêtise. Lorsqu'elle appela Marek et Lazuli par télépathie, il comprit que c'était encore plus grave.

– Nous ne pouvons pas rester ici, déclara Kira. Kimaati vient d'enlever les filles de ma sœur.

Les plus vieux arrivèrent en courant, en compagnie de Larissa et du Prince Daghild.

– Nous étions en train de faire pousser d'autres arbres ! se plaignit Lazuli.

– Il en a oublié une, apparemment, fit remarquer Lassa.

– Restez ici avec votre père, ordonna Kira. Je vais aller chercher Fan, Myrialuna et les bébés.

Elle fonça dans le couloir et fut saisie d'effroi quand elle aperçut les berceaux vides. Elle utilisa immédiatement ses sens invisibles pour localiser les garçons, mais ils n'étaient nulle part, tout comme leur mère et ses cinq autres nièces.

– Mama ? appela-t-elle.

Elle ressentit un puissant tourbillon d'énergie à l'autre bout de l'étage et s'élança une fois de plus dans le corridor. Elle arriva juste à temps dans la chambre de Fan pour la voir disparaître dans l'étreinte de Kimaati.

⁂ ⁂ ⁂

Le dieu-lion réapparut dans son hall et libéra la déesse des bienfaits, qui s'empressa d'aller protéger les bébés avec sa fille. Mais Kimaati n'avait aucune intention de leur faire du mal. Au contraire, un large sourire de satisfaction illuminait son visage.

– Nous sommes enfin une grande famille, leur dit-il avant de tourner les talons pour avertir les Hokous qu'il avait de la compagnie.

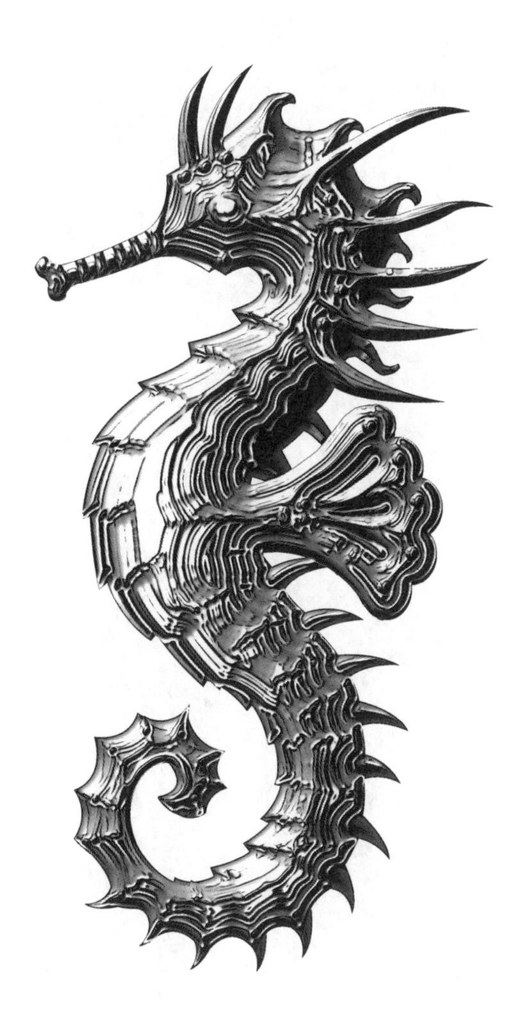

À PARAÎTRE
PRINTEMPS 2015

www.anne-robillard.com
www.parandar.com

À SURVEILLER EN 2015

ENLILKISAR,
LE NOUVEAU MONDE

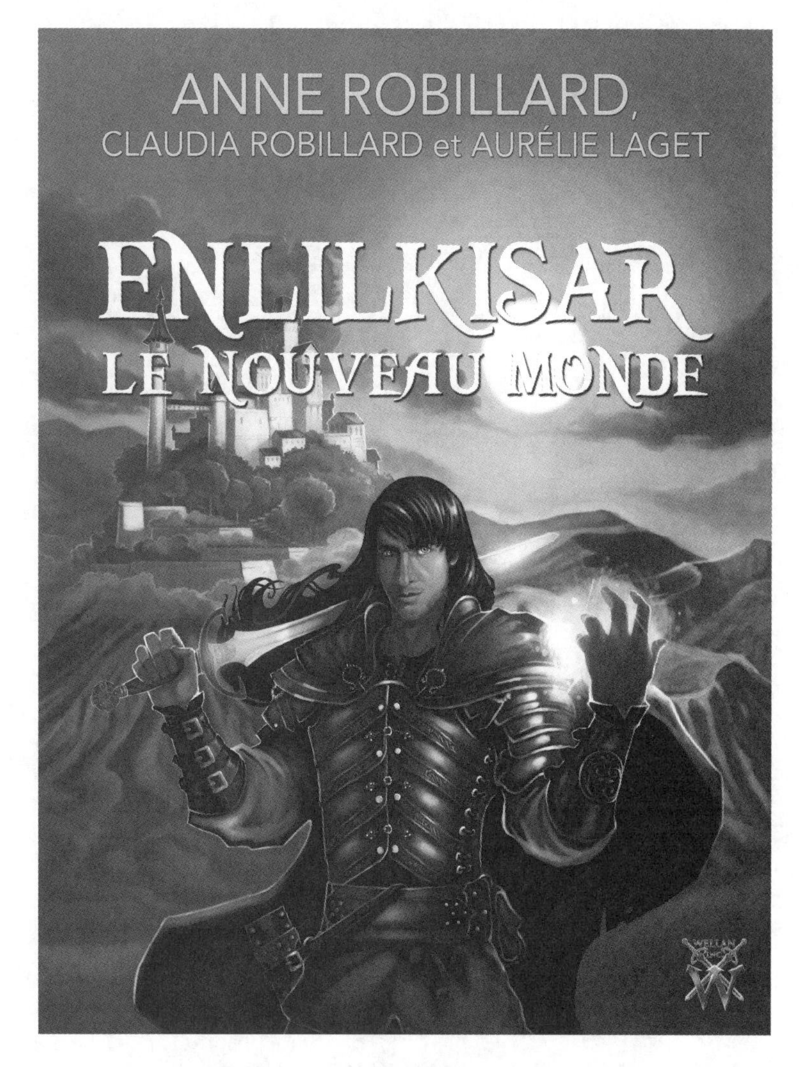

LE LIVRE COMPAGNON DES HÉRITIERS D'ENKIDIEV !

Imprimé au Québec, Canada
Septembre 2014